YOU: ON A DIET   The Owner's Manual for Waist Management

Michael F. Roizen, MD, and Mehmet C. Oz, MD

With Ted Spiker, Lisa Oz, and Craig Wynett

Illustrations by Gary Hallgren

身体使用手册2
腰部管理

[美国] 迈克尔·罗伊森 迈哈迈特·奥兹/著 加里·哈格仑/插图

兆彬 吕方/译 陈隆典/审阅

凤凰出版传媒集团 ⚘ 译林出版社

图书在版编目（CIP）数据

YOU：身体使用手册 2：腰部管理／（美）罗伊森（Roizen，M.），
（美）奥兹（Oz，M.）著；兆彬，吕方译.—南京：译林出版社，2007.4
（生活译林）
书名原文：You：On A Diet：The Owner's Manual for Waist Management
ISBN　978-7-5447-0258-4

Ⅰ.Y... Ⅱ.①罗... ②奥... ③兆... ④吕... Ⅲ.保健-普及读物
Ⅳ.R161-49

中国版本图书馆 CIP 数据核字（2007）第 028684 号

YOU：ON A DIET：THE OWNER'S MANUAL FOR WAIST MANAGEMENT
by Michael F. Roizen. M.D. and Mehmet C.Oz,
Copyright ⓒ 2006 by Michael F. Roizen, M.D. and Mehmet C.Oz, Works, LLC.
This edition arranged with Candice Fuhrman Literary Agency through Big Apple
Tuttle-Mori Agency, Inc.
Simplified Chinese edition copyright ⓒ 2007 by Yilin Press
All Rights Reserved.
登记号　图字：10-2007-051号

书　　名	YOU：**身体使用手册 2：腰部管理**
作　　者	[美国]迈克尔·罗伊森　迈哈迈特·奥兹
译　　者	兆　彬　吕　方
责任编辑	施梓云　谢山青
原文出版	FREE PRESS
	A Division of Simon & Schuster, Inc.
出版发行	凤凰出版传媒集团
	译林出版社（南京湖南路 47 号　210009）
电子信箱	yilin@yilin.com
网　　址	http：// www.yilin.com
集团网址	凤凰出版传媒网 http：// www.ppm.cn
印　　刷	南京爱德发展有限公司
开　　本	787×1092 毫米　1/16
印　　张	22.25
插　　页	6
版　　次	2007 年 4 月第 1 版　2007 年 4 月第 1 次印刷
书　　号	ISBN　978-7-5447-0258-4
定　　价	（软精装）29.80 元

译林版图书若有印装错误可向承印厂调换

献 给
千千万万正在辛苦节食的人们
聪明瘦身从此开始

在决定身体健康与否的各个因素,即自然环境、生活环境、遗传因素、生活方式和医疗条件中,惟有生活方式是自己选择的,一个人健康与否,很大程度上取决于自己的生活方式。

你们想过没有,工作做不好可以再努力,身体就像是空心玻璃球一样,一旦碎了就不能再恢复了。

钟南山（中国工程院院士,中华医学会会长,广州医学院教授）

本书的作者均为有相当造诣的医学专家,而作为专科医师的我在读完后,十分惊讶作者能把那么复杂的人体营养吸收、利用及存储过程变为深入浅出而且图文并茂的描述,仿佛把读者带进了充满童趣的课堂,你不需要任何专业知识就能看懂。

肥胖的要害不是体重而是腰围,管住腰围也就控制了体重。节食瘦身并不意味着要残酷地折磨自己,只要学会聪明地吃,适当地运动,就可达到满意效果,还你健康和自信!

陈隆典（南京大学医学院鼓楼医院消化科主任医师,教授）

身体就像宫殿,亭台楼阁斗拱飞檐,很精细,很协调,充满了秘密。有多少人对这灵魂的居所有深入细致的了解,让它成为幸福的源泉,而不是痛苦的巢穴?本书如同一册游览图,指引你在迷宫漫步。承上启下的腰部,远比想象中更重要和复杂。你会充满惊讶,也许会停下来深叹一口气,因为曾经的无知,对身体犯下南辕北辙的错误。当你开始阅读此书,你的腰就会微笑地挺直,知道从此你会善待它,保养它,而它还报你一件珍贵的礼物——健康。

毕淑敏（著名作家,《拯救乳房》作者）

了解身体、使用身体,并最终管理好身体,这是人们获得并维护健康的"三部曲";而了解腰部、控制腰部,并最终管理好腰部,则是这三部曲的核心旋律。作为《YOU:身体使用手册》的续篇,《YOU:身体使用手册 2——腰部管理》一书正是站在这样一个重要而独特的角度,系统阐述了全新的营养理念,交给读者一个自我管理、瘦腰健身的指挥棒,演绎出拥有理想身体、达到健康目标的曼妙乐章。

于康（北京协和医院临床营养科教授,中国老年保健协会首席营养专家,《食物是最好的医药 2》作者）

身体其实是女人最直接的代言。持续多年的瘦身热,就是为了美丽,为了自信,为了健康,为了快乐,为了爱,为了更理想更完美的自我。聪明女人不会再追求模特一样的瘦,连国际时装界都纷纷禁止过瘦的模特登台,健康的性感正在作为最人性化的美丽风潮全球涌动。从纽约到巴黎,到米兰,而今到了中国。本书给我们带来了这股健康风潮,更重要的是它带给我们全新的视角、理论和一套行之有效的方法，以健康为终点，是 feel good（感觉好），而不仅仅是 look good（看着好）。从身体管理，到体重管理，而今健康的风向标更精准地指向腰部，这就预示着一个腰部健康管理时代的到来。

孙雅君（《时尚健康》主编）

这里介绍的不仅仅是缩小腰围的方法，而且是让大家学会一种生活方式，一种快乐、轻松获得健康的方式。学习本身是快乐的，健康本身也是快乐的，这种快乐很相似。每个健康的受精卵都是健康小生命的开始。人体的构造是如此精巧，如此美妙，配合得如此和谐，遗憾的是，不适当的生活习惯和错误的观念会让我们的身体陷入恶性循环。如果你想健康，首先要做的事是改造自己的心智模式，让自己快乐，让自己健康。正确的观念比昂贵的药物和复杂的手术更重要。有了正确的观念，才有正确的决定，才有正确的行为，你就可以防患于未然。追求和保持快乐的健康是一种智慧。

王甲东（《家庭医生》总编，教授，中华医学会科普分会副主任委员）

作为艺人，减肥、瘦身、塑形都是常备的功课。其实很多人也是一直在减肥的阵营里挣扎。如何让自己的身体保持良好的水平，如何让自己的体重保持令人满意的数字，如何让自己更健康地瘦身，在这本书中，你会找到满意的答案。

胡兵（著名模特，艺人）

许多人对林林总总的减肥书籍、健康手册无法鉴别与选择，这也导致一部分人在减肥、追求体形的过程中与健康这一根本主旨背道而驰。作为医学专业人员，我很欣慰地看到两位美国同行以通俗趣味的笔触将权威的相关科学知识进行了很好的诠释与分析，并提出了许多切实可行的方案。我建议希望保持良好体形同时又拥有健康的广大读者，不妨把这本值得一看的书作为自己生活中的好伙伴。

张火俊（第二军医大学附属长海医院医师，医学博士）

什么样的女人称得上美丽？是身心健康的女人。每天都有许多想改变体型的网友上网搜索各种瘦身宝典，这本书并没有告诉你哪一位明星的减肥食单最适合你，但它告诉你，如何活出自己的美丽——改变自己，从改变观念开始，从了解自己的身体开始。看完这本书，你会发现，原来自己才是自己最好的美体导师。

赵莹（网易时尚总监）

一目录一

第一篇　健康之计在于腰

概述 YOU：饮食和腰部管理 不要蛮干，要做聪明的努力 / 3

　　我们十分幸运地生逢其时—医学界刚刚解开导致人体脂肪聚积及体重增加的生物学之谜，正在揭示有关食物、食欲和饱足感及应对身体超重问题的医学根据。这是人类有史以来第一次获得这类知识。抗击肥胖的真正武器是知识。我们希望通过解释阐述这些知识，使其变得通俗易懂，能给你提供必要的工具和行动方案，并来破解真正实现终身控制腰围的秘密。

称心如意的身体 你的身体未来应有的面貌 / 25

　　我们的有些做法损害了有助于减轻体重的系统，却反而增加了增加体重系统的力量。这就不知不觉中破坏了人体的解剖学设置，让我们的身体变成了储存脂肪的机器。因此，你的努力目标之一应该是重新设定自己身体的工作程序，让体内系统能像当年人类祖先们的身体那样正常工作。

第二篇　脂肪的生物学

别贪得无厌！ 食欲的学问 / 35

　　真正的食欲分为两种形式：让人体产生饥饿感的生理信号，以及诱使人进食的情绪性哄骗。我们将探讨这些生理信号，因为了解并控制人体的饥饿和饱足信号会有助于你选择一套有益健康的饮食方案。这些机制对于饮食方式的影响，比你的味蕾要强大得多。一旦你明白了这一点，就会在行为、态度和生物学等方面做出相应调整，以使自己拥有健康的体重和生活。

第一篇
健康之计在于腰

身体的形与质

概　述
YOU：饮食和腰部管理

不要蛮干，要做聪明的努力

　　为了解决身材发胖变形的烦恼，大多数饮食方案提供的都是常识性的解决办法：想办法吃得少一些，体重就会相应地减轻；努力地约束自己的胃口，就会避免多余的赘肉。这些方案认为，假如能够像一名蒸桑拿的相扑运动员那样酣畅淋漓地出一身大汗，那么，最后你的身材就会纤细得比纸张还要薄。乍一看，这办法的确是会有立竿见影的效果了，可是如果这真的管用的话，我们的身体将会细小得连 Google 上的卫星地图服务系统都查找不到，而大部分类似的节食方法也就不会都在现实中碰壁。如果这真的管用的话，那我们这些满嘴黄油、满腹油炸食品的人也一定是一帮活该的顽固分子，因为我们连这么几条简单的节食方法也不愿意照做。

　　或者，其实是另一种情况——大多数这样的节食减肥方法都错了。

　　我们认为的确是另一种情况。

　　知道其中的原因是什么吗？因为大多数节食食谱都要你绝对抵制玉米片、特色肉圆和甜点。这，就是你要穷尽一生，与食物进行的一场健康和抵御美食诱惑的角力比赛。但是，基本上比赛的结果往往是一成不变的——那就是你会渐渐戒备松懈，抵挡不住美味的诱惑而败下阵来。这是因为，抵抗赘肉斗争的胜利，不是靠蛮力、流汗或是努力节食就能赢来的，而是以优雅、智慧和习惯成自然的健康选择赢来的。

薯条

　　至于控制饮食的问题，试图依靠自身的毅力来甩去脂肪,就好像是在水下屏住呼吸,你可以支撑一会儿,但是不论你在精神上做了多么充分的准备,到了某个时候,你的身体——你的生物本能——都会迫使你浮出水面大口吸气。对于选择了节食方法的大多数减肥者来说,你身体的生理本能最终都会迫使你更加强烈地渴求(大口的)食物。无论你多么努力地克制自己不吃,深藏在人体内的某种巨大力量总能撬开你的嘴,个人的毅力在这场拉锯战中根本不可能取胜。别再和自己的腰围较真了,要让自己的身体成为你抗击肥胖的盟友,现在正是时候!

我们的步骤是像科学家那样审视我们超重的身体,发现自己健康问题的根本生物学机理,然后找出治疗的办法。为什么要这么做呢? 因为我们十分幸运地生逢其时——医学界刚刚解开导致人体脂肪聚积及体重增加的生物学之谜。科学家正在揭示有关食物、食欲和饱足感及应对身体超重问题的医学根据。这是人类有史以来第一次获得这类知识。抗击肥胖的真正武器是知识,我们希望通过解释阐述这些知识,使其变得通俗易懂,而给你提供必要的工具和行动方案,来破解真正实现终身控制腰围的秘密。事实上,我们的保健计划会帮助你避免体重增了又减、减了又增,如溜溜球般周而复始,恶性循环。我们要帮助你重新设置自己身体运行的健康程序,让你可以"一朝瘦身,终身保持"。

多少年来,很多人都认为自己的体重问题就是两方面的事:热量的摄入和意志的坚定程度。这里我们有些人可能会说,体重问题就是吃了太多的芝士意大利面条。然而真正的问题是,我们大多数人对自己身体工作机理的了解,不会超过对自己汽车工作原理的了解。不错,我们知道主要的零部件及其大致功能。但是,自以为对身体状况了如指掌的真正危险在于,我们不再提出问题。如果把自己身体的引擎盖掀开来看看,我们是不是真的了解那个让身体加速冲向一生肥胖的体系结构? 而什么样的体系,能够让我们在与饼干、蛋糕这些健康危险碰撞之前及时刹车化险为夷,从而避开一生中每时每刻都可能发生的健康威胁? 遗憾的是,大多数人也许无法看到自己身体的引擎。这正是我们写下这本书的原因,我们要帮助你认识到,在生活中应该保持什么样的自身机体状况,才能有益健康。

首先,我们要告诉你的是:对于健康瘦身来说,你需要的是智慧,而不是蛮干。

按照我们的计划去做,你的腰围(或裙子的尺码)会在 2 周内减少 5 厘米之多,此后瘦身的效果还会稳步进展。虽然最终目标是我们大家的共同期盼,但是我们认为你选择实现这一目标的具体方式,是真正决定你成功与否的关键所在。我们建议的方式如下:

第一篇:健康之计在于腰 从腰部开始,我们将探讨有关人体工作机理的主要原理,以及人体是怎样为实现种种功能运转起来的。我们还会向你展示人体的生物理想状态——我们身体初始的形态和工作状况。我们还会给你提供一些自我评估的方法,来规划你自己身体的理想情况。一旦知道了自己的努力方向,你就会更加清楚自己应该怎样做才能实现理想中的目标。

第二篇:脂肪的生物机理 在这一部分中,你将与食物一起,经历从食品柜到陶瓷坐便器的完整旅程。我们首先会探讨食欲的生理机制,随后会深入挖掘脂肪的科学根源——人体如何储存脂肪,如何燃烧消耗脂肪,以及应该如何与多余的脂肪进行斗争。通过明智地选择营养和运动的方式,你会朝着健康的正确方向迈进,会逐步了解到,自己的身体作为一个体系有着多么不可思议的神奇力量。

第三篇:头脑的学问 谈到暴饮暴食这个问题,我们大多数人往往更关注于自己吃了些什么,而不是自己当时在想些什么。但是,只有深入探索你的脑激素和情绪后,以及什么会驱使你大吃超辣菜肴的科学和化学(甚至还有精神方面的)原因,我们才能真正地研究体重增加的本质性问题。更重要的是,我们会告诉你,产生有益健康的情绪和化学物质的技巧,让这些因素自然周到地为你的腰部管理服务,而不是帮倒忙。

第四篇:YOU 饮食与行动计划 在阅读并了解了人体内部的复杂性之后,你会找出适合自己的饮食与运动的计划,让自己的身体可以明智地进食和锻炼。随着你身体内的基础性肌肉变得强韧,进入一种良性循环状态,你的身体就会成为你自己的快乐健身馆——根本不必借助重物锻炼。在超市的货架间,在快餐店的橱窗前,你会逐渐逐渐学着做出正确的选择。为期 14 天的计划列出了食谱、锻炼项目,以及你可以采取的行动,这些会使你自己的身材更匀称,身体更健康。

（在本书的附录中，我们还会探讨解决体重问题的医学方法——主要针对那些严重超重,居高不降,以及由于体重问题引发严重疾病的人士。）

现在,社会上流传着大量的节食瘦身资讯,这些铺天盖地而来的信息往往让我们很难知道什么是正确的饮食方式。有时,即使方法是对的,要具体记住这些繁杂琐碎的方法之后,再亦步亦趋地去做也很困难。正因为如此,我们认为,瘦身计划固然重要,你学习节食的方法——你怎样使其自然地融入自己的生活,让它顺理成章地成为你生活方式的一部分——也同样发挥着至关重要的作用。纵览本书的四个部分,你会知道许多如何了解以及改变自己身体状况的方法。下面是我们在本书中会用到的五种主要要素:

YOU 提醒: 就像爱因斯坦突然意识到"$E=mc^2$"那样,你会敏锐深入地洞察到饮食、脂肪和自己身体的真实状况,与在此之前自己的主观预想相差很大。在本段左侧,你看到的是我们的 **YOU 提醒**小精灵——这是一个信号,说明我们要道破一个误区,或是解释有关饮食方面的问题,其结果可能往往与你原先的认知大相径庭,我们会让你有醍醐灌顶的感觉。

YOU 提醒小精灵

YOU 身体: 在第一篇和第二篇中,我们在探索人体生物学机理的过程中,在每一章的开头,都会有一小段关于人体内部活动真实情况的生物学说明。我们希望你可以身临其境地想象你在自己的动脉血管、肠道内和胃里呼啸而过的场景。我们会要求你带上假想的刷子和手套,我们会让你和你的脂肪亲密接触,这样我们就可以看到你的身体如何处理脂肪,以及脂肪是如何控制人体活动的。我们相信,通过了解自己身体内部的工作情况,你会渐渐培养出改变身体外形所需的智慧。

YOU 测试: 通过互动性质的小测验和标准测量,你的心中会树立起重要数据的底线指标,比如你理想的身材尺寸以及饮食风格。你还可以检测出某些有可能导致体重超重问题的神秘因素(详情见本书第 70 页的舌检查)。稍后几页,你就可以开始第一个测试了,那就是第 17 页的"脂肪实情测试"。

YOU 建议：在我们探索人体的生物学机理，告诉你错误的生活选择或变异基因可能导致的恶果之后，我们会马上向你提供可以改善相关健康状况的行动方案。在每一章的最后，我们会列出明智的技巧和策略——有大，有小——关于生活，关于饮食，以及有益健康的运动方式。

YOU 饮食与行动计划：在第四篇中（本书第 191 页）我们会详细分析特定的简易技巧、食谱和运动，这些因素会让你的身体变成你所期望的样子——这种理想状态还可以伴随你终身。为期 14 天的 YOU 饮食（这相当简单，实际上我们制订了一套为期 7 天的饮食计划，你在 14 天里连做两次就可以了），以及无需重物辅助的 YOU 健身方案已经提供了你所需的一切方法和指导。最大的好处是：这个计划不会占用你很多时间，而且非常简单，你今天就可以很方便地把它融入到你的生活中去。

那么我们该从哪里开始呢？我们的第一个 **YOU 提醒**时刻到了：你的身体本能地希望你的体重可以达到最佳值，前提是只要你自己本身不去人为地设置障碍。

不错，对于几乎所有的人来说，不论你的基因如何，你的身体的各个体系、器官和工作过程都希望你能以最理想的体重和身材生活。通过在后文中提出的贯穿全书的几条原则，我们要告诉你具体如何去达到这一理想的状况，而不必拿着切黄油的餐刀踌躇难决。下面便是我们提出的，帮助你实现最棒、最健康身体的主要原则。

崇尚优雅，拒绝蛮干

大多数节食者试图依靠毅力、挨饿、流汗，以及"我的大脑战胜一切"的自信态度，来抵抗奥利奥饼干、奶酪面条、奶油比萨饼的巨大诱惑。然而，企图单凭意志力来战胜生理的需求，可能要比一只西瓜大小的肾结石在体内通过还要痛苦。你必须做的是，了解影响饥饿感和饱足感，蓄积脂肪和燃烧脂肪的相关体系和活动，以便更好地调节你的生理机能，让身体处于自然良好工作的状态，并能顺利安然地让你达到如果减肥时不做运动，减去的不只是脂肪，还有肌肉。如果你由于没有运动而体重增加，那么增加的只有脂肪。脂肪增重比肌肉增重容易得多，这也是效果容易反复的节食减肥方法屡屡失败的原因之一：在体重增了又减、减了又增的过程中，体内脂肪的比重最终会升高，因为每次当你减去了体重的同时，都损失了肌肉。

最终的目标：健康理想的身体。（如果你想跳过这部分内容直接往下看，那么你很可能已经瞄过了第四篇的内容；不过，了解自己身体的微妙之处确实可以帮助你实现并保持身体状况真正的健康。）

你将了解到自己身体的思维方式

真正的身体健康改善与科学有关。科学是从魔法到确凿数据的飞跃，是从炼金术到化学的飞跃，是从主观臆测人体工作机理到理性阐释人体实际工作状况的飞跃。了解含 2000 大卡热量的洋葱面包的热量和脂肪是如何转变为你胳膊上的赘肉，唯一的方法是引入有关激素、血液、器官和肌肉的生理学知识——解释说明消化、饥饿、脂肪蓄积和肌肉运动的过程。一旦理解了生理学的魅力以及生物学的乐趣，你就会明白自己应该怎么做，以及为什么要这么做的原因——是为了让自己的身体重新调整到理想状态。这就和安抚发脾气的幼儿或是激活死机的电脑一样，只有知道问题出在哪里，才能从根本上解决问题。坦白地说，我们不可能密切监视你的一举一动，提防你在晚上十点半偷吃蛋挞。归根结底，你的健康需要你自己的努力。所以，你必须储备人体工作机理的相关知识，从而在面对蛋挞的时候做出正确的反应，抵御小小的糖衣汉堡包的诱惑。

你将质疑自己原先的饮食观念

在一生中，我们往往会形成这样一种思维定式，那就是如果某样东西对我们有益，那么越多就一定是越好。如果每日饮食少摄入 100 大卡热量对身体有益，那么少掉 400 大卡热量一定可以让你的尺码缩小。如果通过步行可以减肥，那么跑上一程马拉松一定可以让身体彻底脱脂。这该怎么说呢？过犹不及，这两种观点都是错误的。更糟的是，这样的观念不仅与实际情况不符，而且目前广为宣传的很多瘦身方法，实际上都在损害我们的身体，比如饥饿节食法，它只会降低人体的新陈代谢水平，让身体意图蓄积脂肪。在你对节食减肥的认识中，有很多规矩、观念和戒律——你在节食减肥时对它们的效果深信不疑——根本不是事实的本来面貌，完全有可能导致体重问题。因为这些理念和方法会使你陷入脂肪增减的恶性循环，循环的速度可能比著名自行车运动员阿姆斯特朗的车轮还要快。

从某种意义上来看，我们生活在钟摆的两极上。我们要么是一路摆向一边（严苛艰苦的节食，每天摄入的热量少得可怜），要么就是义无反顾地摆向另一边（猛吃涂满奶油、奶酪的百吉饼）。我们绝对不需要如此疯狂地两极摇摆，我们要生活在钟摆的中间位置，努力创造自身机体的平衡环境，避免"敞开吃"和"绝不吃"这两种极端。

大部分所谓节食方法无效的原因之一，是因为很多节食减肥者在心理上和行为上存在着一种通病。我们太愿意相信节食方法所做出的直截了当而且无比诱人的许诺了——照着 A 方法做，就会收获 B 效果。而当我们一旦发现 A 方法（天天吃麦芽）并不总是等于 B 效果（成为《时尚》杂志封面人物）时，就会沮丧恼怒，信心尽失，进而屈从于涂满奶油的烘烤食品。

遗憾的是，你的身体和脂肪之间的关系并不是线性平行的关系。事实上，你可以把我们的身体想象成一个交响乐团。其中的所有系统、器官、肌肉、细胞、体液、激素和化学物质负责演奏着不同的乐器，各司其职，发出各自的声音（你的肠道坐的是首席大号手的位置），从而产生不同的结果，具体情况取决于你利用它们的状况如何。它们彼此之间仿佛只是在独立地工作，其实只有当它们共同演奏的时候，你才能欣赏到自己机体奉献的精彩绝伦的和谐交响乐。作为自己机体的指挥，你控制着乐器间的互动情况，以及最终作品的效果。

让饮食计划自动化

我们一方面希望你不要"想"吃好东西，但也很清楚"不去想"可能正是你卷入身材走样苦恼的罪魁祸首。你不去想吃下橄榄球般大小汉堡的后果，最后就会惹上诸多麻烦：如低密度脂蛋白胆固醇(LDL)水平高，高密度脂蛋白胆固醇(HDL)水平低，动脉血管发炎，极易导致失忆、出现皱纹，甚至产生极易罹患心脏病的动脉老化问题，以及肥胖诊疗室里源源不断发出的优惠就诊券。我们希望你的身体可以引导你做出正确的选择——是不假思索的情况下做出的选择——这样就会最终实现你所期望的目标。在一开始的时候，要重新调整和培养你的饮食习惯、食欲和肌肉，是需要付出一定程度上的艰苦努力，但是这种保健方案是作为一项长期坚持的饮食、运动和行为计划，最终会成为你生活中必不可少的常规项目，就像上床前要洗漱一样。

除非你具有那种少有的军人素质，可以主观能动地自发坚持节食训练，不然采用传统的瘦身方法是不可能长期坚持下去的：毅力、挨饿、一时的狂热、阶段性的反复，或者干脆锁死装着黄油点心的盒盖。相反地，采用我们提供的瘦身方案，你可以永远不需要担惊受怕地想着自己吃了多少；永远不需要时时刻刻地想着自己正在节食，也不必担心自己忘记了节食；永远不必斤斤计较于摄入食物的热量和成分；也不必为了保险起见，用食品秤称鸡胸肉(或许，这样做让你的饮食选择增添了神圣的色彩)。

你会关注
腰部管理的问题

可以这么说，我们的社会对于减轻体重的狂热，几乎和对名人爱侣分手的绯闻一样关注和执着。不过，是到了该转变观念的时候了：已经有研究表明，在由于体重超重导致的死亡病例中，最重要的指标是腰围，而不是体重。当然，按照本书中的健康计划

取卷尺来

　　自从上世纪七八十年代热门电视情景喜剧片在黄金档播出后，有些人就再没称过自己的体重。这倒是件好事。在我们看来，你并不需要知道自己有多重。(但是如果你要在实施本书的健身计划期间评估自己的进展情况，那么完全可以称称看。)你需要做的只是用卷尺测量。测量肚脐处的腰围，记下数值。(关于测量的具体位置，你可能还需要根据自己个人体形情况，做出相应调整。假如你过度肥胖，在测量过程中要让卷尺保持与地面平行。)

　　腰围尺寸：_____

　　对于最佳的健康状况来说，女性理想的腰围尺寸是83厘米；腰围若是达到94厘米，健康受到的威胁就会增大。对于男性而言，理想腰围尺寸是89厘米，腰围一旦达到102厘米，健康危险就会增大。(当然，这是对美国标准而言。)

　　在本书中，我们会强调腰部比体重更重要，然而我们也很清楚，很多朋友是不可能对秤中显示数字的告警置之不理的。但是，谈到实际体重的问题，你确实不需要再去想着一个具体的数字。("我要减到59公斤。")我们所有人都有一个理想的体重值——不是跑马拉松需要的理想体重，也不是成为橄榄球全能后卫球员的理想体重，更不是能登上时尚杂志封面的那种魔鬼身材。我们的理想体重是一个范围，体重在此范围内，你可以生活得既苗条又健康；体重在此范围内，你患上与体重超重有关的衰老性疾病的危险可能性就会明显降低(详见本书第二篇)。

生活，你肯定会减轻体重，但是我们希望你的注意力可以从衡量体重的数字转移到衡量腰部的数字上。由于腹部与人体的主要器官最接近，腹部多余的脂肪是对人体健康最危险的脂肪。

　　除了通过调节饮食来帮助你缩小腰围，我们还会指导你做适当的运动，以帮助你实现并保持健康的腰围尺寸。请注意，我们推荐的运动并不是你通常认为的那种运动，我们的运动不会让你汗流浃背，气喘如牛。不过，我们倒确实需要你把自己的身体想象成一块掷镖的圆靶：一切的努力都是为了有效地命中靶上的红心。你会关注那些有助于控制腰围尺寸的身体锻炼活动——特别是步行和全身的基础性肌肉训练。(而不会长出像小老鼠那样鼓鼓的肌肉。)我们会教你一些简单的动作,来培养身体各处的基础性肌肉,会教你如何使腹部肌肉紧密,改善你的体态,培养出能让你穿衣服更好看的肌肉形态。这意味着你的腰形会更匀称,而研究表明,美好的腰形会让你更具有吸引力。

但是,我们不能忽略腰部管理方法的管理部分。优秀管理者是如何工作的?众所周知:他们未雨绸缪,高瞻远瞩地制订出能充分发挥各人特长和能力的工作计划,定出切合实际的目标,评估工作进展,他们不会强迫雇员超负荷工作,搞得雇员向人力资源部抗辩投诉,最终辞职或解聘收场。你需要把自己训练成一名优秀的腰部管理者,而我们在本书中给你制订的这个计划,目的就是要帮助你成为自己身体的首席执行官 CEO!

你会关注 YOU,但不会依赖 YOU

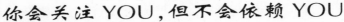

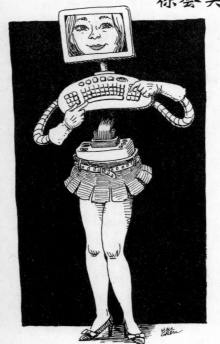

你可以看到,不论是总统(林肯或塔夫脱),音乐人("亚瑟小子"或传奇说唱歌手 Heavy D),还是网球运动员(莎拉波娃或小威廉姆斯),他们的体形各不相同,而且每个人的遗传基因、新陈代谢速率和生化活动也是不一样的。然而,不论你的身材像树枝还是树墩,有一些根本性的生物学事实仍然是完全一致的。身为同一类物种,人类天生就被设定为可以实现并保持正常指标的体重。这种功能根本就是与生俱来的, 根深蒂固地存在于我们的身体里。(关于这个问题,下文中还有进一步阐述。)关键是找到你自己这部机器在出厂时设定的状态。因此,我们会教你无比重要的锁定设定的方法,帮助你重新设定回自己的出厂状态,让自己的身体保持理想的尺寸和形态。

这是一项极富个人特点、具有个性化的挑战性任务,然而这并不意味着你一定要孤身奋战。生命是一场集体竞赛,你有运动队和医疗队,餐馆工作人员和办公室同事,hip-hop 俱乐部和计算器兴趣小组。当然,你还拥有一个终极亲友团——你的家人。最成功的团队运作情况都是如出一辙:每个成员各司其职,以各自的方式为团队做出应有的贡献。你的团队里也许有"大鲨鱼"奥尼尔、科比或者"小皇帝"詹姆斯,但是只有每一位成员而不是只有球星,都为着团队的共同目标去努力,这个球队才能够赢得总冠军头衔。

然而,对于控制自身体重的问题,你自然而然地会认为要减去多余体重和改变生活习惯,只是你自己一个人的责任。更糟糕的是,当你体重增加的时候,周围的人甚至会火上浇油:我们接触到的都是大份装食品、送餐上车服务的餐厅和分量足以喂饱一个小城市的家族晚宴。我们身处的这个商业化世界极力推销它的商品,根本就是希望我们的体重增加。然后当你要减肥的时候,周围所有的人好像都在和你作对:他们带垃圾食品回家,建议大家出去吃冰淇淋,在你奋力啃着花椰菜的时候大吃香气四溢的红烧肉。

你一定要改变原有的想法,不能把这些看作是一场与所有喜爱肉食的节食反对派之间的对抗赛。诚然,你需要做自己的腰部控制团队的四分卫(橄榄球队的核心位置),但是要知道没有团队支持,你不可能赢得最后的胜利。你需要有团队来掩护你,在你得分的时候与你击掌庆祝,在你表现糟糕的时候拍你肩膀鼓励你。你的团队的

首发阵容应该包括你的医生，可能是营养师，可能是私人健康调理师，肯定还要有许多许多"粉丝"，比如你的家人和朋友（网友亦可），他们可以鼓励你，支持你，警觉地把甜玉米从你面前拿走。但是你切记不应该只是依赖其他人的帮助，你应该利用这个机会来找一个志同道合的伙伴，你们彼此之间可以提供给对方所需精神上与物质上的支持和帮助。说到底，最棒的满足感不应该源自仅吃了第六勺做蛋糕用的面糊后就停止进食，而是应该来自分享知识和相互支持，帮助他人缩小了腰部尺码。

你不会再自怨自艾

经典的肥胖心理如下：如果你是瘦子，那么你会认为胖人之所以胖，一定什么地方做错了。但是，如果你是胖子，那么你会把自己的肥胖归咎于环境或是自己的遗传基因，或者其他的因素。好吧，在本书中，我们将会努力消灭这种埋怨，运用医学的深度认知来解释体重问题的史诗般传奇。我们要让节食摆脱由自卑和自责驱动的体系，让节食行动成为基于科学的理性选择。

当然，不是所有人都可以变得像卡梅隆·迪亚兹或布拉德·皮特那样完美性感。为了了解自己的体重、腰部和体形应该达到的健康指标，你需要考虑诸多因素，比如骨骼结构、肌肉质量、遗传基因和与体重有关的风险性因素。有这样一个事实几乎不为人注意：临床诊断为肥胖症的患者，却健康地生活着，没有任何健康问题的危险；而有些骨感瘦削的人，英年早逝的风险却比不带降落伞的跳伞运动员还要高。我们的目标是让你在减小尺码的同时降低体重超重带来的健康风险，还可以摆脱在长期努力节食过程中产生的心理重负感。

你永远不会感到饥饿

我们非常清楚你在过去节食时的感觉。饿！饿死了！再熬上三秒，就能以势不可挡的速度干掉一个三层的汉堡包！在极度饥饿感的煎熬下，你会把那份节食食谱撕得粉碎,也把坚持节食减肥的信心撕得粉碎！事实上,饥饿感导致的结果往往是你的裤子尺码加倍。要明智地进食和运动,你的努力目标应该是永远不会饿,永远不会处于因节食引发的焦虑状态。而在这种焦虑状态下,只有汽车快餐店窗口前的那份99美分的垃圾食品套餐才能够满足你此时吓人的食欲。我们发现只要能够抑制自己的饥饿感(以及体内分泌的相关化学物质),你就可以避免出现那种不假思索把脂肪速递到自己腹部的冲动行为。

你会犯错误

注意，我们可不管你看到艾娃·朗格利亚(美国热播电视剧集《绝望主妇》中主角之一,饰演曾经做过模特的美丽主妇)的完美身材会受到多大的震动和鼓舞,终究有一天,肯定很快就会有这么一天,一块排球大小的松饼会轻易地击败你,让你不管不顾地放任其进入你的腹中。这很好,听见了吧? 这很好。有时候你的眼睛、身体和好奇的手指确实是无法抗拒美味的巨大诱惑。你必须抛弃节食有副作用的传统观念。你要认识到正确的饮食方案是有效的——因其而衍生的行动、行为和情绪根本就是日常生活的正常组成部分。饮食方案所带来的影响之一,是偶尔会试着尝尝所谓"营养香烟"的食物。也就是说,这种食物可能对身体无害,但是会让你染上某些坏习惯。因此,腰部管理还包括制订应急方案的内容——这种方案允许你犯错误,只要此后再回到正确的道路上来。当你在面对三明治和巧克力蛋卷或者其他对腰部有害的美食时犯了错,我们会教你如何调转到正确的方向来,继续前进。这样,你的节食行车小事故,就不会演变为高速公路上一百辆汽车连环相撞的大麻烦。

你会拥有灵活的生活，且乐在其中

我们大多数人都希望自己的饮食有点儿像用遥控器调电视台，我们希望可以根据各种因素的变化而拥有很多选择，从我们的心情到一天中不同的时间段都可以做出相应的不同选择。研究结果明确显示，最有成效的饮食计划的维护成本都是很低的，你可以和家人一道快乐地执行节食计划，而不会产生极度渴求食物的焦虑感觉。只要你可以做到这一点，就会有显著效果。但是，如果像是一支球队在客场那样孤立无援的环境中奋斗，则最后很有可能像一部拙劣恐怖片的票房一样惨败收场。

正确的饮食不应与糟糕的感觉挂钩。正确的饮食应该让人感觉强健，精力充沛，生活品质提高，感觉更健康，而且从中可以获得比狂热的摇滚乐迷还要多的乐趣。正确的饮食应该是自然而然地进食，不必执着于每一口食物的成分。当然，人们多吃或误吃某些食物都是有原因的（紧张、无聊、舒适、仅售5分钱等等）。但是，我们的目标并不是要你亦步亦趋地教条式地变更自己的饮食结构，也不是要你与自身的"贪婪本性"搏斗。你应该是发自内心地微笑着——而不是苦笑、埋怨或咆哮——来面对自己日渐瘦下的腰部，欢笑着面对自己体内油脂水平的改善。通过阐释人脑和体内分泌的化学物质控制人类思维的过程，我们将向你展示人脑和胃部工作之间的联系，你就会明白餐叉下的食物在身体的交响乐团中发挥着怎样的作用，以及这种脑胃之间的关系在处置不当的情况下又是怎样会变为刺耳的不和谐音符的。

现在我们要进入正题了。你可能会问，我们下面要做什么？该怎么做？好的，我们要提供给你改变身体状况所需要的一切——通过一系列基于确凿科学事实基础之上的优雅有效的改变——这种改变可以伴随你终身。简言之，本书将成为你腰部管理和身体改变的终身行动指南。

最棒的是，只要你严格实践书中的方法，并将其转化为自觉自愿的行动，使其融入自己的生活之中，这样的生活信条将会让你感觉强健，从而实现并保持你努力追求的完美目标——你的理想身体。

脂肪实情测试

关于脂肪、节食及其他瘦身方法，你究竟了解多少？

为了解自己饮食知识的水平，你可以做一做下面这个脂肪实情测试。只要花上很短的时间，绝不会比看《美国偶像》(美国热门选秀节目)跑调花絮的时间长，你将了解到有关自己身体和腹部的知识，也许要比过去多得多呢。

1 导致人们增加多余体重的首要历史性事件是什么？

   A. 农业的发展

   B. 加入咖啡中的生奶油的出现

   C. 越来越多的非体力工作

   D. 快餐的发展

2 大多数节食方法无效的原因是什么？

   A. 这些方法都不可能长期坚持下去

   B. 这些方法相当复杂，人们甚至需要获得数学专业学历才能很好地执行

   C. 如果照这些方法做，那么一个人要吃的胡萝卜和芹菜茎简直是太多了

   D. 意大利白干酪，哇，太诱人了！叫我怎么能坚持节食下去呢？

3 下列哪种方法最适合需要减肥的人群？

   A. 每周称体重一次

   B. 每天吃两到三餐，每餐少吃

   C. 每天都吃坚果

   D. 放松一下，咱们大家都来些果昔吧！

4 **决定腰围增大是否会加大健康危险的最重要的指标是什么？**

A. 胸罩尺码

B. 血压

C. 胆固醇

D. 心率

5 **ghrelin（饥饿激素）是什么？**

A. 《哈利·波特》中一个人物的名字

B. 一种让人想吃更多东西的激素

C. 人体腹部脂肪细胞的名称

D. 人脑中的一种化学物质，让人产生良好的感觉

6 **瘦素是什么？**

A. 印在魅力幸运星牌麦片盒上的那个花花公子的名字

B. 一种塑造肌肉的蛋白质，可以促进人体消耗脂肪

C. 水果中含有的营养物质，与纤维协同发挥作用

D. 脂肪中含有的一种化学物质，会向人脑发出吃饱的信息

7 **下列哪种香料已经被证实有助于控制体重？**

A. 肉桂

B. 百里香

C. 牛至

D. 嫁给贝克汉姆的那个高贵辣妹

8 **用最准确的观点，完成下列句子：果糖** _____

A. 会降低很多食物中所含的热量

B. 迷惑人脑，让你一直觉得饿

C. 会提高食物中对人体有害的反式脂肪的含量

D. 反正是让我的谷物早餐尝起来棒极了

9 在极度紧张的时候,你的身体最想做什么?

A. 远离食物

B. 大吃食物

C. 找油炸食品吃

D. 受到打击而完全瘫软,洗个热水澡舒缓一下

10 下列哪种食物最适宜抑制食欲?

A. 全麦食品

B. 一大堆水果

C. 大量的无糖汽水

D. 几大盒女童子军牌小饼干

11 在下列选项中,对长期腰部管理策略危害性最小的是什么?

A. 每天饮食热量为 1000 大卡

B. 接受强度较高的结肠水疗或完全不吃脂肪

C. 进行马拉松跑的训练

D. 打电子游戏

12 下列哪个器官负责人体的新陈代谢机能?

A. 心脏

B. 胃

C. 肝

D. 肾

13 下列哪种疾病会导致大约 10% 至 20% 的年轻女性体重增加?

A. 慢性阴部疼痛

B. 甲亢

C. 多囊卵巢综合征

D. 我已经生了 6 个孩子,胖是再正常不过的了,别烦了!

14 人体摄入的热量都会储存在体内，下列哪种物质在人体中盘踞最久？

    A. 脂肪

    B. 纤维

    C. 果糖

    D. 薯条

15 你每天至少要步行多长时间，才能达到最佳的腰部控制效果？

    A. 30 分钟

    B. 2 小时

    C. 你的任何空闲时间均可

    D. 时间长短不论，只要不是在冰箱前忙忙碌碌就可以了

16 手术吸脂的主要目的是什么？

    A. 帮助人们瘦身

    B. 解决身体出现的问题

    C. 让一些好莱坞明星的私人医生有事可干

    D. 确保又一季真人秀电视节目的收视火爆

17 什么是网膜？

    A. 一个不知所云的词

    B. 人脑的组成部分，在受到激发的情况下会储存脂肪

    C. 一种控制饥饿感觉的化学物质

    D. 储存脂肪的一种组织

18 从健康角度看，女性最佳的腰围尺寸是多少？

    A. 越小越好

    B. 83 厘米以下

    C. 89 厘米以下

    D. 亲爱的，只要能穿得下那条瘦小的黑裙子就行

19 下列身体的哪一部分在体重增加上发挥的作用最类似于人脑？

A. 胃

B. 心脏

C. 小肠

D. 生殖器

20 CCK 是什么？

A. 前苏联

B. 通过改变人体血糖水平来调节胰岛素含量的一种激素

C. 随便找三个词，开头字母分别是"C"、"C"、"K"就行

D. 促胆囊收缩素，它可以向人脑发出饱的信息， 让你不要再吃威化饼干了

21 在下列选项中，最易导致体重增加的是什么？

A. 有时意志力低下

B. 短时间的巨大压力

C. 长期的低水平压力

D. 有时大吃甜食

22 什么是十二指肠转位术？

A. 一种可以有效瘦身的手术方法

B. 肠移植

C. 来自西雅图的当红乐团

D. 促进人体结肠排毒的方案

23 下列哪项会是瘦身最有效的医学方法？

A. 阿司匹林

B. β 阻断剂

C. 斯达汀类药物

D. 抗抑郁剂

24 下列哪项运动最有助于控制腰围？

    A. 仰卧起坐

    B. 心血管训练活动，比如跑步

    C. 耐力锻炼，比如举重

    D. 每隔一周的星期二，跳场拉丁舞

25 瘦身最严重的副作用是什么？

    A. 巧克力成瘾症状出现的风险增大

    B. 肌肉和关节痛的风险增大

    C. 节食进程反复的风险增大

    D. 面对高昂置装费账单的风险增大

正确答案

1. A. 农业的发展意味着现在我们可以吃到所有想吃的食物，而并非仅仅需要的食物。农业发展为人们沉溺于食欲中提供了基础。

2. A. 大部分节食方法不会重新调整你的思维模式而让你自觉自发地思考和进食，因此你最终会摆脱这样的节食方法，义无反顾的程度就像当初你开始节食时一样。

3. C. 科学已经证实，每天吃一把坚果可以让人没有饥饿感，而在正常的进餐时间不吃饭会对人体有害，因为我们的身体在没有获得足够热量的情况下会进入储存脂肪的挨饿模式。

4. B. 在这些危险中，血压是最强有力的指标，可以衡量与体重超重有关的健康问题。

5. B. 饥饿激素会让你想吃更多东西。

6. D. 瘦素让你有饱的感觉。

7. A. 肉桂增加了胰岛素敏感度，有助于提升人脑的饱足感中枢的机能（同时降低体内血糖及胆固醇水平）。

8. B. 高果糖玉米糖浆中所含的果糖似乎不会阻断导致饥饿感出现的化学物质的分泌，所以人不会有饱的感觉，只想再多吃东西。

9. A. 极度的紧张（如车祸或甚至是运动的情况下）会关闭人体的饥饿感。慢性压力（如迫在眉睫的一连串截止日期或家庭问题）则可能会让你想吃很多碳水化合物来改善自己的心理感觉。

10. A. 全麦食品富含纤维，极易让人产生饱的感觉。

11. D. 在玩电子游戏时，双手没有空闲，自然就不会吃东西。（进行马拉松跑训练实际上对人体的危害极大，因为长跑会对人体关节产生很大威胁，而对大多数人而言，每日 1000 大卡的热量摄入是相当低的，对健康有害。我们不需要解释结肠那个选项了吧？）

12. C. 人体的肝脏负责大部分的新陈代谢功能。

13. C. 多囊卵巢综合征会导致至少 10% 的 50 岁以下女性的体重增加。目前这种疾病在临床上被称为雄性激素过量。

14. B. 纤维会让人有饱的感觉。早上吃杯燕麦粥，就可以让你不会在午餐时大吃特吃。

15. A. 每天至少步行 30 分钟——一次完成，或分时段完成。

16. B. 手术吸脂应该用于给出现问题的部位造型，而不是去脂。

17. D. 网膜紧邻人体的胃部，是一种会对周围器官造成损害的脂肪。

18. B. 83 厘米或以下是美国女性腰围尺寸的理想情况，此外，当腰围超过 94 厘米时，女性出现与体重有关的紊乱性疾病的风险会大幅度增加。

19. C. 人体的小肠有一亿个神经元，其解剖学结构与人脑类似。

20. D. CCK 是一种化学物质，可以直接或间接地向人脑发送来自肠道的信息，告诉人脑自己已经吃饱了。

21. C. 慢性压力会让人体储存更多的脂肪。

22. A. 十二指肠转位是针对严重肥胖症患者的手术治疗方法之一。

23. D. 科学已经证实，抗抑郁剂安非它酮有助于控制食欲，从而会使人减轻 7%的体重。而其他抗抑郁剂，如三环抗抑郁剂或选择性5–羟色胺再摄取 抑制剂(SSRIs)，则往往与体重增加有关。

24. C. 通过耐力训练来使自己身体上的肌肉增加，可以促使人在日常活动中 消耗更多脂肪。

25. C. 效果反复的节食进程会产生生理上明显的影响，体重减轻后会反弹，甚 至会增加更多体重，而且节食后的反弹还会在心理上产生更糟糕的影响。

计 分

每答对1题，得1分。

20分及以上：恭喜，你已经可以做医生了。你是解剖学的专家。

11—19分：你是一般水平，不过，一般人都有体重超重的问题，所以可能这个 结果不大好。也许你最好接着往下读了。

10分及以下：别担心，拿到这本书，你就已经报名参加了终极健康课程的培 训，学习有关脂肪的生物学、历史学和解剖学方面的知识——而这正是改变 你身体状况的最佳途径。

第7章 称心如意的身体

你的身体本来应有的面貌

瘦身误区

- ✢ 你的身体一点脂肪也不需要。
- ✢ 大多数肥胖问题的罪魁祸首是快餐。
- ✢ 节食一定要拼尽全力。

肥胖人士最常见的疑惑并不是"我能再吃些酸奶油吗？"而是"怎么就是减不了？"你也许以为自己清楚答案(对薄煎饼极度上瘾)，然而真正的原因是生物学方面的：人体的根本构造实际上就是为了储存更多的脂肪。

打破误区

我们的身体本身拥有的容易导致体重增加的系统，要多于导致体重减少的系统。回顾人类漫长的演变历史，这种特性曾对我们人类十分有利。后文马上会作进一步阐释。但是在现代，我们的有些做法损害了有助于减轻体重的系统，却反而增强了增加体重系统的力量。这就不知不觉中破坏了人体的解剖学结构，让我们的身体变成了储存脂肪的机器。因此，你的努力目标之一应该是重新设定自己身体的工作程序，让体内系统能像当年人类祖先们的身体那样正常工作。当时他们面对的最大对手可是快速奔跑的羚羊，而不是包着奶酪的猪肉卷。

通过增加和囤积体重，我们的祖先得以熬过阶段性的饥荒时期，生存繁衍，这就是我们的身体倾向于储存脂肪和增加体重的根本历史原因。而这种由基因形成的趋势，仅靠毅力是很难克服的。为了了解我们的身体是如何从石头般坚挺密实变形为海绵般柔软的过程，我们可以看看早期男性和女性的身体内部构造情况。他们的身体看上去就像典型的超人：强壮，脂肪含量很少，肌肉发达，而且纵身一跃就能摆脱一头咆哮的哺乳动物。

在人类进化的漫长过程中，干旱和有限的视力范围使我们采集和捕猎收获甚微。在这种情况下，出现了维持生存的体系和行为。我们学着繁衍生存，我们学着如何进食。在人类早期，我们的饮食包括水果、坚果、蔬菜、植物块茎和野生动物的肉类——这些食物大部分所含的热量都很低。这并不是说我们的祖先吃得不好。他们通过水果摄入糖分，当碰到"旧石器时代的肉桂卷"——蜂巢的时候，他们甚至还会大吃特吃。他们的暴饮暴食与我们有何不同？他们很少有疯狂吃糖的机会。他们到野外去"血拼"野牛

举重比赛：遗传因素对环境因素

人们往往认为，生活方式的选择和缺乏毅力是体重问题的元凶。（瘦人更会有这种观点。）但是，这并不能解释那些已经减去23公斤或以上的人有95%在两年后仍遭遇瘦身失败的原因。他们减肥的毅力够强的了，可依旧面对体重反弹的苦恼。研究者认为，遗传因素与肥胖的联系要比除身高以外的其他因素都更紧密——至少有50%的肥胖病例明显是由遗传因素引起的。我们的立场是：腰部控制比赛需要有两位选手参加——环境和遗传。即使你的基因让你命中注定体积庞大地过一辈子，这也并不意味着你可以干脆对自己的身体持放任自流的态度。按照我们列出的正确行为和生物学指导来改变自己的生活，你就可以保持健康，避免体重超重带来的严重负面影响，如糖尿病、高血压和动脉炎症。尽管有10%的肥胖人群受到遗传因素的影响，永远也不可能成为国际名模，但是这类基因带来的更大危险并不是体重本身，而是与肥胖有关的危险性疾病倾向。例如，有一种与肥胖有关的遗传疾病称为瘦素缺乏症。（瘦素是一种与饱足感有关的激素，我们在下一章中会详细讨论。）人体如果无法产生瘦素，或者瘦素发出的信息受阻，往往会变得非常肥胖，这种健康问题无疑是遗传方面造成的。

虽然有些人会出现这类异常问题，但这只是极少数人群。如果你希望减去10公斤，15公斤，甚至25公斤体重，那么你的情况不大可能是遗传方面的。大多数医生认为，只有当你的体重超过正常标准高达45公斤，才要考虑做遗传基因方面的检查。不过，就遗传与肥胖的关系而言，瘦素的例子还只是科学探索的冰山一角。随着与肥胖斗争的继续进行，我们会看到越来越多的医药公司开始关注导致体重增加的遗传因素——即研制以解决遗传生化疾病为根本的减肥药物。话虽然是这么说，腰部管理的责任最终还是要落在你自己的身上，你需要改善自己的环境和行为，让遗传基因为你服务，而不是和你作对。

时，似乎不会像我们在每次购物的时候会偶遇900大卡热量的"糖衣炮弹"。此外，他们"寻找食物"的含义包括了走路、埋伏、追踪，而不是像我们现在这样简单地把牛奶盒拖出来，在食品橱中找布丁吃。他们需要花费很多努力才能获取食物，因此在渔猎采集的生存活动中，自然会消耗掉很多摄入体内的热量。

当时，由于盐和糖的极度匮乏，我们的祖先主要吃谷物、蔬菜和肉类——这是情有可原的。肉类提供人体所需的蛋白质、维生素、矿物质和脂肪酸，促使人们个子更高，发育出容积更大的大脑。此外，其他食物给人类提供诸如葡萄糖和植物性复合碳水化合物这样的营养物质。葡萄糖是水果中所含的一种简单糖类，而碳水化合物用于人体的生长发育，提供身体活动的能量。当然，人类祖先吃的食物都是新鲜的，当胖人和瘦人的区别不是脂肪细胞数量的多少,而是脂肪细胞的大小。胖人体内并不会产生出更多的脂肪细胞;随着年龄的增长,人体内脂肪细胞的数量却是保持不变的。身材胖瘦的唯一不同在于:人体内储存的脂肪越多,各个细胞内的脂肪小球就越多。此外,肌肉的情况是相同的:人体并不能产生出更多的肌肉细胞,只不过肌肉细胞可以变大,让人显得肌肉发达。

时并没有罐头和冷藏技术可以让你储存食品等到看球赛聚会时再吃,也不可能在晚上 11 点的时候偷偷来上一碗加糖燕麦粥。

另一个区别是我们祖先食用的肉类不同于我们现在常见的肉食。过去的肉类是低脂肪高蛋白的;我们现在所吃的的肉食则大多是来自于谷物喂养的牛,在喂养过程中,利用了催肥技术以使肉质更为肥嫩鲜美。现在,即使是野牛肉汉堡包也是用谷物喂养的牛肉做成的。真正的野味,脂肪含量在 4% 左右,现在商业化生产加工出的牛肉,脂肪含量则大部分都是这个数字的 9 倍。(诸如阿特金斯这样的高蛋白饮食法所隐含的理论是蛋白质减少了食物的总摄入量,从而也降低了热量的摄入量。这类饮食结构的缺陷在于食用富含饱和脂肪的蛋白质,如熏肉,其效果完全不同于食用精瘦肉为主要形式的较为健康的蛋白质形式,如鸡肉和鱼肉。)

古今对比的结果是:当年我们的部落先人只要收获或捉到某种食物,任何时候都可以马上进食,而不会增加多余的体重。

经验教训是:我们的祖先从不会像我们一样考虑节食的问题——他们身体的密实程度几乎与花岗岩相当。而我们呢?我们孜孜不倦地追求各种节食方法的效果,狂热的程度超过报道时尚盛典的记者对名牌服饰的追逐,我们现代人类的身体状况与酸奶的质地差不多。

然而,我们并不能把现代人所有的体重问题都归咎于快餐和威化蛋筒的出现。人类身体健康水平的下降始于"前麦当劳"时代——大约一万多年以前。当时是农业初见雏形的时期。农业让我们拥有了比过去要先进得多的生活,但同时我们也为此付出了代价。农业的兴起除了保全无数哺乳动物的性命以外,还保证了人类拥有长期稳定的食物来源——这在荒年是优势,而在今日的实惠家常自助餐时代则截然相反。由于食物来源稳定,人们渐渐不再过游牧生活,

打破误区

人类社团发展得越来越紧密。在人均寿命增加的同时（这要归功于追逐老虎这样的极限运动的消失，也许还有卫生和免疫事业发展的功劳），农业发展还带来了一些负面影响：由于食用精制糖类以及营养成分较低的农场培养的食品（土壤过度利用，致使食物中营养成分缺失），细菌感染增多，人类身材变矮，还有蛀牙问题突出。我们祖先的饮食结构由野生蔬菜和肉类转变为农场种出的谷物，这实际上让人类无法获取丰富而形式多样的蛋白质以及大脑发育所需的微量元素等营养成分。

健康提示

在穆斯林的宗教节日"斋月"期间，人们在日落后才能进食，因此他们在晚上摄入人体所需的全部热量。他们这样能减肥吗？医生们通过观察值夜班的人群所搜集到的零星证据表明，一餐摄入人体当日所需的全部2000大卡热量的人，要比那些分三餐摄入同等热量的人容易增加更多体重。这是为什么呢？因为"一次搞定"的人触发了身体的挨饿模式，让自己的身体努力储存脂肪，而不是燃烧脂肪。

从本质上看，农业的出现也是社会化转变的开始，改变了人类生活的方式以及饮食的方式，这种变化一直延续到今天。现在我们可以生产食物，因此我们可以生产自己想吃的食物，而不一定是身体所需要的食物。于是，我们不再生产既有益身体健康又可口美味的食物，而只是生产那些对我们的味觉和消闲生活来说是很棒的休闲食品，而这些食品往往对我们的腰部没有什么好处。

我们并不打算努力让你生活得像原始人，也不会打算让你的身材妙曼到可以成为品牌牛仔服饰的指定模特，更不会让你瘦得可以挤出监狱的铁栅栏轻易逃脱。应该承认的是，我们生活的这个世界充满着个人的自由意愿、各种诱惑，以及比美国购物商厦中数以万计的商品还要多的饮食种类的选择。从生物学的角度看，我们的身体是希望我们可以正确进食的。但是在当今现代社会（穴居的原始人可没有讨厌的老板，也没有需要赶工完成的年度报告），人类保持正常体重和正确饮食的自然生物性驱动力，往往受到客观环境中紧张或诱惑的因素压制。这让很多饮食选择由生物必需性转变为心理反应性。我们要做的是教你如何重新设置自己身体的程序，让身体恢复其本应该有的工作状况——这样你进食是为了克服饥饿和给身体加油，而不是为了抚慰情绪或使自己兴奋。控制自己的体重并不表示你被判终身监禁在花椰菜里，而是教身体学一点儿我们祖先的饮食方式，让我们的身体自然自发地快乐学习。

YOU 建议！

饮食自动化 如果你打算让自己的腰部管理计划有效——真正意义上的终身有效——那么必须像我们的祖先那样把正确的饮食方式视为一种主动自发的行为。这一目标并没有想象中那样高不可攀。我们只要看看《美国医学协会杂志》中的一项研究就会明白了。研究者给两组测试对象分别安排了不同的饮食结构。其中一组的饮食富含对人体有益的食品，如全谷物、水果、蔬菜、坚果和橄榄油，这些都是典型的地中海饮食结构中常见的食物。对于另一组，研究人员并没有提出饮食方面的具体指导，而是要求他们每天摄入特定比率的脂肪、碳水化合物和蛋白质。简而言之，这组测试对象必须自己仔细考虑如何烹制食物和各营养成分的分配问题，而研究人员给第一组提供了饮食选择的基本指导思想。

打破误区

对于这两组测试对象，研究者都没有提出有关食量的具体要求。他们让实验对象的饥饿程度来自行决定其进食方式。测试的结果如何呢？第一组很明显地摄入了较少热量，瘦身成功，而且减轻了体重。

YOU 提醒！ 关键点：指定食用有益食物的那一组所吃的食品能够很自然地让他们有饱的感觉，这样他们的身体就自然而然可以最终达到自身的理想重量。

※ "有益食品组"的纤维摄入量明显高于参照组（32 克对比 17 克）。

※ "有益食品组"的有益 Ω3 脂肪酸的摄入量较高，橄榄油、鱼类和坚果（尤其是核桃）中含有这类脂肪。这类脂肪可以促进人体中产生饱足感的化学物质增多。

※ "有益食品组"的水果和蔬菜的摄入量是参照组的两倍多。

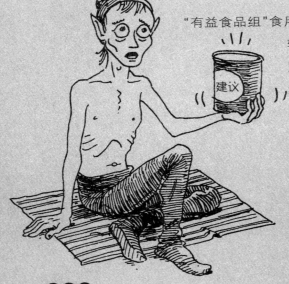

"有益食品组"食用的是我们在 **YOU 饮食** 中推荐的食品，并没有斤斤计较热量摄入的问题，而是让自己的身体能够完成本应完成的任务：调节控制饥饿感和饱足感的化学物质含量（详见第 2 章）。

不要吃得过少 在找不到食物的情况下，我们的祖先会长期忍饥挨饿，这时他们的身体就会像生命储存器一样，储存脂肪以应对不可避免的饥荒时期。今天的人类机体也有同样的功能。

YOU 提醒！ 一旦你试图通过长期不吃或吃极少的食物来达到"节食"的目的，你的大脑就会感受到饥饿信号，认为饥荒已迫在眉睫，于是向全身各处发出储存脂肪的求救信号。因此，那些严格斋戒或热量摄入极少的人，体重并不会相应减轻。作为一种源自本能的天然的保护性机制，他们的身体就会储存脂肪。所以，要想减轻体重，必须防止自己的身体转变为挨饿模式。唯一的方法是：时常进食，以频繁而又有益健康的正餐和小吃为主要形式。

　　规划三餐　每天一早都要明确自己当天将在何时何地就餐。这样，你就能完全摆脱不吃正餐会带来的饥饿和暴饮暴食的问题。我们为期 14 天的饮食计划（见第 12 章）会告诉你如何安排自己的正餐，以便让身体有规律地摄入营养，从而避免暴饮暴食和少吃，这些极端情况都有可能导致体重增加和身材走样。

YOU 测试

记住你的家族血统

　　　　　　　有些人会说自己有大骨骼或大细胞的遗传基因。有些人认为大胃口也是自己家族遗传的。有些人则认为大大的啤酒肚根本也就是自己的家族遗传。如果你步入成年后体重增加，只要回想自己18 岁（女性）或 21 岁（男性）时的模样，你就可以对自己的理想身材有相对准确的认识。女性的 18 岁或男性的 21 岁是身体拥有最高效新陈代谢机能的时期，那时的你也不会每周花上 60 个小时把自己牢牢地钉在办公室椅子上。大多数人在 21 岁至 60 岁之间会出现体重增加的情况，所以通过回忆自己 18 岁或 21 岁时的美好体型，你会对自己的出厂设置有所了解，虽然不甚科学，但是相当明确。这种估计并不精确，然而这却是对你需要努力实现的目标所做的浮光掠影式的概述。你可以记下（或尽量估计）自己18 岁时的腰围，不过更重要的是，回想自己当时的身材。你可以询问自己父母18 岁时的身材尺寸——或者找他们当年的照片看看，以此来帮助你清楚地了解自己需要努力实现的体型。

一丝不挂地站在镜子前
不要吸气收腹

对有些人而言,完成这项任务可能没什么问题。可是对于大多数人来说,这项测试就和乘坐飞机经济舱一样不舒服。我们要求你这么做,并不是为了满足邻居的窥视欲,而是出于两方面的考虑。首先,我们希望让你意识到健康体重的重要性。不是时尚杂志所渲染的那种魔鬼身材的体重,不是越轻越好的体重,而是健康的体重。在我们看来,健康的体重意味着你必须接受这样的事实:不是所有的女性都能和风筝一样轻,也不是所有的男性都可以拥有马修·麦康纳(知名电影明星)那样肌肉纠结的健美身材。你努力希望实现的目标可能并不是你的身体所希望的。我们并不是说你需要接受自己那像是融化瘫软了的四加伦冰淇淋一样的肚子,我们只是希望你的努力能更接近自己理想的健康状况——这样的健康既包括了生理健康,也包括了心理健康。

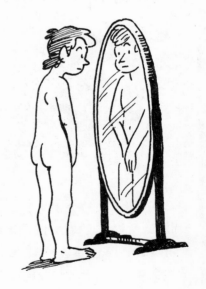

其次,我们希望你可以仔细地审视自己的身体。你可以勾勒出自己身型的轮廓(侧面和正面)。请你的伴侣或密友看看自己画的形象,让他们告诉你——坦率地——这是不是你自己身体的大致写照。(这时你当然可以穿上自己的衣服了。)这只是一项监督性质的检查,以确保你对自己的身材有准确的认识。(饮食紊乱性疾病患者的身材状况可能无法反映实际情况,而这妨碍了他们恢复健康体重。)这也许是你第一次必须清楚地说明自己身体的样子——这非常好。

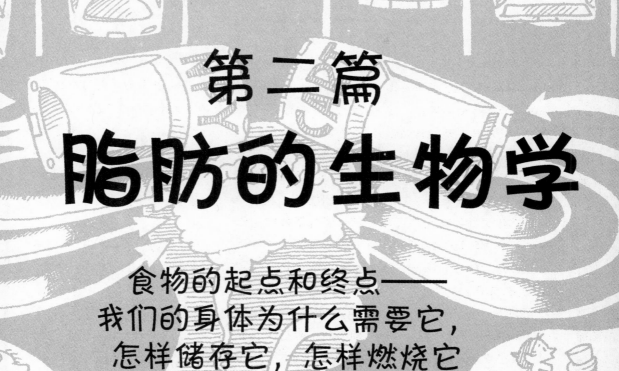

第二篇
脂肪的生物学

食物的起点和终点——
我们的身体为什么需要它，
怎样储存它，怎样燃烧它

第 2 章

别贪得无厌!

食欲的学问

饮食误区

- ❖ 饥饿感主要是由人体胃部发生的变化决定的。
- ❖ 节食中最重大的头争是毅力参与的战斗。
- ❖ 只要一种食物是低脂的,它就不会让你发胖。

与 iPod 播放器的耳机类似,脂肪已经成为人类社会中的常见风景。我们在任何地方都可以见到它。我们看见它贴在一块上等牛排上。我们看见它乔装成奶油饼干现身。我们看见它塞在晚宴裙子里或是层层堆叠在皮带扣附近。我们看见过一些被狗仔队追逐的名人,他们的脂肪增了又减,减了又增。此外,如果自信心足够坚强的话,我们可以一丝不挂地站在镜子前审视自己 6 秒钟,那么我们大多数人就会看到自己下垂、松弛或微微颤动的赘肉。所以,你的理智会提醒你,我们对于脂肪的了解,应该像对著名影星安吉丽娜·茱莉的私生活那样了如指掌。然而事实并非如此。

诚然,我们知道脂肪是什么样子,脂肪的触感如何,而且还知道脂肪对人体健康的杀伤力可能和我们手上拿的牛排餐刀一样。但是,很少有人真正了解脂肪的生物学工作机理——甜点是如何从一块美味松软的蛋糕变成附着在我们瘦削大腿上的赘肉的,或者说我们骨瘦如柴的朋友究竟是怎么能狼吞虎咽吃下一顿丰盛大餐的,而我们闻到四根胡萝卜的味道就已经觉得饱了。

从本章开始,一直到本书第二篇的剩余部分为止,我们将会向你展示食物的旅程——从你的身体想要进食开始,到它让你胖到你髋部的下蹲能力受到考验,直到你最终将其遗忘。最好从何处入手呢?这就是你的食欲。真正的食欲分为两种形式:让人体产生饥饿感的生理信号,以及诱使人进食的情绪性哄骗。

在本章中,我们将探讨这些生理信号,因为了解并控制人体的饥饿和饱足信号会有助于你选择一套有益健康的饮食方案。(我们会在第三篇探讨心理和情绪方面的内容。)这些机制对于饮食方式的影响,比你的味蕾要强大得多,一旦你明白了这一点,就会在行为、态度和生物学等方面做出相应调整,以使自己拥有健康的体重和健康的生活。

首先,有一个信号可以显示你的身体是否够格作为高效的食物加工器。这个信号表明控制你体重的不是小熊橡皮糖,而是你自己。这个信号表明你无须刻意努力,已经顺利地被提升为你的腰部管理船的船长了。这个信号还表明你终于重新设定好自己的生物程序,让你的身体可以像服用药物那样进食,使你自己保持健康,长命百岁,可以活着看到《迷失》(美国热门电视剧集"Lost",情节扑朔迷离,谜题层出不穷,

脂肪面面观

诚然,没有人喜欢身上有肥肉,特别是当多余的脂肪让你要花上五六秒钟才能从卫生间门里挤出去的时候。但是,尽管脂肪可能会造成相当严重的后果,但从本质上来看,脂肪还是有益的。(此处并非印刷错误。)除了帮助圣诞老人顺利完成十二月份的常规工作以外,它还能促进人体的细胞工作,提供保护性屏障。人体的大部分脂肪都储存在全身各处的存储处里。你的身体里有成堆的脂肪,静静地等着被身体燃烧。然而,你的身体里还有另外一类脂肪。它被称为褐色脂肪组织,常见于脖子后面以及动脉血管周围。(这肯定与你吃了多少巧克力无关。)在冬季时,户外工作者体内的这类脂肪含量会升高,以保护自身抵抗严寒。它让人体的重要器官与外界隔绝,保护其不受严寒侵袭。成年人体内的褐色脂肪组织比重相当低,而婴儿的身体则有大约三分之一由褐色脂肪组织构成。褐色脂肪组织主要是帮助婴幼儿保持自身体温。褐色脂肪组织的不同之处何在? **YOU 提醒!** 褐色脂肪组织是活的。它有神经纤维,就像人体器官一样,它还有瘦素接收细胞。当这种激素的含量升高时,人体就开始消耗褐色脂肪组织中的能量,褐色脂肪组织的燃烧过程随之展开。这一过程相当重要,因为这说明瘦素一旦达到某一特定水平,就可以向身体发出信号,让其摆脱这种脂肪。这也昭示出体内脂肪的有益本质——只要脂肪含量在正常水平,就对人体有益。

似乎很难收尾。)的最终结局。

这个信号是什么? 饱足感。

在从总想着节食到完全不想节食的转变过程中,你正是在重新设置自己身体的工作程序,让指引你进食的不再是眼睛、舌头或者你过分喜爱的精美餐具。

YOU 提醒! 指引你进食的将是人脑和体内的化学物质。

通过针对自己身体的信号做出相应调整,你会让自己的机体拥有本应有的工作状况:那时,你永远不会觉得饥饿难耐,你永远不会吃得撑破肚皮,你永远不会处于饥饿的极端恐慌状态中。相反地,到时间你会觉得有点儿饿,你会进食,你会自动停下来。因为此时你已有了饱足感。

剖析食欲

下面我们将讨论食欲如何影响脂肪的问题。你可能会认为我们首先会谈的部位一定是被 XXXXL 号衬衫裹住的部分。但是,要了解食

随着年龄的增长，你的下丘脑内的瘦素接收细胞数量会减少——这意味着你的饱足信号数量随之减少，这让你更容易增加体重。

欲，我们必须往北走——去看看脂肪含量也许是最少的地方。在你的脑部，你会看见下丘脑，这是人体的关键指挥中心。它控制的生理机能包括体温、新陈代谢机能和性欲。下丘脑(见图 2.1)位于人脑的中心，它还能调节你的行为，其中就包括了食欲——不仅是食欲，还有对饮水的欲望，甚至还有性欲。因此，那种定期袭来的饥饿信号仅仅是看起来像是你咕咕叫的肚子或是腰部像被静电击中那样的刺痛发出的。实际上，这是人脑发出的信号，要求吃个乳蛋饼或者赶快来上一杯。(我们知道至少有一个人可以帮助你自己克服贪吃的问题，那就是进行有规律的正常健康的性生活。当性欲机能得到满足时，食欲的渴望也就被转移疏导了。)

在你的下丘脑内潜藏着一处饱足感中枢，可以调节人的食欲。它是由两种相互抗衡的化学物质控制的，这两种化学物质彼此紧邻(见图 2.2)。

※ 饱足感的化学物质由 CART(C 表示可卡因，A 表示安非他明，这两种药物能加速这种化学物质的分泌)引导。CART 刺激周围的下丘脑，增加新陈代谢速率，使食欲减退，增加胰岛素，将能量输送至肌肉细胞，而不是把能量作为脂肪储存起来。

※ 进食的化学物质由 NPY(一种称为 Y 神经肽的蛋白质)驱动。NPY 对下丘脑起反作用，它降低了新陈代谢水平，激发食欲。

可以把这两种指令性化学物质想象成具有攻守性质的游戏或体育比赛，比如足球、国际象棋甚或是体育舞蹈。攻方要努力前进，努力得分，努力进攻，而守方则要保卫自己的领地不受侵犯。

人体的饮食化学物质是攻方。它们希望自己的得分多多益善，于是它们向身体发出一连串信号以求得分：吃吧，吃吧，热量，热量，巧克力，巧克力，巧克力。生物性信息是：通过进食来防止挨饿。与此同时，你的饱足感化学物质是守方，就像守门员、

图 2.1 **食物的斗争** 饥饿和饱足化学物质存在于人体的下丘脑中。瘦素激素到达饱足中枢,让人产生酒足饭饱的感觉;而饥饿激素发出的信号则会让人想要进食,每餐都是口水直流地狼吞虎咽。

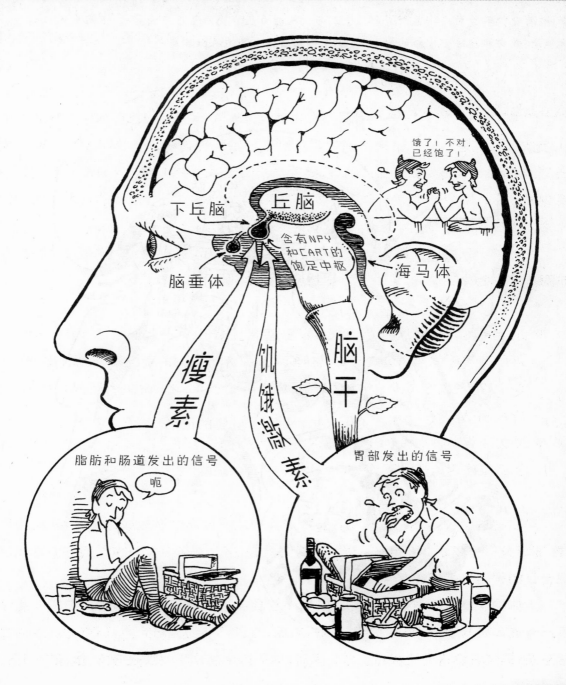

图 2.2 **化学反应** 如果仔细观察下丘脑，我们会看到 NPY 和 CART 位于其底部的一个小细胞核中，两者之间此消彼长的动态平衡控制着人脑中饥饿感的生化水平。在下丘脑中，这两种化学物质随时都会移动到其他细胞核中。NPY 促使人体温下降，降低新陈代谢水平，让我们感到饥饿。CART 则会产生相反的影响。邻近的乳突（状似乳头，因此得名）是人体四肢系统的组成部分，储存记忆和情绪——这两者的结合正好让人对自己喜欢的食物产生渴求。丘脑是人体信号的中继站，能够根据进食中枢的意愿，迅速地将相应指令送达人脑各处。

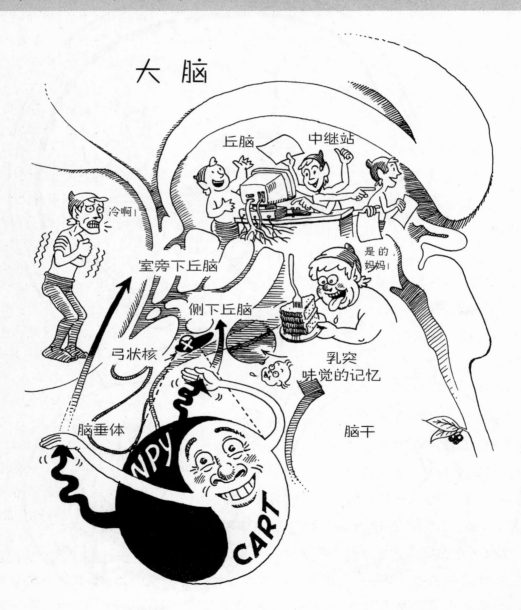

国际象棋的后排棋子或是护犊心切的父母一样。它们向你的大脑发出饱了的信号，以阻止你不断地把熏肉卷、扇贝往嘴里塞。我们是怎么知道这些中枢部位是这样工作的呢？首先，我们观察了极端情况，看看在进食系统被彻底关闭或完全开启的状态下会出现哪些情况。在研究动物试验的时候，我们发现如果小白鼠的神经中枢遭到破坏，它会永远忘记进食。结果，严重的厌食症让身体耗尽了全部的能量和营养物质，最后身体萎缩成和信封一般薄。然而，进食中枢受到过度刺激的受测小白鼠则总是在寻找食物。这些老鼠吃死了——真正意义上的"吃死了"——由肥胖导致的疾病增多，比如糖尿病、高血压和关节炎。

　　在一个完美的人体系统中，攻守双方的功能互补。你摄入人体所需的食物后就会适可而止，不再进食。然而遗憾的是，对除了弹力腰带生产商以外的所有人来说，人体中各个体系的相互平衡会受到很多因素的干扰（我们马上就会对此做进一步讨论）。但是，这些障碍并非无法逾越。你的身体是希望让你达成自己的目标，这样的事实会让你感到安慰和自信（并产生动力）。你的身体并不希望膨胀得超过本应有的尺寸。你的身体也并不想要过多的累赘脂肪。以接受强制进食而被催肥的小白鼠为例，它们在可以随意进食的情况下，又恢复到试验之前的体重。它们不假思索地选择了它们应该吃的食物。挨饿的小白鼠也出现了类似的情况，当被允许进食时，它们并没有狼吞虎咽。它们都是自然地恢复到试验之前的体重。数年来的研究表明，小白鼠的行为正是人类在相同情况下的相应表现的明确体现。（当然，在行为仅受生物性因素驱动的情况下，人类会做出与小白鼠同样的反应。小白鼠不会为家庭和工作压力烦躁不安，正因为此，在腰部的有效管理中，控制进食的情绪层面发挥着十分重要的作用。我们会在第三篇做进一步探讨。）

YOU 提醒！ 如果你可以让自己的身体和大脑下意识地完成控制进食的任务，那么你就会自然地向着自己理想标准体重的趋势方向变化。要做到这一点，你的身体需要训练有素的守方，能够自然地牵制攻方的力量。只要攻守平衡，不论有无毅力，你的身体都会在节食比赛中屡战屡胜。

尽管这可能与足球比赛或填字游戏的情况有所不同，但是每当你的身体出现攻守双方相互竞争的情况时，人体内的攻方往往会表现出更积极的攻势。把煮豆子消灭掉比留给其他人要更容易。

饥饿感的开关

用胶带封住嘴巴并不是你的身体调节饮食摄入量的明智做法。我们要做到通过人脑控制物质之间的交流，使你的身体自然地完成饮食调节工作。尽管有待人类发现的与饥饿和肥胖有关的激素还有很多，目前已经有足够证据表明，有两种激素对于决定人的饥饿和饱足程度所发挥的作用，就和主裁判对攻守双方的影响力一样大——每时每刻，长年累月。

可爱的瘦素：饱足激素

对于相扑冠军而言，多点儿肥肉可能会带来更好的效果。不过，我们也认为脂肪并没有得到公正的对待。人们对待脂肪的态度有点儿像对犯罪嫌疑人，常常脂肪会得到不公正的评价。脂肪可以让人体血液中产生一种化学信号，告诉人脑停止进食。在不受外界干扰的情况下，脂肪可以自我调节；一旦我们自己干扰了体内监控系统的正常工作，在我们已经饱了的情况下仍然继续大吃，就会出现问题。你的身体清楚自己何时吃饱了，并且会阻止你继续吃下去。脂肪是怎么抑制食欲的呢？它是通过在瘦身过程中最重要的化学物质之———瘦素起作用。这是一种由储存在体内的脂肪分泌的蛋白质。事实上，如果瘦素能够正常发挥效用，它可以让你在对抗脂肪的斗争中收获事半功倍的效果。瘦素受到激发，会关断人体的饥饿感觉，促使身体燃烧更多的脂肪——通过刺激 CART 的分泌。

但是，我们的身体并不总是完美无缺的，瘦素往往不会像本应有的状态那样发挥正常作用。一些研究表明，老鼠被注射瘦素后，会不出所料地出现食欲减退的现象。而人被注射瘦素后，一开始会变瘦，但不久之后，奇怪的事情发生了：他们的身体摆脱了瘦素的影响，体重不再下降。这表明我们的身体可以不去理会瘦素发出的已饱信息。怎么回事？当瘦素通知人体的守方——饱足感化学物质——速来报到，保护身体免受糖果甜食的诱惑。这时人脑中的愉悦中枢说："呃，好吧，我再要三份带走。"这种来自愉悦中枢的冲动会撤销瘦素发出的人体已饱的消息警告，我们会在本书第三篇详细讨论这种冲动。这种现象被称为瘦素排斥。（瘦素排斥还有另外一种形式，即细胞不再接收瘦素发出的信号。）顺便提一句，大多数肥胖者体内瘦素的含量都是正常的，他们的问题只是身体中存在着第二种形式的瘦素排斥——他们的身体不会接收瘦素发出的信号，或者不会做出相应的反应。

这并不意味着瘦素在这场化学物质的战斗中是永远的输家。**YOU 提醒**！关键是让瘦素尽忠职守地完成自己的工作，以便让大脑需求的食物量减少。解决办法之一是：每天步行 30 分钟，塑造出少许肌肉（这也是本书第四篇中所介绍的活动计划的一部分）。一旦你减去了一些体重，身体细胞对瘦素的敏感度和反应性就会提高。

饥饿激素是精灵：控制饥饿感的激素

肠胃的功能并不仅限于容纳食物和气势如虹地打嗝。胃部空了的时候，会分泌少量被称为饥饿激素的活跃性化学物质。当胃饿得咕咕叫时，正是这种精灵激素在控制着人体的攻方活动。它发出绝望的信息，表明你需要再进攻，需要得更多的分，需要马上把辣味热狗打发到肚子里去。饥饿让人想要进食——这是通过刺激 NPY 分泌实现的。**YOU 提醒！**更糟糕的是，在你挨饿节食的时候，饥饿激素分泌增多，发出更多要求进食的信号，会彻底击垮你的意志力，产生一系列化学反应，让你别无选择，只能胡乱地把牛肉干往嘴里塞。

饥饿激素还会通过增加生长激素的分泌来促进人们进食。（饥饿激素 Ghrelin 的词头 ghre 是印欧语系词根，意为"生长"。）因此一旦饥饿激素在体内的含量升高，人体内的生长激素就会被召唤报到，这种激素在让你身体长高的同时也会让你变"宽"。

人的胃每半小时分泌一次饥饿激素，向人脑发出难以察觉的化学性脉冲——差不多类似于潜意识生物信号（我要吃萝卜糕，萝卜糕，萝卜糕）。当你真的感到饥饿或正处在节食期，这些消息产生的频率间隔很短——每隔 20 分钟左右一次——而且这些信号还是被放大了的。因此，你的大脑会收到越来越多、越来越强的信号，误认为自己的身体需要食物。长此以往，你的身体不可能对这些信号置之不理。正是由于这样的原因，甜饼干往往会战胜毅力，也正基于这样的原因，挨饿的节食减肥方法永远也不会成功。**YOU 提醒！**我们是不可能与自己身体的生物性本质作对的。当你进食的时候，化学物质的恶性循环就会停止；当你吃饱后，体内的饥饿激素水平就会下降，因此你的食欲也会减退。所以，如果你认为自己的任务是抵制身体的生物性本质，那么结果一定是以失败而告终。但是，如果你可以重新调整自己身体的工作程序，防止饥饿激素的精灵们闹得太凶，那么你就有可能让自己的肚子总是觉得饱饱的，吃不下多余的东西。

食物比赛：饥饿激素对瘦素

现在，让我们回到有关攻守的话题。人体自然的状态是进食及饱足感化学物质之间存在着互谅互让的关系——即饥饿激素和瘦素含量之间的关系——以分别影响着NPY 和 CART。这是两种脱口而出的不同说法之间的关系，一种是说："给我来根涂奶酪的意大利大辣肠。"另一种则说："此腹已满，请勿通行。"

参与进食斗争的双方，并不是人的毅力和比利时威化饼，而是人脑内化学物质之间的战斗。NPY 是反派——怂恿你去吃自助餐，诱惑你打开食品柜，用化学魔力指点你方便食品的位置；CART 则是你的饮食健康守护天使，召唤集结一大批盟友，让你保持饱足感，绝不再对任何奶油食品有兴趣。让我们把这两种物质——NPY 和CART——想象成竞争同一处停车位的两方，这处停车位的归属将最终决定你是否要吃东西（见图2.3）。这两方在同一时间到达，都想要占领这块地方。最后在双方力量对比竞争中，得以偷偷溜进这片场地的，要么是NPY，要么是 CART。于是，两者之一会向大脑发出十分重要的去留信号，发挥出其影响人体感到饥饿或饱足的激素。

它们就是这样共同发挥作用的：饥饿激素在短期内发挥效用，每小时两次发送饥饿信号。而另一方面，瘦素发挥的是长期性作用，因此，如果可以让自己体内的瘦素含量升高，你就能够增强耐饿能力，并抑制食欲。这不是一件很棒的事情吗？瘦素可以战胜饥饿激素——它会阻止你每隔几分钟就会产生大吃一顿的冲动。如果你关注影响体内瘦素水平的方法，更重要的是，关注瘦素的效力（通过关注瘦素敏感度），那么你的大脑（通过调节CART）就会帮助你控制饥饿。

有时候，我们似乎对发生在自己动脉或大脑内部的化学反应无能为力。但是，就像你可以通过改变饮食或行为习惯来控制胆固醇或血压一样，我们也可以控制自己

打破误区

图 2.3 **堵塞时期** 饱足中枢处于等待状态,等着被 NPY 关断或被 CART 激发。不论这两者中哪一种,只要率先抵达受体的码头,就可以控制人的食欲。这两种蛋白质依次受到缺乏饮水、睡眠甚至性事的影响。胃部分泌的饥饿激素和人体脂肪中的瘦素也会影响这两种物质。饥饿激素刺激 NPY 的分泌,因此你会感到饥饿。瘦素则是被一种称为 CCK 的化学物质激发分泌,在进餐后,肠道会分泌 CCK。

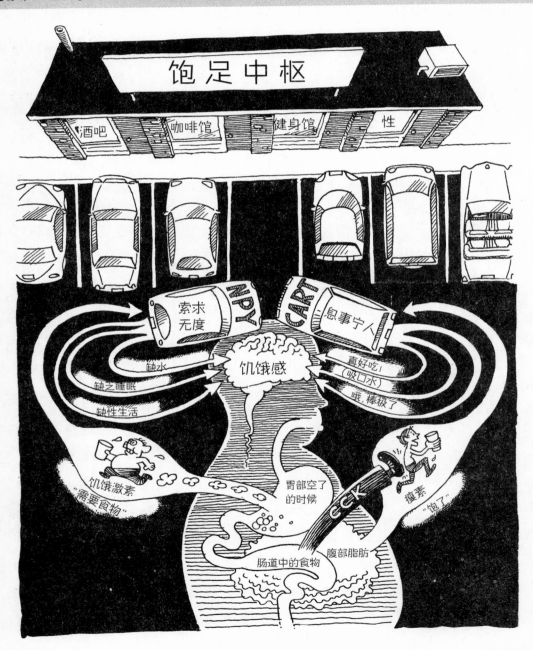

大脑中的饱足中枢。应该怎么做呢？只有通过对食物的正确选择。

　　至少就人体本身而言，食物即药物。它们是进入人体的外界物质，为人体内所有的天然的化学反应创造条件，使其发挥作用。当食物进入体内后，会发生各种化学反应，人体系统各处收到各种信号指令——打开或是关闭。在你的身体内部发出指令的同时，你自己则可以通过所吃的食物来确定指令的基调和走向。食用正确的食物（如坚果），你体内分泌的激素就会让你有饱足感。但是如果吃错了食物（如单糖类），你就会让自己的身体出现激素紊乱，最终导致的后果是：你腰间的皮带又得松一扣了。

　　和人体健康作对的一个主要帮派头目是果糖，常见于高果糖玉米糖浆（HFCS）中。这就是很多加工食品都会采用的甜味剂。其工作原理如下：**YOU 提醒！** 当通过食用健康食品来摄入热量时，这些健康食品会抑制 NPY 的分泌，或者促进 CART 的分泌，从而关闭人的食欲。然而 HFCS 是常见的软饮料和色拉酱的甜味剂，人脑并未认真地把其中所含的果糖确认为是正规的食物。由于你的大脑误以为各种含 HFCS 食品中的果糖不是人体额外补充的热量和 NPY 抑制剂，所以你的身体仍会要你继续错误地吃下去。（这意味着即使是低脂食品也可能会产生极其严重的后果，影响既有热量方面的，也有食欲方面的。）在 1960 年，美国人这种物质的人均食用量为零，而到了现在，每年人均食用量要超过 28 公斤（即 128000 大卡的热量）。这就导致了美国人体重增加，因为 HFCS 中的果糖并没有关闭人体的饥饿信号。食用含有果糖的食品——事实上有可能被标为低脂食品——会产生让你既感到饥饿又无法抑制自己的食欲的糟糕效果。同时，这类食品还是高热量的：是增加体重的"最佳选择"。所以，即使当你的肚子里已经塞下了两篮高热量高果糖的饼干，你的大脑仍会源源不断地收到饥饿信号。

打破误区

YOU 建议！

克服"标签阅读恐惧症" 你应该积极阅读食品标签,就像研究股票走势曲线或占星图一样主动认真。如果食物的前五项成分中包括下列任何一样物质,就坚决不要食用:

※ 单糖类

※ 强化面粉、漂白面粉或精制面粉(这都说明面粉的营养成分已经流失)

※ HFCS(高果糖玉米糖浆——对健康有害)

让上述物质进入身体,就像是把手机泡在一杯水里。这会导致人体系统的激素分泌出现紊乱而向身体发出有关进食的信息混乱又错误。现在糖类的年人均摄入量为 68 公斤,而在公元 1700 年时,这一数字则仅为 3.2 公斤。现在是过去的 20 倍之多!体重稍稍超重的人食用糖类后,人均一般储存 5%作为随时可用的能源储备,新陈代谢用去 60%,而把相当比重的 35%的糖类以脂肪的形式储存在体内,这种脂肪以后可以转化为能量。猜猜我们摄入的 50%的糖来自何处?全是像色拉酱和常规软饮料这样的脱脂食品中所含的 HFCS。

在不饱和与饱和之间选择前者 富含饱和脂肪(衰老性脂肪之一)的肉类与同等热量水平的低脂肉类相比,产生的瘦素含量较低。这说明你可以避免摄入高脂肉类烘烤食品(如香肠)及全乳制品等食物中所含的饱和脂肪,以提高耐饿能力,降低饥饿程度。

不要将饥、渴混为一谈 有些人进食的原因是体内的饱足中枢发出信号请求关注。但是有时候,这类食欲中枢想要的是可以解渴的饮品,而不是果腹的食物。渴的感觉可能是由于肠道激素导致的,也可能是人体对进食的化学性反应。食用食物增加了血液浓度,身体感觉到需要饮水来稀释血液。要抵消人体对食物的激素反应,一个好办法是确保你对渴所作出的相应反应不会包括不必要的无用热量——像软饮料或酒精中所含的热量一样。你的渴中枢可不管自己喝的是零热量的水还是高热量的饮料,一律照单全收。

YOU 提醒！ 建议当你感到饥饿的时候,可以先喝一两杯水,看看你的身体是否真的需要食物。

避免疯狂饮酒 为瘦身着想,不要过量饮酒——这不仅是因为酒精本身含有热量,还因为酒精会怂恿你狂饮过后再去摄入其他超额的热量。酒精降低了你的自我控制的能力,因此你最终会觉得自己好像可以无所不吃。将饮酒量控制到每天一杯,对于动脉血管有保护性作用,但同时还是会让你体重略增,因为少量饮酒会抑制瘦素的分泌。

关注你的碳水化合物摄入量 食用超高碳水化合物的饮食结构,可以增加导致饥饿感的 NPY 分泌。这样你就可以确保自己饮食的近 50% 是碳水化合物。应保证摄入的大部分碳水化合物结构复杂,如谷物和蔬菜。

保持饱足的感觉 所有的腰部管理计划都会让你有饱足感。满足感不是来自饱含油腻、尺寸加大的奶酪汉堡,而是安全、健康、正常的性生活。大脑化学物质 NPY 调节性欲和饥饿。有人已经发现,健康的性生活可以帮助你控制自己的食量——让一个食欲中枢满意,你似乎也可以让其他体系满意。

管好你的激素水平 你并不总是能够牢牢地控制自己的激素水平。一旦饥饿激素的活动比瘦素活跃积极,你会觉得自己比一头只能吃到虫子的狮子还要饥饿。那么,就请列出一张应急食物的清单,当人体极度渴望食物时,食用这些应急食物可以产生饱足感——这样的食物如 V8 果汁、一把坚果、水果片、切好的蔬菜,或者甚至还有一点儿鳄梨酱。

第 3 章
食物要诀
食物在人体内的旅行

瘦身误区

✛ 摄入脂肪转化为人体的肥肉，蛋白质变为肌肉，碳水化
  合物则转变为能量。

✛ 胃部出现饱的感觉，就是让你不要再吃的信号。

✛ 糖类让你持续保持兴奋状态，有助于耐受饥饿。

一旦你的大脑要求你进食，你一定会照办。在你吃的时候，也许会狼吞虎咽，也许会细嚼慢咽。也许你根本就没有理会奶酪通心粉的巨大能量，而让其最终演变为大腿后侧的赘肉。但是，在嘴巴和大腿之间，还有一段奇妙的消化系统工作过程——消化系统决定了食物被消耗还是被储存，或者以高中生逃课般的闪电速度被排出体外。

既然我们已经明确了把食物送入口中的生化原因，那么现在就可以开始探索食物进入口中后发生的生物学变化。在本章中，我们会和你一同探讨在人体消化系统的上部发生了哪些值得关注的事情。而在下一章中，我们则会讨论食物与位于消化系统下部的各个消化器官相互作用而产生的影响。

人体消化高速公路：坡段

在胃肠道系统构成的州际公路上，一切食物都要通过人体的生理收费站——口腔进入体内。一批批"营养发电站"通过人体高速公路的收费站驶入体内，带给人生活的动力、能量、精力和力量。有害（虽然有时候也是可口的）的食物也会进入，但是随后它们在路上以及今后造成的破坏会让你为此付出高昂的代价。在整个人体旅程当中，食物及其全部的营养成分（包括毒素）会在各种器官处暂时停靠，在弯路上减缓车速，踩油门加速，与其他营养物质融合，甚至还会因违反人体营养条例而被肠道巡查队拦下（见图 3.1）。

在每一次人体旅途中，食物最后的结局都是一处"三岔路"：

※ 或被体内血液分解吸收，作为能量被肝脏利用；

※ 或被分解作为脂肪储存在体内；

※ 或者作为废物处理，在人体天性的驱动下被转入回收罐——陶瓷做的垃圾场（抽水马桶）。

图 3.1 **肠道的吸收功能** 肠道多处都设有食物暂时停靠点，因此这些地方的病变会造成营养缺乏症，即使吃的食物与健康人完全相同，肠道病患者也有可能出现营养缺乏的问题。食物和补品中的营养成分并不会在同一位置被人体吸收，营养物质在通过胃肠道各处时会被人体吸收。以下是吸收营养物质的各站点：

胃部：吸收酒精；

十二指肠（小肠的最初部分，以胃部为起始）：吸收钙、镁、铁、脂溶性 A 类及 D 类维生素、葡萄糖；

空肠（小肠的中部）：吸收脂类、蔗糖、乳糖、葡萄糖、蛋白质、氨基酸、脂溶性 A 类及 D 类维生素、水溶性维生素如叶酸；

回肠（小肠的末段，通向大肠）：吸收蛋白质、氨基酸、水溶性维生素如叶酸、维生素 B12；

结肠（亦称大肠）：吸收水、钾、氯化钠。

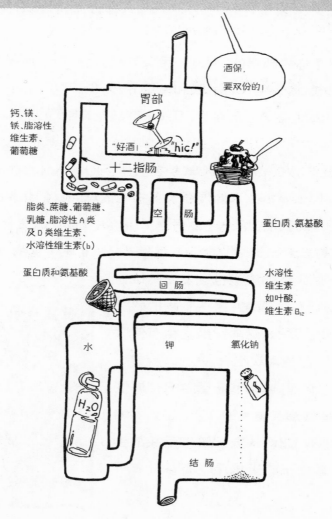

消化系统是这样开始自己工作的：早在食物到达人体收费站之前，人体已经掌握着雷达监控装置，提醒你注意食物的到来——这由生理信号驱动，如视觉、嗅觉，还让你一想到油炸奶酪开胃菜，就像太热的圣伯纳犬那样口水长流的样子。口腔中的腺体会对感官接收到的信息作出相应的反应，开始分泌消化酶以促进食物分解。紧接着，你的胃迅速地建造好人体特有的路边接待中心，即分泌胃酸以帮助身体做好消化过程开始前的准备。

请注意，不要低估帮你舔邮票的"朋友"（舌头）在消化过程中所发挥的作用。在用野牛皮做酒会晚礼裙的远古年代，舌头（和鼻子）是人们赖以生存的工具——如果这东西尝起来不错，那么就是安全无害的，而如果味道糟得像恐龙粪，那么就可能是有害或有毒的。

我们现代人也是这样做的，只不过方式稍稍有所不同。人体通过自身的各种感觉来处理信息，因此我们依靠舌头来处理有关食物的信息。我们获得的外界信息向大脑发出信号，大脑于是向我们握着餐叉的手发出信号：继续吃或是停下来。这种信号大部分来自于人体的五大味觉（甜、酸、咸、苦和香，香描述了食物可口的本质，如丰美多汁的牛柳），不过人体的嗅觉也会发出类似的信号。一些研究者表示，人类"品尝"某些食物的感觉有四分之三来自于嗅觉。那么，这与腰围变粗有何联系呢？有一点是显然的：你越喜欢吃有害食品，就越有可能经常吃此类食品。但是，味觉和味蕾的遗传属性可能在此发挥着更为微妙却又重大的作用。正如本书第 70 页的表格所示（你有"超级味觉"吗？），舌头的生理构造可能会让你更倾向于或更排斥吃有益或有害的食品。

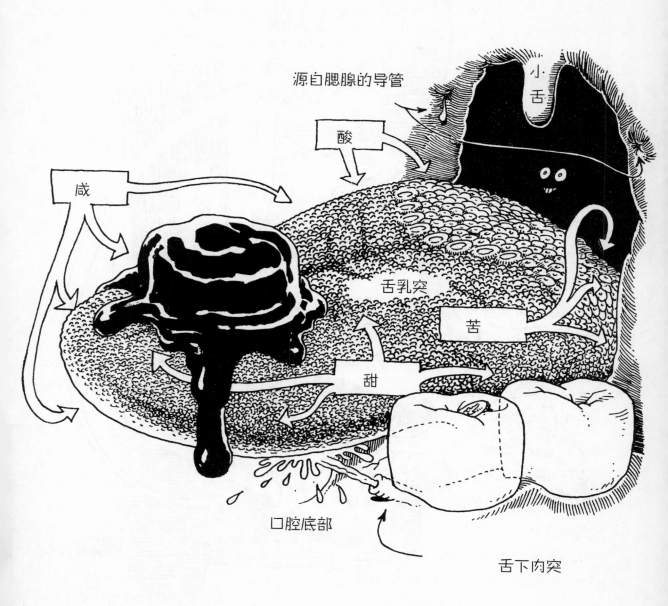

图 3.3 **大嚼脂肪** 我们的体重如此稳步上升的原因之一是牙齿的高效工作。各颗牙齿之间彼此契合，确保了每口食物都能被充分磨碎。位于下牙附近及口腔后部的唾液腺会在吞咽食物之前分泌消化酶，从而加速消化进程。食物的样子和香味都可以提醒牙齿和唾液腺这些系统做好应对准备。

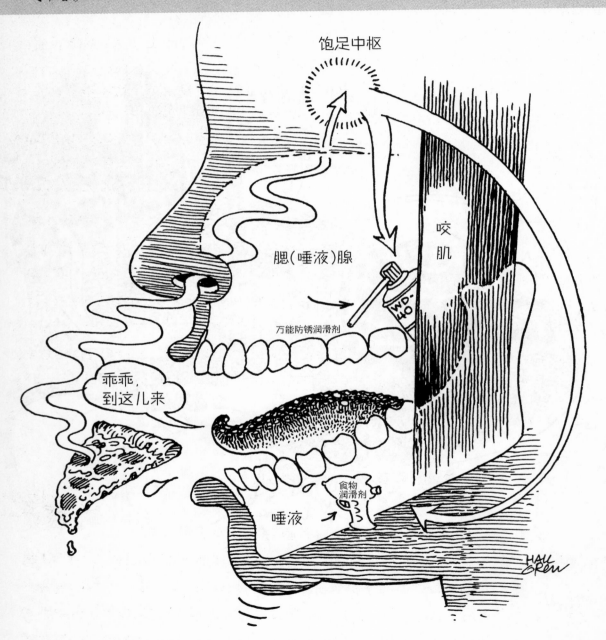

饱足中枢

腮（唾液）腺

咬肌

万能防锈润滑剂

乖乖，到这儿来

食物润滑剂

唾液

与其他动物不同，人类在进食过程中浪费掉的能量相当有限。这是因为人类拥有完美相对的高效臼齿（见图3.3）。臼齿有力的研磨动作帮助我们汲取到可口的极品牛排中所含的全部热量。其他动物在进食时则会浪费或消耗掉很多热量，因为它们的牙齿不能有效地磨碎猎物。对于人类而言，食物一旦通过了收费站，就会加速行驶到食管坡道上——食管是连接口腔与胃肠道系统的州际公路的隧道。

健康提示

食用坚果并不是像你想的那样会带来很多热量的摄入，因为有5%—15%的热量没有被肠道系统吸收。这是因为坚果壳和咀嚼坚果的充分程度都对消化产生影响。额外的好处是：热量在肠道系统中的缓慢释放会带来持久的饱足感，人不容易有饥饿感。

双层汉堡套餐滑下坡之后，还必须急转弯，在完成这样的技巧性动作之后才能进入胃部。转弯角——胃和食道的夹角——是为防止胃酸回流进食道，使胸腔免受灼伤。（在腹部有赘肉的情况下，该夹角会受到挤压开大，让胃酸上行，从而造成胃灼热。相关内容可参见本书第64页的"浅谈胃食道反流病"。）大块的双层汉堡进入胃内之后，深度消化过程随即展开。食物会停留在胃中，直至身体将其引导至小肠，大部分营养物质都在小肠被人体吸收，并通过血液传递到身体各处（到达肝脏，这是被吸收了的营养物质的第一处停靠站），或是到达大肠准备被排出体外。

食物加工机：

人体分解营养物质的过程

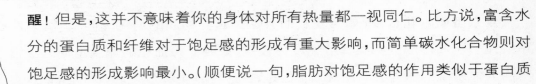

从体重增加的角度看，热量遵循物质守恒定律。没有得到人体及时利用的热量要么会作为废物被排出体外，要么会作为脂肪储存在体内。**YOU提醒！** 但是，这并不意味着你的身体对所有热量都一视同仁。比方说，富含水分的蛋白质和纤维对于饱足感的形成有重大影响，而简单碳水化合物则对饱足感的形成影响最小。（顺便说一句，脂肪对饱足感的作用类似于蛋白质

需要"操心"的胆

也许,你的胆囊似乎像稀疏的山羊胡子那样没有存在的必要,然而胆囊的功能之一是储存胆汁——这种消化液可以促进人体对营养物质的吸收。肥胖者得胆结石的机率要高出50%以上。这是为什么呢?体重问题会让肝脏超负荷工作,其分泌的胆汁会更类似于浓稠的淤泥,而不像液体,这容易让胆囊出现结石。如果体重下降过快,比如接受去脂手术后,也很有可能出现结石——这是因为脂肪的缺失会让胆囊来不及清空,从而导致结石。因此,在实施胃部缩小手术的过程中,医生切除胆囊的情况并不罕见。令人疼痛不堪的结石其致病因素简单好记,因为听起来像是一个节奏布鲁斯乐团组合。它们是F4:女性(female)、有生育能力(fertile)、肥胖(fat)和四十岁(forty)。(我们不打算造成性别歧视的误解,只不过实际情况确实是女性往往比男性更容易出现胆结石的症状。)

和纤维,因此,低脂饮食会让人们总是处于饥饿之中。)至于热量转化方面,你的身体处理脂肪的效率最高——这说明你的身体实际所需消耗的脂肪并不如你存储的那么多。相反地,你的身体会努力处理蛋白质,让它在人体新陈代谢的熔炉中熊熊燃烧。

与传统认识不同,事实上,并不是所有摄入体内的蛋白质都会变为肌肉,也不是所有摄入体内的脂肪都会变成大腿上的赘肉。一切营养物质,只要其在被肠道吸收后没有立即被人体消耗利用,就都有可能转化为脂肪。机体内的能量转化遵循能量守恒定律(见图3.4a及3.4b)。以下是各种营养物质在人体内的加工过程:

单糖类(如可乐饮料):糖被人体迅速吸收,在消化过程中送至肝脏,此时如果肝脏不能立即消耗糖类作为人体能量,那么它会让身体将糖转化为脂肪。

复杂型碳水化合物(如全麦食品):这类营养物质的消化时间较长,因此在肠道中经过转化后形成的糖类释放速度会较慢,最终变为血糖的速度也随之放慢。这意味着人体系统的压力会有所缓解。但是,在这种糖类释放之后,你的身体一旦无法立

图 3.4a **能源部门** 能量的三种主要存在形式在碳水化合物、蛋白质和脂类中，要摄入这些营养物质，可以选择有益健康或塑造美好腰部的食品。复杂型碳水化合物进入血液的速度缓慢，所以就不会给分泌激素的腺体增大工作负担。氨基酸转化为糖类的效率不高，脂肪则根本不会被转化为糖。脂肪的存在形式有我们人体所熟悉的（比如坚果），自然也有比较少见的，会对人体造成危害的（比如反式脂肪）。大多数食物，如肉类，是各种能量来源的合成体。食物在肠道中被人体消化（或者有时会腐败）的过程中，营养物质会在身体各处被吸收。顺便提一句，尽管肝脏是人体新陈代谢小宇宙的象征性中心，人体的肠道却并不是真正闭合的环圈，而你的洗手间活动就可以证明这一点。

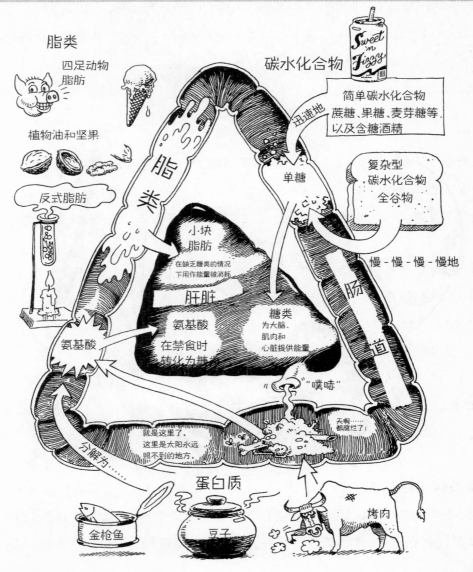

脂类

四足动物脂肪

碳水化合物

Sweet 'n Fizzy

简单碳水化合物
蔗糖、果糖、麦芽糖等，以及含糖酒精

迅速地

植物油和坚果

复杂型
碳水化合物
全谷物

反式脂肪

脂类

单糖

慢-慢-慢-慢地

小块
脂肪

在缺乏糖类的情况下用作能量被消耗

肝脏

肠道

氨基酸

氨基酸

在禁食时转化为糖类

糖类

为大脑、肌肉和心脏提供能量

"噗嗤" "噗嗤"

天啊……都腐烂了！

就是这里了。
这里是太阳永远照不到的地方。

分解为……

蛋白质

金枪鱼

豆子

烤肉

图 3.4b **食物的利用** 源自碳水化合物的单糖是最为多才多艺的能量来源,因此人体器官往往会优先利用这类营养物质,尤其是过分挑剔的大脑。大脑只愿意吸收单糖,根本不考虑其他营养物质。脂类是给肌肉供能的后备机制。正因为如此,有选择性地去除脂肪,实际上需要活动自身的肌肉才能实现,所以,运动瘦身才会如此有效。源自蛋白质的氨基酸对塑造身体结构十分重要,但却是运动时消耗能量来源的最末一位的选择。

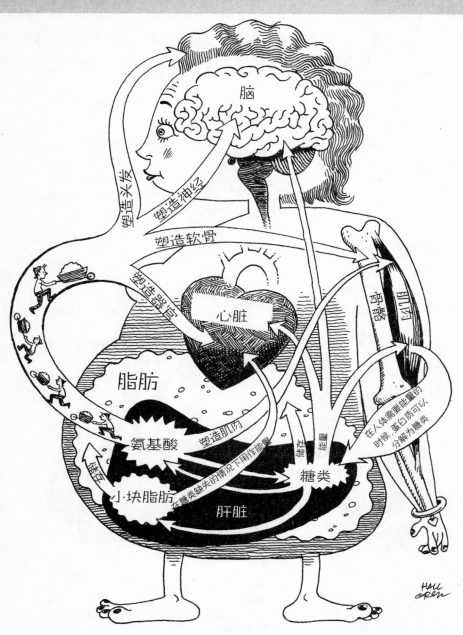

即利用，仍然会将其转化为脂肪。

蛋白质（肉类）：被分解为氨基酸小分子，氨基酸随即前往肝脏。假如肝脏无法将氨基酸运送到人体肌肉处（比方说，你没有做运动，并不需要氨基酸用于肌肉的生长或维护），那么，这些氨基酸会马上转化为葡萄糖，如果这些葡萄糖没有用于人体的能耗，那么随后就会转化为脂肪。

脂肪（漏斗蛋糕）：被分解为更小的脂肪分子，以脂肪的形式被人体吸收。有益脂类（如坚果和鱼肉中所含的脂肪）能够减少身体出现的炎症反应，有害脂类则会使身体的炎症现象增多。这类炎症反应是导致肥胖及其并发症的一个因素，我们会在下一章中对此做进一步说明。如果你坚持运动，并已经消耗完体内现有的碳水化合物（糖类），你的肌肉会消耗脂肪以获取能量，这是消除赘肉的理想途径。

人体消化高速公路：
要道

在人体胃的底部和肠道的上部，食物会遇到一处重要的交通信号灯：这是一个红灯，提醒你的大脑已经吃饱了，不需要再点上一大份洋葱卷饼了。（当然也不要奶酪蘸酱或者再来上杯啤酒清清肠胃。）红灯信号是迷走神经发出的，这是源自大脑的一种大型神经，能刺激胃部收缩（见图 3.5）。迷走神经还是控制着副交感神经系统的主要电缆。**YOU 提醒**！启动迷走神经工作的关键信使是肠道中分泌的一种被称为 CCK 的肽类，当肠道感觉到脂肪的存在时，就会分泌这种物质。从专业术语的角度看，CCK 表示促胆囊收缩素，不过为了便于理解，我们可以把 CCK 看作是重要的食欲杀手，因为它的主要任务就是通过迷走神经来告诉大脑，自己的胃部感觉比《海滩护卫队》（美国热门电视剧，身着泳装

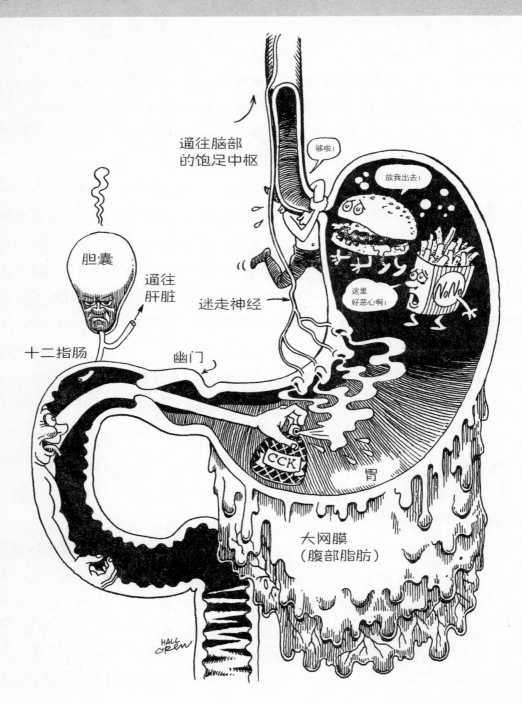

的男女主角身材都性感迷人）里男女主角被泳装紧紧包裹着的火辣身材还要鼓胀饱满。

健康提示
　　大多数味蕾都位于舌头上，不过在人的口腔上部也有味蕾。

CCK 相当直接地表现和反映人的饱足程度，而无需通过人体的化学通道（血液）。（请注意，瘦素更像是人的饱足程度的长期性指标；CCK 发出的则是极短期内的强烈信号。）

食物在胃中停留一段时间后，会慢慢地离开这个营地，通过十二指肠进入小肠。十二指肠是人体肠道的最初部分，紧接在胃部之后。这时，CCK 会竖起消化绕道的指示牌，发出非常明确的生理信号，表明你觉得饱了。这会促使幽门——胃部末端的开口——关闭；此举意在防止食物流进小肠。就这样，你的胃部会产生饱的生理感觉，你也会从心理上觉得自己饱了。值得注意的是，富含饱和脂肪的饮食会导致人体对 CCK 的敏感度下降，因此你在吃完牛排后并没有马上产生本来应有的吃饱的感觉。

在通过胃部后，食物会进入小肠，正面遭遇胆汁。胆汁由肝脏分泌，是一种浓稠的绿色消化液，它储存在胆囊中，会被释放到小肠里。（CCK 还有另一种作用：它可以促使胆囊收缩。）在脂肪被脂肪酶分解为较小的脂肪分子后，这些小分子与胆汁相互作用，会形成一种易于被人体细胞吸收的化合物。被称为脂肪酶的物质是由胰脏分泌的。胆汁簇拥着人体摄入食物中所含的脂肪，就像肥皂会把我们手上沾着的油污包裹起来一样，因此它可以从肠道壁上抹去脂肪，更好地实现消化吸收。

在到达血液之后，食物继续影响着人的饥饿程度。血糖水平升高，你的大脑会收到暂停信号，促使你放下刀叉，把餐盘放到水池里，往沙发里一躺。如果血糖水平较低，则会激发强烈的饥饿感，让人面对食物狼吞虎咽得就像是关在粮仓里的饿老鼠一样。

我们很多人在食用含有单糖的食品（如软饮料、果冻、蛋糕）时都会碰到麻烦。单糖会产生反弹效应。你觉得无聊，所以就大吃甜食。这种糖分的骤然补充，效果就像被电击一样，你马上就会觉得精力充沛。但是，不到两个小时之后，骤升的精力（表现

浅谈——胃食道反流病

脂肪不仅仅会对你的腹部和地下通道处的十字转门带来麻烦，它还会给你的咽喉带来负面影响。大约有一半的肥胖人士有胸口灼热的健康问题，即 GERD，胃食道反流病。与此相关的观点认为，是腹部赘肉对胃部产生向下的推力，从而会加大胃和食道之间的夹角，将胃和食道的结合部挤向胸口。（请注意，这一夹角本应为锐角，以防止每次进食时食物上行回流至咽喉。）强迫张开的夹角让胃酸及食物更容易被推挤上行。此外，腹部赘肉还对肠道内容物产生了压力。压力再多，GERD 闹得再凶，有什么大不了的呢？除了尝到上行食物的糟糕感觉，GERD 还会灼伤你的食道——类似于太阳灼伤皮肤的情况。食道灼伤后两天就可以痊愈，但是，如果灼伤现象反复出现，这意味着人体组织受到灼烧，往往更有可能在此处出现癌变，就像长期日光浴会增加患皮肤癌的风险。在这种情况下，建议你就着一杯水服下半片成人阿司匹林或两片婴儿阿司匹林（需要摄入 162 毫克），可以让癌症风险下降 35% 左右。此外，酒精、咖啡、辣椒、酸性食物如西红柿，以及巧克力都会在不同程度上促使 GERD 症状的出现增多。在瘦身尚未成功期间，控制相关症状的最佳方法是避免在睡前 3 小时之内就餐，在床头下方的支架下垫砖，让自己在睡眠时微微倾斜于地面。（依靠枕头调节通常无效，因为头经常会从枕头上滑下来。）

为血糖水平升高）会迅速回落，你又会觉得无聊。结论是什么？你一定要再来上一些甜食。这种反弹效应可能会让你的身体处于生理混乱之中。此时的你会为了调节情绪而不停地进食，尽管实际上你所吃的食物很快又会让你感到懒散倦怠，但仍无法摆脱这个魔咒。因此你被动地在这个恶性循环的怪圈中疲于奔命，总是在为自己需要不停地吃东西而烦恼。

YOU 提醒！ 人体小肠的末端（与大肠相交之前），食物会踩下肠刹车——表明你已经饱了的又一个信号。在此接合处有一个交通信号灯，可以使肠道内容物从小肠到大肠的流速变缓。这个信号灯被称为回盲瓣。有些食

图3.6 *酸液之旅* 脂肪对胃食道夹角施压，解除了这两者之间的联系，从而导致酸液的分泌，促使食物上行回流至咽喉。内腹部脂肪对胃部造成的压力让回流现象的出现增多。

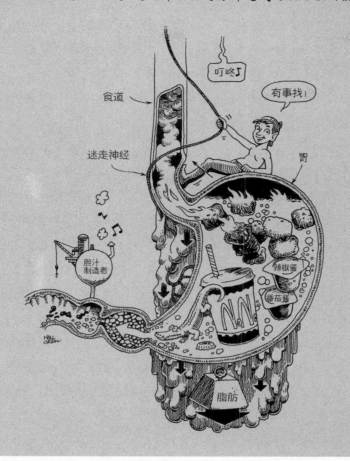

物可以自然地减少通过此处所需要的挤压动作，因为人体觉得自己仍然在消化之中，还没有准备好将这些食物排出体外。极少有营养物质在结肠处被人体吸收，因此，食物一旦通过回盲瓣，就不会再发生什么值得关注的事情，除了人体小肠为形成固态废物而进行的水分重新吸收过程。结果：你的肠道拥有了一套交通管理后备预案，如果你试图往有限的道路上派出更多的车辆，结果只会带来更饱的感觉。这也是纤维抑制食欲的原因之一。由于纤维减慢了食物从人体小肠到大肠的移动速度，人就能长时间拥有饱的感觉。在下一章中，我们将会探讨肠道消化之旅的其余环节，一些关键性的脂肪储存过程正是在此期间展开的。

产生饱足感的机制

尽管我们似乎有着无穷的理由去吃——庆祝节日假期、抵抗压力、在超级碗杯棒球赛的广告时段消磨时间——然而我们需要食物的根本原因只有一个：获得能量。能量能让人体器官工作，让肌肉运动，让我们的身体保持温度。人的大脑在很大程度上控制着人体将食物转化为能量的过程。为了便于理解人体利用能量的全过程，我们将新陈代谢过程划分为两个阶段。

消化阶段：人体的下丘脑指导这一新陈代谢阶段进行，接收全身各处传来的信号，从而判断你的身体是否饥饿，让身体可以利用能量自我充电。以下是具体过程：你的身体短期储存能量的形式是肝糖，这种碳水化合物主要储存在你的肝脏和肌肉中。在进食后，你的身体消耗现有的葡萄糖作为能源即刻使用，而将剩余的葡萄糖以肝糖的形式储存起来。如果血液中葡萄糖含量下降，你的胰腺会停止分泌胰岛素——随后会分泌另一种 G 物质，即胰高糖素（Glucagon，开头字母为 G，所以称 G 物质），这种物质能将储存在体内的能量（肝糖）转化为糖类（葡萄糖）。因此这一过程的最终结果是在肠道的糖类"油箱"空了的时候（换言之，也就是当我们的祖先因捕获不到野牛而断炊的时候），通过将肝糖转化为葡萄糖，你的身体仍然能够给自己的中枢神经系统提供至关重要的能量。

禁食阶段：在睡眠或长时间不进食期间，你的身体需要获取能量以维持人体器官的正常工作。如果在新陈代谢的消化阶段用尽了现有的葡萄糖（你身体内的短期储能库肝糖仅储存了大约 300 大卡热量），就会动用长期性储能库——存在形式为甘油三酸酯的脂肪组织（分子中包括了一种含有碳水化合物成分的甘油）。这样的过程会维持人体在禁食期间的正常活动，直到解禁为止。

图 3.7 **初级燃烧** 丰富盛大的聚餐宴会让我们的肝脏储存了过多肝糖形式的糖类，因此我们在不进食之后数小时内仍然能够直接获取能量。如果肝糖的储备充足，人体会将从冰淇淋圣代中获取的多余能量作为脂肪储存起来。为了分解这些脂肪，人体首先必须耗尽肝糖，这需要做半个小时的运动。这时，身体才会自动地开始燃烧脂肪。

YOU 建议！

放慢进程 这里要特别提请注意的是在就餐前。如果在进食前摄入少许正确形式的脂肪，就可以诱使你的激素系统提早向大脑发出吃饱的信号。如果在就餐前摄入了少量脂肪（6个核桃、12枚杏仁或20颗花生中所含的70大卡热量左右的脂肪），就能刺激人体分泌CCK，这种物质既能向大脑传递信息，又能减缓胃部清空的速度，让人一直有饱的感觉。（CCK的释放及饥饿激素的减少需要大约20分钟的启动时间，需要65大卡热量左右的脂肪来激发这一进程。）这样，你就能开始愉快地享受就餐过程，而不是为了满足饥饿感而进食——这是一种保证少吃的好方法。一般而言，早在饱足信号发出之前，人就已经不需要再继续吃下去了，因此听从信号指令的激素是不可能帮助人准确控制进食量的。同理，你应该将进食速度放慢。如果食物下肚的速度比吸尘器还要快，那么就不可能有时间让饱足激素发挥作用。

早早设定纤维警报 也许我们很多人都会将纤维与健康改善和如厕时间增长联系在一起，然而纤维实际上是人体胃肠道州际公路的限速闸。纤维会减缓一切通行车辆的行驶速度。从技术性角度看，纤维的工作机理是通过减慢食物通过回盲瓣的速度，来让胃部保持更长时间的饱足感。最终的结果：促使更为强烈的饱足感以及抑制食欲的类似CCK发出的信号增多。如果你打算每天摄入30克左右的纤维，那么关键是在早上多吃纤维。有研究表明，在早上（早餐时）摄入纤维，就不容易在下午感到饥饿——饥饿的下午对健康的影响可谓早已恶名在外，往往是一天中啃食糖果、破坏节食成果的主要时段。早餐纤维的食物来源包括燕麦、麦片、整粒谷物和水果。（你会注意到，不论是麦片还是蛋白煎蛋卷中的蔬菜，或者是全麦面包，**YOU 饮食**——见第四篇——所介绍的每一种早餐形式都富含大量纤维。而上午的零食，如一个苹果，也含有纤维。）除了能够控制血糖水平及降低体内胰岛素含量以外，纤维还能减少热量的摄入量，一天中可以长达18个小时保持热量的低摄入。餐前和入睡前通过食物的形式补充1到2克的纤维，再逐渐增至5克。（如果一次性补充到5克，身体出产的"天然气"就会比沙特油田还多。）魔芋根制成的补品似乎也能产生与纤维有关的效果。一项研究表明，在餐前一小时服用1克魔芋根的人群，体重在8周内减轻了近2.7公斤。

盲肠

将食物改用小碟装 大份食物是胃部健康最大的敌人之一。研究表明，如果你用大容器吃有害食品，与用较小的器皿情况相比之下，要多吃近三分之一。我们使用的食器通常都是大份爆米花盒、大直径圆盘和高且深的杯盖。心理上的自我健康认知，已经被自然而然地蒙蔽了，认为决定食量的应该是现有食物的多少，而不是生理的饥饿感。其实，减少食量并不需要大动干戈。对于初次尝试者而言，可以改用小型号的餐盘，这样做能在你的生理食欲满足时，给你视觉和心理上的暗示，告诉自己已吃进了一盘食物，已吃饱了。这很重要，因为研究表明视觉暗示能够帮助你确定自己饱的程度，不论餐盘有多么大，你可能都会不吃完不罢休，认为只有把盘子吃干净，才能证明自己饱了。也正因为这个原因，绝对不要直接用纸包或纸盒包装吃东西，请一定要记住，一份食物的量通常大约为一拳头大小。

放慢速度 胃部发出的咕咕声响会激发食欲，但是肚子咕咕叫并不能说明你真正的饥饿程度。它只是提醒你要去吃东西，却没有说要吃多少。正因为如此，每一餐的分量才显得如此重要。吃是人的本能，然而多吃却一定不是本能。以很快的速度大吃一顿，并不能阻止你在数小时后再次感到想吃东西的欲望。因此，你需要放慢进食速度，让CCK发挥作用，要知道坚果进入体内后，需要过20分钟才能发挥作用，抑制食欲。

放辣椒 早上吃红辣椒能够减少当天后期的食物摄入量。有些人推崇辣椒素的功效，认为这种配料能够促使热量总摄入量的减少，提高新陈代谢水平。辣椒素似乎还有这样的功效——可以通过延缓或阻止肠道发出的饥饿感觉信息到达大脑，对于抑制低脂饮食者的食欲尤其有效。辣椒素能够消灭——或至少是干扰——饥饿信号。因此，往你的煎蛋卷里放辣椒吧！

你有"超级味觉"吗?

众所周知,有些人喜爱吃的食物气味,却常常可能让坐在周围的人痛苦到需要到处寻找防毒面罩。不过,与舌头味觉有关的基因也许在腰部管理中发挥着更为重要的作用。这可能说明你要么没有吃到正确的健康食品,要么就是往往在结账之前,还要再贪心地来上一份餐后派。

如果你拥有"超级味觉",那你往往会因为某些食物尝起来有苦味而不吃水果和蔬菜,这样会增添患上某些疾病和结肠息肉的风险。因为你没有从水果和蔬菜中获得人体所必需的营养物质。我们应该知道,在饮食之外补充多种维生素,以确保自己摄入了恰当剂量的营养物质,同时还要用水果和蔬菜给食物增添色彩——把水果和蔬菜加在色拉和甜点里,还可以为面包食品增添水分(配上番茄酱就更棒了)。反之,如果你的情况是"味觉欠敏感",那么你也许会更倾向于吃(而且是大吃)甜食,因为甜食的口味较为强烈,更能刺激你的食欲。此外,研究人员的结论表明:人群中大约有25%的人拥有"超级味觉",而有25%的人则是"味觉欠敏感",其他人的味觉敏感程度一般。

你属于哪一种呢?

糖精测试:将一包糖精与三分之二杯水混合搅拌,总体积大约为网球大小。然后尝一尝这糖水。你很可能会尝到一种既苦又甜的味道。不过需要注意的是哪一种味道更强烈。如果主要是甜的感觉,这就说明你很可能是味觉欠敏感,而如果苦味占主导地位,那么你很可能拥有"超级味觉"。如果甜苦程度大致相当,你就属于人群中那一半即50%味觉敏感度一般的人士,可以不必担心了。为确保测试结果的准确,你可能需要做不止一次的测试,以排除偶然因素干扰产生的不同结果。

蓝舌测试:用棉签蘸上蓝色食用染料,涂在你的舌头上,可以看到被涂上蓝色的粉色组织上的小圆点。这些都是你的舌乳突。然后,取一张纸——上面开一个4毫米大小的洞,或像活页便笺纸边的穿孔一般大小——放在舌头上。用放大镜数出你从孔中看到的沾着蓝色染料粉色小点的个数。如果点数少于5个,就说明你是味觉欠敏感,而个数超过30个,则说明你很可能拥有"超级味觉"。

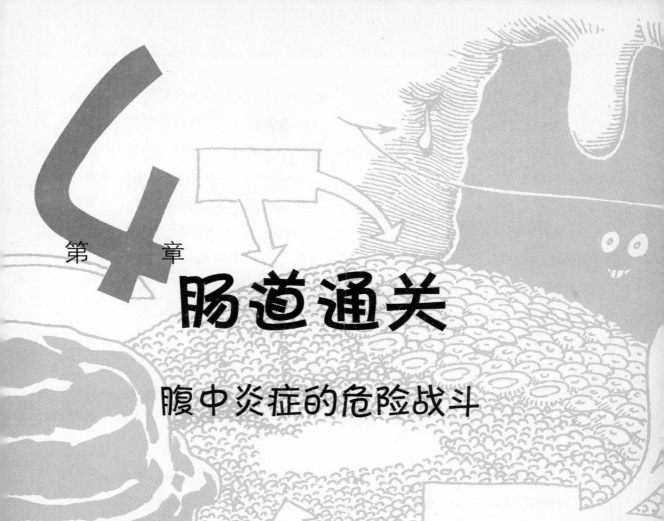

第 4 章

肠道通关

腹中炎症的危险战斗

瘦身误区

- ✣ 胃是储存腹部脂肪的场所。
- ✣ 节食基本上就是控制热量摄入。
- ✣ 人脑是身体对食物产生情绪性反应的唯一部分。

我们都很清楚,在每天与肥胖作斗争的过程中会发生很多区域性小冲突。这些冲突有的发生在你和长裙之间。有的发生在你和甜食盘之间。在竞争头衔的战斗中,你的臀部则要向你学生时代穿过的牛仔裤叫板。但是,如果以为每一场瘦身的战斗都是在餐桌前或私人衣橱中进行的,那么你可就大错特错了。事实上,每当你进食或饮水的时候,在你的肠道中就会发生上百万次小规模交火——这些都是你个人身体的本能,向多余体重发起的斗争中意义最为重大的战役。深入人体肠道的内部,你会看到对食物作出相应反应的细胞和化学物质。它们的反应有两种:视食物为益友,或者视食物为敌人。

在探索人体消化的过程中,我们即将进入人体消化系统的第二部分。我们会讨论肠道中发生的这些战斗,及其对人体腰围的影响。请注意,你的身体判断敌友的标准,并不是某种食物所含的热量多少,也不是食物所含的油脂量,更不是食品商标是否是个红发马戏小丑。在营养物质通过消化系统的时候,你的身体会对其进行盘问,通过身体产生的炎症反应种类而将其归类——引发炎症的就是敌人,平复炎症的则是益友。

我们所谈的炎症,并不仅限于身体极度肥胖时会出现的炎症,或者是关节炎患者出现的关节发炎症状。我们所讨论的,是在人体血液中出现炎症的化学反应,这是体重增加的根源。这一变化过程就好像是人体生锈。正如裸露在氧气中的金属会生锈一样,一旦人体中的无辜组织遭到氧自由基的攻击,就会引发炎症。

各种炎症的程度不同,发生的机制也各不相同,不过其中很多情况都与饮食有关。你的身体不仅会因为对食物过敏而出现炎症,身体其他部位内部也会出现炎症——诱因之中有肝脏对饱和脂肪和反式脂肪的反应;有身体和腹部脂肪对诸如香烟和压力这样的毒素产生的反应。这些发炎反应会导致高血压、高胆固醇和胰岛素排斥等——继而这些发炎反应又会反作用于所有炎症的根源——血液,进而影响到动脉血管,最终导致心脏病。(我们在下章中会对此进行深入阐释。)

你的耐受力有多大？

人体肠道中有一亿多个神经细胞，因此，胃肠道的痛感相当敏锐。但是你所感觉到的不适程度取决于你的遗传基因，特别是你对某些过敏食物的耐受能力，以及感觉到胃肠道潜在威胁产生影响的遗传倾向。固然，有一些医药方法可以处理消化问题，但是食物也同样可以发挥抗炎效果，能够在危急时刻及时赶到扑灭体内炎症之火（参见 **YOU 建议**）。在扑灭这些炎症引发的火灾时，你的肠道会极度收缩，或者膨胀——整个过程会引起疼痛，这是由迷走神经引发的。肠道受到过多刺激或过度扩张都会引发疼痛。我们有些人对于体内的这些变化不甚敏感，因此我们并不可能总是能够接收到肠道发出的有关信号。以下是一些与敏感食物有关的较为常见的胃肠道问题。

※ **酶缺乏症**：如果你的肠道缺少促进特定食物新陈代谢的酶，比如牛奶、谷物或豆类，这些食物得不到消化，会成为肠道中贪吃细菌的美餐。其结果是：肠道过度膨胀，内部气体比悍马车油箱里灌满的汽油还要多。最常见的问题是乳糖不耐症（肠胃对乳制品敏感）；第二常见的是对小麦（还有黑麦和大麦，都是富含营养的好食物）中所含的蛋白质麸质过敏。举例而言，如果体内缺乏乳糖分解酵素的这种酶，牛奶中所含的糖类乳糖在到达肠道后就不会进行代谢，于是会被寄生在肠道中的菌群瓜分共享，肠道细菌会在乳糖代谢的过程中产生大量气体。

※ **一般性肠胃紊乱症**：有些健康问题会带来与肠道有关的症状，比如腹泻与腹痛。肠易激综合征就是这样的问题，是由敏感的神经引起的，最终导致肠壁发炎。比如，我们每天通常都会排出等量的气体（次数约为 14 次，或足量为 1 升），然而我们有些人在排气时会产生较为不适的感觉。

※ **心理反应**：假如一个人在某天晚上因吃虾子随后引发了呕吐，他的心情会变得糟糕，从而产生了对某些食物的厌恶。这种反应是将虾子与痛苦的后果联系在了一起，心理上暗示的感觉会让他以后尽量避免再吃虾子这样的食品。

当然，还有一些极端的肠胃问题，比如感染、寄生虫。吃虫子倒应该是世界上最简单易成的节食瘦身方法，不过我们并不打算推荐《谁敢来挑战》节目里的食谱（《谁敢来挑战》是美国热门娱乐节目，以挑战人的胆量为卖点，参与者经常要吃许多匪夷所思、丑陋恐怖的"虫类食物"。），也不推荐进食后会出现剧烈反应，甚至导致危险过敏反应的食物。究竟何种食物适合食用？我们需要倾听小肠的建议。一旦你认识到那种"感觉失灵"的难受感觉可能是由于你的饮食造成的，你就可以查明来源并努力消除、减少或取代那些让你的肠道感觉扭结、弯曲而又痛苦的过敏物。

在本章中，我们会讨论肠道炎症的发展过程，而在下一章中，我们会进一步探讨肠道炎症引发全身性炎症的过程。

发炎的肠道：肠道灭火记

从肠道层面上看，食物会通过各种途径引发肠壁炎症，比如过敏、细菌或其他毒素。当食物引发肠道的炎症反应时，情况就好像是往你的消化系统中扔了一枚手榴弹（见本书第81页的图4.1）。于是，为了应对手榴弹已经造成的危害，你的身体会投出更多的手榴弹还击，成就了一场惊天动地的体内消化系统世界大战。结果是我们的肠道出现的炎症越多，进入人体血液的毒素也越多。

在消化边境线上与火灾搏斗的过程中，你的身体一察觉到外来入侵者，就会派出自己的特别行动队——肥大细胞和巨噬细胞——以消灭敌人。这两类细胞会在全身各处发起免疫反应进程，吞噬掉外来物质，并向体内的其他保卫细胞发出警报，提醒有入侵者犯境。让人体产生敏感反应的食物都被视为外来侵略者，因此巨噬细胞会攻击这类食物，向其宣战，并昭告天下。这会导致整个身体开始向这类食物还击，同时无情的炮火还会殃及无辜民众——引发血液中的炎症。如此看来，食用不健康的食品就真的像是慢性感染，会引发机体的免疫反应，进而导致体内炎症的出现。

人体的发展目标之一是让葡萄糖进入脑细胞中——以便让脑细胞获得正常工作所需的养料。但是，体内出现的炎症阻止了糖类进入脑细胞中，人体就会想要更多的葡萄糖，为此吃更多的含糖食品，进而令其本身炎症增多，开始步入恶性循环。

我们在关注去脂的同时，还应该重视给身体消炎的问题，这样就能更有效率地处理好减细腰围的过程中潜在的副作用。某些遗传方面的因素会诱发炎症。（有些人出现炎症的可能性较大，吸烟者身体出现炎症的程度往往比非烟民严重。）最重要的是，体重增加的过程通常就是发炎的过程。**YOU 提醒**！如果身体的炎症反应能够减少的话，你的体重和腰围也会随之减小。

炎症出现得越多，人体利用食物热量的效率就越低，你的感觉也会越来越糟糕。你的感觉越糟，就会吃更多的有害食物以试图让自己的感觉好起来。吃的有害食物越多，应对生活中正常压力的表现就会越差，出现的炎症又会越多。炎症越多，出现下列疾病的风险也越大：

※ 糖尿病；

※ 高血压；

※ 高胆固醇；

※ 所有能导致身材走样和健康水平下降的其他健康问题。

简而言之：通过让你的动脉血管弹性丧失，增加动脉硬化（血管生锈）的发生，炎症让你的身体提前衰老。炎症会让你的 DNA 更容易受损，某个细胞就会因此出现癌变。发炎还增加了感染的风险。如果炎症的调停者们在动脉血管中扭打争斗，就不可能有空去守护身体其他部位的安宁。这种情况会增加这样的风险：你的身体会自我行动起来，引发一种自身免疫疾病，你的身体会向自己的组织发起攻击（例如，某些形式的类风湿性关节炎以及甲状腺疾病）。

健康提示

益生菌，如乳酸杆菌素或双歧乳酸杆菌，能让小肠中的有益菌群数量增多，重现勃勃生机。特别是在接受了一个疗程的抗生素治疗之后，效果会更明显。肠道有益菌可以平息有害菌给人体健康带来的潜在威胁。也就是说，有益菌能够促进减少肠胃不适的发生，排气量减少，降低恶性炎症战争爆发的风险。

健康提示

要使人体天然的尾部推进系统喷气，我们有两大主要来源。排出体外的气体来自于我们吸入的空气（占 20%），以及肠道细菌消化食物的过程（占 80%）。这些细菌很喜欢消化糖类、纤维或牛奶（假如你有乳糖缺乏的问题）。结果会产生大量气体，气体构成包括二氧化碳、氮气和甲烷（这种气体——快闪啊！——易燃）。要减少气体的摄入，应该尽量不吸烟，不嚼口香糖，避免饮用碳酸饮料，或者可以在饮食时放慢速度。

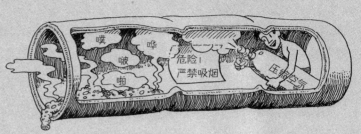

炎症给你的身体带来压力。

炎症让你的身体变胖。

肥胖并不只是狂吃油炸面包圈和烤通心粉的疾病，肥胖是关于炎症的疾病。在走完消化系统之旅的剩余部分时，我们会在三处消化地界标前停下来，看看食物是如何影响炎症的，以及炎症又是如何影响脂肪的。

食物在人体内通行的主要州际公路：小肠 这个长达 6 米左右的人体器官（长度约为人体身高的三倍多）发挥的重要作用等同于人体的"第二大脑"，决定你的身体适合吃哪些食物，而哪些食物则会让你的身体像六年级老生对待代课老师那样出现诸多的"叛逆举动"。

人体的脂肪停靠点：网膜 网膜位于胃部附近，是人体储存脂肪的主要设施。人体会把摄入的部分或（在最坏的情况下）所有的多余食物储存在网膜上。在理想情况下，网膜车库应该是空空如也的。但是，随着体重的增加，有些人的腹部会积累下大量的脂肪。更重要的是，网膜还是

讨厌的腹痛

　　你的腹部不适可能并不是由腹部内部的变化引发的,而是由外部因素造成的。按照一名研究人员的观点来看,存在着一种被称为紧裤综合征的现象。这是一种在餐后出现的腹痛,通常持续两至三个小时。原因是什么? 没错:过紧的裤子。(研究人员表示,人们的实际腰围与腰带的尺寸之间竟存在着高达7厘米的差距。)很古怪,但是男性和衬衫尺码之间也存在类似现象。三分之二的男性购买的衬衫领围过小,因此他们会出现头痛、视力下降,甚至连出入大脑的血液流动也受到了影响。

人体的终极压力标尺:**YOU 提醒!** 肚子越大,说明慢性压力处理不当的情况越严重——会导致慢性炎症。我们随后还会对此做进一步解释。

　　人体邮局的邮件处理设施:肝脏 你的肝脏是人体第二重的器官(人体最大的器官是皮肤,重量实际上有肝脏的两倍),还是人体的代谢机器。肝脏的工作很像都市邮递中心,取得所有发入的邮件(此处指的是营养物质和毒素),对其进行分类,消毒,然后将邮件运送到不同的目的地,让人体利用其中的能量。

　　虽然三种器官都有着各自不同的作用,但它们之间相互作用的结果如下:小肠对进入体内的食物进行初步处理,网膜则协助食物储存在体内。人体的小肠和网膜有可能出现炎症,但是在你的肝脏里发生的却是一场恶斗,肝脏是一切发炎反应的根源。它促使人体储存脂肪——并且要遭遇脂肪带来的负作用。

　　不错,我们很清楚,人体肠道的生理环境并非完美无缺。但是,我们希望你能记住这场肠道之旅的主要目的:通过理解、参与人体之旅的食物如何通过消化系统的这一分支,你就应该能够辨认出导致体重增加、引起有害炎症的危险食物。一旦你可以清楚、坚定地做到这一点,就已经在消化系统的和平条约上签了

> ### 健康提示
>
> 　　脂肪像是人体器官,而网膜则是其疯狂充电之后的版本。网膜脂肪拥有的血液储备量比体内其他任何脂肪形式都要高,而且能以最快的速度动员身体各个部分,为肝脏供应能量。

字，从而能够从根源上终止争夺腰部"制高点"的激烈冲突。

收集情报

　　常言道：女人用心思考，男人用自身的潜望镜——脑思考。但是如果涉及的是纯粹的生理结构层面，最接近于人脑的器官并非那个为一首小夜曲"心"潮澎湃或对贴身内衣广告"心"生向往的家伙，而是盘踞在你肚子里的那条"沉睡大蟒"。

　　从纯生理学观点看，人体小肠的作用等同于人的第二大脑。小肠拥有的神经元数量仅次于人脑（与脊髓相同），小肠的生理结构最接近于大脑。此外，小肠所经历情绪变化的范畴之广泛，也仅次于大脑。由于这样，人体感觉的外在表现形式是胃肠道不适。人体在大脑内部做出对行为的反应：伴侣握住你的手，你会感到爱意；他忘记了你们的结婚纪念日，你会气愤不已；而如果你们在体育中心观看比赛时，他脱去衬衫，挺着毛发浓密的胸膛为进球喝彩，你则会觉得羞愧难当。人体的小肠也会有类似的举动。它对进入通道的食物做出相应反应，具体的情况取决于此种食物能够消炎还是促使炎症加重。

你吃的食物决定了你的小肠产生何种反应情绪，是稍微有一点儿生气（腹部轻度气胀），愤怒（排气），固执坚决（便秘），还是完全的情绪爆发（重症腹泻）。

　　当然，决定吃何种食物的人还是你自己。你的小肠只是做了便衣侦探的工作——调查收集进入你身体的所有营养物质和毒素的相关资料。

　　你的小肠是有感觉的，你的小肠是有思想的。你的小肠在消化期间完成了一项至关重要的任务：它指导你做出所有关于饮食种类的选择，因为它会告诉你哪些食物适合自己的身体，哪些则不然。它是怎么做的呢？是通过对这些食物的吸收来完成

体重不变的原因

我们通常认为人体的工作情况就像汽车一样——踩加速器提速,踩刹车放慢速度。但是,人体的代谢开关却不是这样工作的。体重的增加或减少也许不会有我们预想的速度那么快。当人体出现炎症时,工作效率就会下降,这意味着我们要消耗掉更多的热量。这是一种自我保护的方式,即使是在你体重增加的时候,身体消耗的热量也有可能比过去多。如果我们通过瘦身减少了炎症的出现,人体的工作效率就会恢复正常,我们身体热量的获取和消耗就可能会不成比例。因此,如果我们正确健康地进食,并提高食物的代谢效率,体重变化就可能会暂时停滞——这意味着你可能还是很重,但与体重有关的健康风险也许相对会有所减少。

的。人体的小肠具有吸收性的表面积与其总长度的比值高达 1000。这是因为小肠内部有许多像手风琴一样折叠的隐蔽处、裂隙和褶皱。这些地方实际上都是人体吸收营养物质的场所。因此,人体肠道的吸收区域并不仅仅是 6 米长,其长度等同于 6,000 米。所以,你能每天吸收掉这么多吃下肚的食物就不足为怪了。当小肠壁出现炎症时(由于食物过敏或不耐受性),吸收性表面积会遭到大幅削减——由 2,000,000 平方厘米左右变为 2,000 平方厘米——这是由于肠壁表面的功能性细胞出现了水肿和中毒现象。而如果肠道无法吸收营养物质,整个人就会出现胃部不适和腹泻的现象。

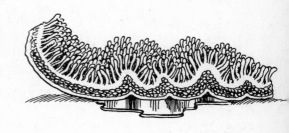

对于那些明白公开的肠道紧急事故,我们都很了解,不过人体肠道情绪还会影响到身体健康的其他方面,而我们通常情况下都不会将这些情况与饮食的健康与否相联系。我们有时感觉头昏眼花或筋疲力尽的原因可能是人体肠道正要努力告诉我们吃错了东西。请设想将小肠展开来做比照(请戴上橡胶手套),你就可以清楚地看到小肠的形态:小肠是盘旋贯穿整个人体腹部的蠕虫般的典型管道。以基础生理学观点而言,人的肠道都是相同的,就像人脑都具有相同的结构一样。但是,尽管结构你也许听说过名人接受结肠水疗手术，是因为他们近乎疯狂地在寻求某种神奇瘦身的方法。手术的具体过程如下：医生将一根导管推入你的肠道下部（从臀部导入）。给你注射了一针药剂，彻底清洗你的结肠，接着要彻底排出废液（医生会给你喝咖啡，让你可以马上去洗手间）。此举的目的是彻底清除毒素，"重新启动"你的肠道。在结肠水疗手术后，你的身体会排出大量废物，然而最大量的排出物还是钱。人体的结肠只会吸收水分，所以结肠水疗手术并不会给瘦身带来多大益处。事实上，通过24小时不进食的方式，可以获得同样的清理结肠和清除毒素的效果。

相同，人脑的工作状况却各不相同，肠道的情况也是一样。**YOU 提醒！**我们肠道的各不相同，就像是我们的微笑，我们的大笑，我们的政治观点，以及我们崇拜的偶像。某种特定的食物可能会让一个人感到精神振奋，而会让另一人感觉像破旧邋遢的布娃娃一样萎靡不振。

从生理结构上看，肠壁就像老牌硬汉牛仔影星克林特·伊斯特伍德那样强悍。在肠道中长期生活着个数超过一万亿的细菌（其中大部分对人体有益，但至少有 500 种对身体健康有潜在的威胁），正常情况下，人体通过自身坚固的基础设施自我保护，阻止细菌进入血液里。然而，你的身体尽管依赖于坚固自己的"诺克斯堡"（美国联邦政府黄金储藏库所在地），还必须具备一种能够给予来访的客人授权许可的方法。也就是说，人体需要让营养物质通过肠壁到达血液，让你能够将食物里的营养用作能源，维持人体器官的正常工作，让你早上有力气去上班，晚上回家时能掰开淘气的孩子紧握着可怜青蛙的手。（这种穿透性机制的工作途径之一是胆汁，它能骗过肠壁的安保系统，让脂类穿墙而过，进入血液当中。）何种物质应该留在肠道中，何

图 4.1 **内部冲突** 食物和毒素经常会在人体肠道的边境线上摆开战斗架势。有益的食物可以通过肠壁，给人体提供营养，但是有害食物会激发附近免疫细胞的强烈反应。结果导致的炎症会引发水肿、排气及腹部痉挛。

种则可以进入血液,人体的选择过程是生理结构学知之甚少的神秘内容,不过这些正是你的身体内部每天都会上演的炎症战斗街头剧的一部分。当人体肠壁出现炎症时,有些未经授权的不速之客就会乘虚而入了。

从本质上而言,外来细菌生活在人体的肠道中,试图进入血液中繁殖(这是它们的目标)并制造混乱,但是它们在肠壁处会遇到护卫们(即胃肠道,特别是肠道,这是人体与外界环境互相作用的三处场所之一;另外两个是人体的皮肤和肺)的坚决抵抗。在小肠中,人体的肥大细胞和巨噬细胞是免疫系统的组成部分,作用好比是肠道特种小分队,抵抗外来侵略者的进攻。

食物进入小肠并穿过肠壁运输,会遇到这支在肠道边境巡逻的特种小分队,特种小分队会对食物进行检查。如果食物有一张官方授权的身份证——这是食物,你的身体需要吃——那么巡逻队就会放行。但是,如果吃错了食物,或者吃的食物中含有某些毒素,你的肠道特种小分队的反应是调来更多的肥大细胞,引爆肠道各处的定时炸弹。此时,炎症灭火行动正式开始。结果是:疼痛、排气、恶心或所有肠胃不适的反应全面出现。

给身体"喂奶"

假如你对牛奶过敏，牛奶会让你的肠道感觉像是处于漂洗阶段的洗衣机一样。下面是一些切实可行的自我调理的方法。

※ 在烹调和煮食时，牛奶是最容易找到替代物的成分，可以换成等量的水、果汁、豆奶或米糊。

※ 警惕隐蔽的乳品来源，例如，一些品牌的金枪鱼罐头，以及其他非乳制食品中含有酪蛋白，这也同样是一种乳蛋白。目前，美国食品药品管理局（FDA）正准备要求那些含有乳品衍生物的产品除去"非乳制品"的标识。

※ 在餐馆点餐时，告诉服务生你对何种食品过敏。很多餐馆在烘烤或烹制牛排或其他食物后会浇上黄油，以增添风味，而黄油遇热融化后变得无形了，这样的话，你是不会注意到的。

※ 有些配料似乎含有乳制品或其衍生物，但实际不然。如果你对乳糖过敏，食用以下食品是安全无害的：可可黄油、酒石乳和乳酸钙盐。

此外，乳糖不耐性在非欧裔人群中呈现出较高的种族性集中态势。这恰恰是由基因决定——而非毅力——何种食物适合或不适合你食用。

为什么人所吃的食物对身体会如此至关重要呢？这不只是因为最初的炎症反应，还因为食物对培养进食情绪发挥着重要作用。（小肠是人体的第二大脑，让人产生良好感觉的这种激素名称是：血液血清素，有 95% 在人体的肠道里。）你的感觉影响了你的进食状况，而你的进食状况又会反过来再去影响你的感觉。如果你吃的食物让你感觉不好，就要另外添加食用其他一些食物来进行自我调节，这些食物也许会在较短的时期内让你感觉恢复到良好的状态，但实际上最终会导致炎症和体重增加。遗憾的是，一旦感觉越来越糟而必须不停进食，这样饮食的恶性循环期会使你自己的身体出现对压力的化学性反应——这要由人体的脂肪停靠点来处理。

健康提示

大约 2.5% 的人对牛奶过敏。牛奶过敏是最为常见的食物过敏问题。乳制品过敏现象通常随着时间的流逝渐渐消失，但花生过敏则不然（而且具有潜在的致命性）。此外，我们接触食物的年龄越小，似乎越会出现过敏症状。

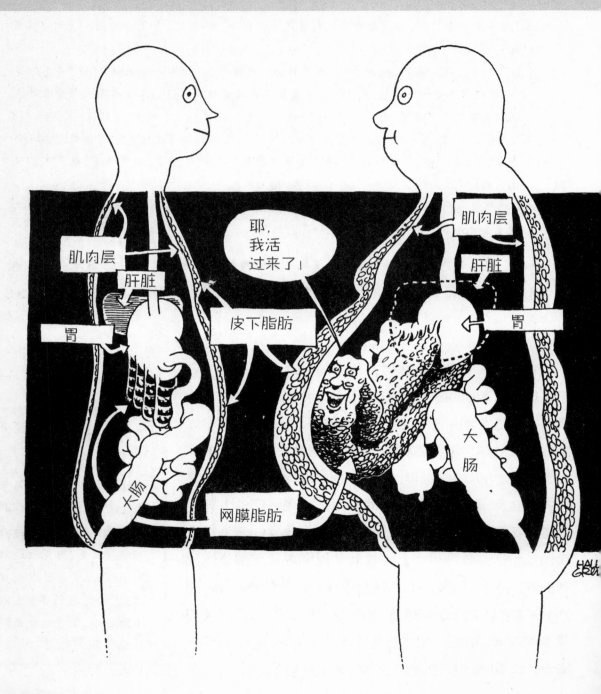

腹内储存的压力

评估压力水平的最佳方法是：看看你的腹部脂肪有多少。你的腰围越大，压力就越大。

在肠道高速公路上，脂肪车辆的车库——网膜的外观很像挂在衣架上的袜子（胃部是衣架），但是其具体形态取决于人体储存的热量多少（见图 4.2）。

对于体内网膜脂肪含量极少的人而言，腹部上就像是挂着尼龙袜——轻薄透明，上面有一些经纬线组成的网格。但是，对于体内网膜脂肪含量丰富的人而言，"衣架"上面好像挂了冬装棉裤一样——脂肪小球十分肥大，根本没有什么网状结构或网眼。（肝脏中的细胞固然有转化为脂肪的可能，而体内的脂肪增多与现有细胞的生长关系更大。如果身体内的脂肪增多，脂肪细胞数量并不会变多，而是各个细胞中所含的脂肪增多。）

你的车库是否客满（腹部聚集了丰富脂肪），遗传因素肯定有着决定性的作用。但是，你的生活方式——从压力的角度看——往往在决定腹部脂肪的多寡方面发挥着更大、更主要的作用。具体情况如下所言。

回顾人类进化发展的历史，我们总结原始人类面对的压力有两种。第一类是即时发生的压力（换而言之，这种压力犹如步步紧逼、迎面而来的凶猛饿虎）。面对搏斗与逃跑的生死抉择，你的身体会分泌出去甲肾上腺素这种神经递质，从而加快心率、呼吸和百米冲刺的速度，以便迅速逃出山洞。化险为夷后，你脑子里想的只是在篝火上烤些植物块茎，以解腹中饥饿。这是因为你的身体在承受急性压力时抑制缩氨酸NPY 的分泌。（由此可知，运动可以抑制食欲，因为你的身体可以察觉出你身处急性压力之下，并随之作出相应的反应。）因此，高强度的即时压力对你的腰围有益：可以让你的食欲减退，加速机体的新陈代谢。

早期人类面临的第二类压力是在干旱和饥荒中的慢性挣扎。与三四十秒的虎口脱险截然不同，我们的祖先还需担心自身的长期生存，他们的身体必须应对慢性压

健康提示

人体肠道中含有95%左右的血清素,而中枢神经系统则仅占有2%到3%。请注意,血清素有助于控制人脑产生抑郁情绪。

力的问题。当面对大自然带来饥荒的时候,他们努力摄入尽可能多的热量, 身体的新陈代谢机能可以相应地调到油门的低速挡,配合人类保存能量。我们现代人虽然不用被动地应付那样的饥荒,但也会经历现代意义下的慢性压力,这种压力会让我们本能地努力寻找热量补充, 紧接着也会调低自身的新陈代谢

速度。**YOU 提醒**! 我们的身体在食物可能不足的情况下同样会做出储存多余能量的本能应急反应。这些多余热量储存在人体的腹部脂肪库网膜内,未雨绸缪,以防食物匮乏。人体的肝脏能够直接利用这种网膜脂肪,肝脏是身体能量流通的中继站,这与紧紧贴附在大腿后侧的脂肪纤维不同。

人们处于压力之下时,身体会以皮质醇的形式,将大量的类固醇释放到血液中。在急性情况下(被老虎追逐或遭遇车祸时),类固醇只会短暂逗留在体内。但是,如果你处于慢性压力之下(干旱或冗长的工作),你的身体就需要想办法处理这样高浓度的皮质醇。因此,人体的网膜会负责清除皮质醇类固醇。网膜具有的受体细胞能够绑定皮质醇,将其析出血液。(遗憾的是,这并不一定能缓解、减轻你所感受到的压力程度。)类固醇提高了网膜储存脂肪的能力,因此你的腹部脂肪(以及相应的腰围)就成了你应对压力真正能力的等价指标。不过也许你的大脑提供的正是与此完全不同的信息。吸收类固醇会使你的网膜产生对胰岛素的抗拒,让体内的糖分四处游荡, 没有被相关细胞吸收并恰当地利用,于是你的身体会陷入代谢混乱。这样的现象会导致如下一系列后果:

健康提示

人造脂肪添加剂看起来像脂肪,烧起来像脂肪,尝起来口感也很像脂肪,但却并不是脂肪, 也并不能像脂肪那样被人体吸收。因此, 有些食品会用人造脂肪来降低脂肪和热量的成分。问题是摄入人造脂肪后,排泄物的形态会像茶一样, 同时一些有益的脂溶性维生素也随之流失,尤其是类胡萝卜素。所以, 假如你吃的是人造脂肪做成的薯片,那么最好搭配着多吃些黄色和绿色蔬菜是明智的选择。此外,人造脂肪的学名可以帮助你更好地理解其工作机制:"蔗糖聚酯"。

图 4.3 **毒素"垃圾站"** 人体通过肠道吸收的所有营养物质通过门静脉流过肝脏。同时，网膜中储存的多余脂肪和促炎性化学物质也会直接进入肝脏，这就有可能引发大量的有毒蛋白质连续不断地释放到人体内。

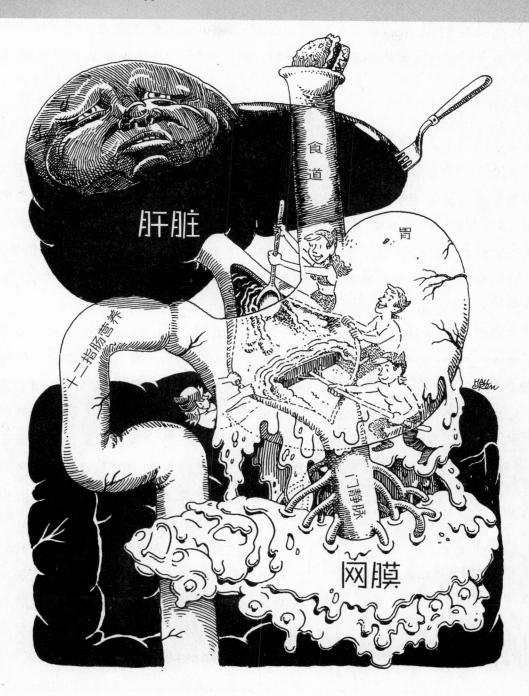

※慢性地升高人体血糖水平,损害机体组织;

※用引发炎症的化学物质给网膜施压,会打破人体激素精密的平衡状态;

※迫使网膜将高能脂肪直接导入肝脏,导致肝脏产生更多的促炎性化学物质。

抗炎战斗

肝脏——负责人体新陈代谢的器官——从肠道接收血液和营养物质。它所需要的不是超大份薯片中所含的反式脂肪。肝脏更需要其他的营养物质:肉类所含的蛋白质、小圆面包中所含的碳水化合物、西红柿里所含的番茄红素,还有奶酪所含的钙质。肝脏总是在忙碌地工作,处理午夜后吃下的丰盛宵夜,还有凌晨5点喝的咖啡。你的肝脏获取人体内的所有化学物质,分别绑定一种蛋白质,并将其转化为人体可以利用的某类物质。

在肠道之旅中我们了解到,你那可怜的、超负荷工作的肝脏还直接从肠道中吸收了有害的反式脂肪,而且网膜通过门静脉还将反式脂肪直接导入肝脏。当肠道派出的这股脂肪被倾倒进入静脉血管中时,肝脏将其视为火车即将出轨的红色信号,于是努力地代谢食物,调整平衡,摆脱危险。但是,在捍卫身体健康的过程中,也产生了副作用——肝脏同时也释放了额外的促炎性化学物质。

在你的肝脏中,营养物质会遭遇两种物质。在人体消化系统这个小镇上,肠道好比是高速公路,我们可以把一种物质想象成喧闹嘈杂的兄弟会会所,能够引发炎症;而另外一种物质则是友善的非赢利性慈善团体,能够平复炎症,在全身各处成就善举。

健康提示

对动物进行的初步试验表明,西柚精油的香气——没错,就只是香气而已——具有抑制食欲和减轻体重的效果。每周三次将小白鼠放置在香气环境中15分钟,可以收到明显的效果。原因是什么?尚不清楚。也许是由于西柚精油对肝脏酶产生了作用。西柚精油常见于香薰商店和网站购物。在上网查找相关商品信息时倒不妨先吃上两个西柚,肯定对人体有益。

感染与膨胀

诚然，从理论上来说，你身体的一切，从毛发到脚踝处的文身，都归你自己所有，但事实是你身体表面和内部的细胞只有10%是属于你的。其余细胞都是微生物，它们生活在人体细胞表面和开口孔腔内（令人高兴的场景，是吧？），特别是在你的肠道里。这些生活在肠道中的微生物能够提供人体所需的酶，以消化水果和蔬菜中的纤维，否则纤维会直接通过人体系统而得不到吸收（第二个令人高兴的场景）。不错，肠道中如果没有了细菌和病毒，那么提醒人们要每口食物热量控制在100大卡的食品标签就有可能是言过其实。特别值得注意的是，在实验中没有接触任何真菌情况下喂养的老鼠，其体内脂肪比普通老鼠减少了60%，尽管它们吃的食物比普通老鼠还多了30%。更值得关注的是，常见的肠道菌群通常会抑制并防止身体囤积脂肪的蛋白质生效，因此受到感染的老鼠腹部脂肪较多。

那么，几只多脂的老鼠与人类的肥胖问题又有何关联呢？原来，在印度，某种特定的禽类传染病患者，其体内脂肪与正常人群相比，增加了15公斤。更重要的是，他们体内的胆固醇和甘油三酸酯水平都较低——与我们通常认为体重增加的原因恰恰相反。这是为什么呢？也许，由于肠道中的真菌也能消化胆固醇，因此相应地说，人体吸收了较少量的胆固醇。一项在美国进行的调查中，肥胖症患者的受测对象中有30%的人体内存在病毒，而身体较苗条的人群则仅有11%的人携带病毒。携带病毒者比正常人重得多。（以双胞胎中只有一人感染了病毒为例，尽管基因相同，但感染者的身体脂肪还是比正常者多了2%。）

最后，我们都知道脂肪细胞与人体免疫细胞之间存在着很多相同点。脂肪细胞能够吞噬细菌，分泌激发免疫系统的激素。这有可能解释肥胖症引起炎症反应以及导致C反应蛋白含量升高的原因（发炎的指标）。那么，你如何能够看出，身体内正在发生会导致肥胖的真菌"内战"？如果胆固醇和甘油三酸酯水平下降，C反应蛋白质水平升高，也许就应该自我测试一下。Obetech公司（www. Obesityvirus.com）最近就推出了一套自检器械。这也许可以降低你的负疚感，但由于这项科学研究还处在收集数据记录和缺乏足够依据的阶段，你仍然需要关注其他方法。不过不管怎样，至少眼下要这样做。

如果食用了上述那些会刺激肝脏，并且使其释放出兄弟会会所那样一类物质的食物——被称为核因子的 kappa B 或 NF-kappa B——引发了一系列事件，导致身体产生炎症，阻止葡萄糖运送到人体细胞（这就引发了饥饿感）。而我们明白位于细胞内部的葡萄糖（糖类）能够完全抑制饥饿感（位于人脑特定区域的饱足中枢内）。不过，你也可以有目的地食用能够平息炎症的暴动，或刺激且具有消炎功效、可以分泌有益物质的食物（见图4.4）。这样的食物被称为PPAR。（表示"过氧化物酶体增殖物激活受体"，不过我们喜欢将其看作是"强有力的腹部调节装置"。）PPAR 如此有效的原因是：

进食提示

"脱脂"的说法是为了适应马拉松运动员与当红少年明星的需要。当这种说法与食品联系起来的时候,你必须格外慎重。这是因为无脂食物的味道要么就像鞋盒子一样糟糕,要么就是因为其中一定富含大量的糖类以补偿脂肪的缺失。食用了这些"脱脂"食物会使你的健康变得比慢吞吞地横穿过车辆川流不息的交通要道还要危险。脱脂食品生产者的目标之一是生产出两全其美的食物:滋味丰富美妙,又不含增大腰围的脂肪成分。也许,有这样一种物质会最终改变人们的进食状况,这种物质被称为 Z 调理剂。它是一种天然的、零热量的脂肪替代物,由燕麦、大豆、大米和大麦等成分的纤维制成。虽然目前尚无临床数据可以证明这种物质的瘦身效果,不过初步有些证据表明 Z 调理剂可以将一餐中通常会摄入的脂肪量减少 25% 到 50%。用 Z 调理剂生产出的食品具备脂肪的全部"口味"优势(滋味较好,乳脂状较丰富,而且口感较好),还不含热量。Z 调理剂可以用于烹调,由于其中含有纤维成分,也极有可能会抑制引发饥饿感的饥饿激素的分泌。负面影响似乎是在加入 Z 调理剂的同时,你也失去了享受食物中健康油脂的机会。那些试尝过这种食物的测试者表示,含有 Z 调理剂的食物具备了全脂食品的一切风味。这足以让我们对未来的健康饮食充满信心,脱脂将并不一定意味着含糖量高以及淡而无味。

一旦被激活,它们能降低人体内的葡萄糖和胰岛素含量,还能降低胆固醇水平,减少炎症的发生。我们体内的 PPAR 含量虽然由于遗传原因而各自不尽相同,但人体内 PPAR 却都不能自发地开始工作,必须要有食物激活它们,才能开始发挥出效能。

如果从细胞层面观察 PPAR 和 NF-kappa B,你还可以发现这两类物质是如何让人们更有可能患上肥胖症的。人体的每一个细胞都由 DNA 串控制,DNA 承载着人体生长的未来蓝图。DNA 一旦发生变异,会让人体细胞快速、准确地自我复制的能力下降,因此我们的身体就会开始衰老。是什么造成了这种 DNA 变异呢?不错,正是人体中的发炎反应,引发了氧化过程(请注意,这就是人体的生锈过程)。其表现形式正是体内的 NF-kappa B 含量增多,同时原有 PPAR 的含量不足以扑灭炎症的大火。那么,我们应该如何阻止这种变异、氧化及炎症呢?通过有目的地食用具有抗氧化和抗炎属性的食物——我们将会在本书第 231 页的腰部管理计划中讨论这样的食物。那些处于衰老期,不能运动或者无法有效地处理压力的人适宜食用这样的食物。

这应该是你希望赢得自身健康的主要战役之一——通过调节上述两类化学物质及其盟友的含量,以平息身体的炎症,减少体内脂肪的超量储备。要消灭生活在

图 4.4 **聚会结束** 进入肝脏的食物可能会刺激核转录因子蛋白质（NF-kappa B），让其变得像兄弟会里喝醉后的男孩那样不受控制、胡作非为，引发身体炎症；也有可能安抚受体（PPAR），促使其扑灭身体中炎症之火。即使你吃下许多食物，只要还是 PPAR 控制大局，那么，负面影响就会小得多。

肥胖的古怪诱因

大多数人都认为，体重超重的现象意味着要么是吃得太多，要么是活动得太少。然而，一些研究表明，我们的腰围过大，并不应该仅仅归咎于饮食过量或运动过少。调查表明导致肥胖的其他因素还包括诸如——请特别注意——你在腋窝下贴的香体剂，以及你母亲的生育年龄。下面一些是被理论证明与肥胖有关的其他非典型因素。

去味剂：有些去味剂含有的化学成分会干扰人体正常的代谢机能，让你体重增加的可能性增大。我们不是要建议你不用去味剂，那有可能熏倒同在电梯厢内的乘客，但是提醒你应该尽量避免使用含有铝成分的香体剂或多氯联苯化合物类的喷剂。

温度：夏季的空调和冬季的暖气也许可以平定人的情绪，但也可能会让你变胖。比方说，你待在寒冷的房间里，身体就必须进行更多的新陈代谢以使体温恢复正常水平（在炎热的情况下也是同理）——从而提高了代谢速率。要想促进自己燃烧热量的身体引擎更快地运转的方法，只要在冬季降低室内的温度，或在夏季升高室内的温度就可以了。

戒烟：我们认为，吸烟带来的危害，无异于自行切除输精管。不过尼古丁在对抗脂肪方面倒可能是一种很有力的武器。有关尼古丁的具体介绍，请参见本书第 324 页。

你的母亲：研究表明，你的母亲生育年龄越迟，你就越有可能变胖。虽然你无法改变自己的家族遗传史，但是如果你母亲年龄较大时才生了你，你就要更加警惕自己的腰围变化。

你的伴侣：研究表明，较胖的人往往会选择胖的伴侣，这就增大了生出更胖孩子的可能性。我们并不打算进行婚姻速配指导，不过值得大家注意的是，遇见伴侣的最佳地点并不应该是在街角的汉堡包店。

NF-kappa B 之家里的那些小恶棍，你需要增强身体各处有益的 PPAR 的作用。

压力反应：聚沙成塔

现代人不再要经历干旱和饥荒，但是我们确实要面对高强度的慢性压力。慢性压力的形式多种多样：有工作负担、感情问题的烦恼和长蛇阵一般的急待处理事务明细清单。我们身体对这些慢性压力所做出的反应和人类祖先相同，但是区别在于我们现在可以方便地吃到相当丰富的食物。慢性压力引发了人体原本具有的积累热

"坏食物"这种说法是否真的存在?

　　不是只有快餐连锁店店主才认为世上食物并无好坏之分——有些人认为进食量的多少才是决定性因素。很多饮食学家、营养学家、医生和食物生产者都持相同观点。我们的科学研究让我们无法认同他们的观点。不错,健康食品可以给人带来满足感,减少体内炎症的出现,降低体重反复增减情况出现的可能性,又富含营养成分,让人更年轻。有害食品则会让你更加饥饿,增加炎症的出现,让人感觉倦怠,更有可能反复出现体重增减不稳定的现象。体内摄入的营养物质减少,让人更容易衰老。毕竟,当你吃炸薯条的时候(不论是两根还是两包),身体摄入的热量口味不错,但其营养价值却和木工用的三合板一样贫乏。我们所说的有害食品等同于人体不需要的废物;有益食品则让腰部管理更加容易,因为食用这些食品会产生饱足感,让你永远不会想大吃那些营养价值低而热量又高的有害食品。我们把这些有益食品称为易饱驻颜健康食品。

量和储存脂肪的古老反应,所以导致我们最终会不断地扩大自身机体网膜存储单元的体积。下面介绍了体内脂肪如何陷入恶性循环,失去应有控制的过程:

　　※在遭遇慢性压力时,人体的类固醇和胰岛素分泌增多,进而……

　　※增加了食欲,进而……

　　※增大了狂吃高热量的甜食和脂肪食品的可能性,进而……

　　※让你体内储存的脂肪增多,尤其是在网膜内部,进而……

　　※将更多的脂肪和促炎性化学物质导入肝脏,进而……

　　※使机体产生对胰岛素的抗拒,进而……

　　※让胰脏要分泌出更多的胰岛素以收到与过去相比的同等效果,进而……

　　※让你极度饥饿,进而……

　　※继续吃下去,因为你身处压力之中,而由于进食,你又给自己的身体增添
　　　了更多压力。

　　有趣的是,网膜内储存的脂肪越多,压力对人脑的影响也越小。这是人体安抚你的方式,向你保证已经做好准备,可以安然度过荒年。因此,你的网膜脂肪——腹部附近的脂肪——不只是衡量腰部尺寸的指标,还是你个人压力水平的标尺。

YOU 建议！

让食物上战场 抗击脂肪的最佳武器并不是健身录像或擅自接受抽脂手术。应该是食物，是有益的食物，是消炎的食物。要减少由肥胖引发的炎症，你需要食用具有消炎功效，又具有营养成分的食物——要么具备消炎或抗氧化的功效；要么能够通过刺激有益 PPAR 分泌，或严格限制 NF-kappa B 兄弟会会所里的胡作非为来实现相同的健康目标。抗氧化剂往往能够给特定食物增添不同的口味、气味和颜色。因此，多吃抗氧化性食物意味着多吃口味丰富和色彩明丽的食物。（你所吃的食物应该是口味多样的；你可以通过搭配食用两种或多种不同形式的食物，使食物口味的来源加倍。例如，往番茄酱中加入西红柿干，或将苹果干配上苹果酱一同食用，这样做可以避免口味单调，可以刺激味觉。）

以下列出的营养物质可能具备抗氧化及消炎功效，我们同时还建议了食用的分量。这些营养成分也许不会让你大幅度减轻体重，但是它们应该都可以起到消炎的作用。这样做可以让你不论体重如何，都能拥有更健康的生活。

已知的消炎物质：

Ω3 脂肪酸 Ω3 脂肪酸——常见于鱼油中——似乎可以增加 PPAR 的含量，促进炎症缓解。我们建议每周吃 120 克鱼肉以摄入 Ω3 脂肪酸，或者每天服用 2 克鱼油胶囊，或每天食用 30 克核桃。（此外，饱和脂肪会增加炎症的出现，而反式脂肪则会抵消 Ω3 脂肪酸的功效。）

绿茶 科学观点是绿茶中所含的儿茶酸能够抑制脂肪分解，同时抑制 NF-kappa B 的产生。研究已经发现，每天饮用 3 杯绿茶可以减轻体重，腰围在 3 个月内减小 5%。绿茶还能提高人体新陈代谢水平。（所有非草药类茶均含有能够提高代谢速率的物质。）

我们认为有可能具有消炎能力的物质有：

啤酒（大肚汉请注意了，是适量的啤酒） 动物试验表明，啤酒花中所含的味苦的化合物似乎可以激活 PPAR 工作。但是，你每天啤酒的饮用量，必须仅限于一杯。每周喝 21 杯 240 毫升杯装啤酒，或 21 杯玻璃杯装葡萄酒，或 21 小杯威士忌的人，往往容易出现腹部脂肪堆积的问题。饮酒与腹部脂肪的这种明显联系并不受其他健康危险因素的影响。

姜黄 姜黄是一种状似生姜的植物，其中的活跃成分是姜黄色素。它似乎可以激活较多的 PPAR，从而消除炎症。只是要注意，放入的剂量要恰当——一撮（1/8 茶匙）。再多加的话，食物尝起来就会像芥末一样辣。

加州希蒙得木的豆类果实(这真的是种子)目前已经证实,这类种子可以调理机体,达到我们期盼的理想状态,比如提升有益胆固醇水平,提高瘦素含量以抑制饥饿感产生。由加州希蒙得木提取物制成的补品(希蒙得木素这种补品就是其中之一)似乎可以通过刺激 CCK 分泌而抑制饥饿感。大多数人的进补剂量都应控制在大约 2.5 克到 5 克之间(每公斤体重补充 50 毫克)。

主要成分

虽然下列物质和配料的功效尚未得到证实,但是有一些证据表明这些物质都能够对身体产生有益健康的消炎效果:

物质名称	常见于
异黄酮	大豆、所有的大豆制品
木酚素	麻籽、亚麻籽油、整粒谷物如黑麦
多氯联苯	茶、水果、蔬菜
硫代葡萄糖苷	十字花科蔬菜,如椰菜或花椰菜、及羽衣甘蓝
卡诺醇	迷迭香
白藜芦醇	红酒、葡萄、红或紫的葡萄汁
可可	黑巧克力
栎精	卷心菜、菠菜、大蒜

喝咖啡 咖啡是全美消炎剂的最大来源。(除咖啡因以外,其本身也具备抗氧化性。)咖啡富含多氯联苯,在出现饥饿感时是很棒的低热量饮品。你可以饮用不含咖啡因的咖啡以避免其副作用。那么,消炎剂的第二大来源是什么?香蕉,咖啡的消炎成分是香蕉的七倍。

用排除法理清思路 为了改善自我感觉,改变身体处理食物和储存脂肪的方式,你需要追本溯源。不论症状有多么微不足道,你都需要找出哪些食物有可能引起这种胃肠道不适。最佳方法是进行食物排除测试。你所要做的是至少连续三天完全不吃某种类型的食物。(有时,可能需要坚持两周或两周以上的时间不吃某种食物，才能完全体现出这种食物对人体健康产生的效果。）在此期间，忠实记录自己身体的各种感受：你的精力水平、疲倦感，以及去洗手间的频度。记录下你不吃某种食物的起始时间，以及再次食用的时间——这样，你就可以真正注意到何种变化会让你感觉更糟或是更好。

以下是我们建议的排除食物顺序：麦类食品（包括黑麦、大麦和燕麦）、乳制品、精制碳水化合物（尤其是糖）、饱和脂肪及反式脂肪，以及人造色素（很难排除，因为一切食品中都含有人造色素）。这种试验在帮助你识别自身消化系统的破坏者的同时，还有另外一个好处：连续数天完全不吃某类食物，有利于训练你的身体坚持少量进食。

在大餐后坚持活动 如果你不慎吃了一大堆食物，就要让自己的身体做些有益健康的活动。大吃后数小时之内不能入睡，要步行30分钟，可以促进身体分解营养物质，利用食物中的能量，而不会把多余的食物作为脂肪储存起来。万一含有热量的食物进入胃里，也不要试图通过呕吐使其排出。呕吐会损伤你的胃部，灼烧食道，频繁催吐甚至还会使牙齿变色。此外，大吃后不要再吃甜食，因为甜点会增加胰岛素的分泌，促使腹内积累多余热量。

慎食"身体毒素"——甜味剂 大量的蔗糖（糖类）会引发炎症。你可以通过食用替代性的甜味剂来消除其负面影响。蔗糖（糖类）除了会导致血糖骤升以外，富含糖分的食物还富含热量，如果消耗不充分或没有完全被人体作为能量利用，这些多余的热量会以脂肪的形式储存在体内。虽然有些甜味剂是低热量或无热量的，然而减肥软饮料、瘦身食品中所含的甜味剂成分，以及饭店餐桌上糖料包旁摆放的甜味剂，人们在食用时都是不假思索的，这就是甜味剂的副作用。实际上，人脑的饱足中枢对这些甜味剂视而不见，因此不会将其视为真正意义上的食物，食用后依然有饥饿感，仍想通过其他途径补充热量。并没有明确证据能够证明这些甜味剂的效力——既无健康层面的证据，也没有瘦身层面的证据——不过有一点可以肯定：史前人类不会在饮用水里加甜蜜素。虽然人造甜味剂无甚热量，但是有可能带来肠道问题和头痛等副作用。如果你正在努力减肥或感觉不适，一定要避免食用这类甜味剂，尽管甜味剂可能是高热量糖类的替代物。目前尚无明确数据显示何种甜味剂功效最大，不过我们的分级方法如下：

甜味剂名称	简　介	真相披露
三氯蔗糖	这种物质于 1976 年发现，但是多年以来都未得到广泛使用。含糖量是蔗糖的 500 倍，以脂肪形式储存在人体内。适用于烘烤类食品，对人体的血糖浓度没有影响。	有关这种物质的研究相当不充分，不过没有关系，完全可以把它买回家放在碗橱里。有关这种物质的广泛使用目前还是一个全新的领域，其长期性效果尚不清楚，但前景似乎相当广阔——它是用于烹调的最佳配料。
阿斯巴甜	于 1981 年投入市场。一些研究已经发现其对健康具有负面影响，不过相关研究还很有限。	人们对这种物质抱有十分警惕的态度，它基本上经受住了时间的考验。然而，这种甜味剂在人体内的滞留时间却最久。而且这种物质不能加热——加热后会转变为甲醛。（这就得筹备后事了。）有传言称其会限制人脑利用某些维生素、抗氧化剂和镁这种矿物质的能力。
糖精（苯甲酰亚胺）	自 20 世纪初就已出现，虽然一些研究发现食用这种物质存在心脏病风险，但这些研究的科学性相当有限。	这种物质似乎是最安全的甜味剂之一，也是唯一一种拥有真正的长期性数据佐证的甜味剂，尽管有些数据结果是负面的。（如果你每天饮用超过 80 份 360 毫升的低热量汽水，患膀胱癌的风险就会增大——这么小的机率，祝你好运唯！）
龙舌兰花蜜	一种极甜的天然物质。	可以试试看。虽然其热量成分很高，但你只需要摄入极少量的这种物质就可以获得和过去同等程度的甜味。你可以通过登录网站订购。
卡哈浚苷糖（甜菊糖）	一种不含热量的天然草药。口味并不理想，而且有些研究表明卡哈浚苷糖似乎有减少体内真菌数量的影响。	如果从口味和潜在的副作用角度考虑，那么可以对这种物质敬而远之。什么样的瘦身饮品都比不上人类应该具有正常的生育能力。

了解一下脂肪

脂肪怎样毁你的健康

瘦身误区

✢ 瘦人自然要比胖人健康。

✢ 脂肪就是脂肪，所有的脂肪对健康都同样有害。

✢ 人的理想血压只要低于140/90就可以了。

不论你是要拼命减小腰围，还是要努力让自己松弛的肚子变成坚挺密实的肌肉块，事实情况都是一样：我们很难忘记身体脂肪的存在。当你穿衣服的时候，当你洗澡的时候，当你做运动的时候，都会看到自己身上的肥肉。在你坐下、上楼梯、俯下身子舔去盘子里最后一点儿蛋糕屑的时候，都会感觉到脂肪的存在。假如你毕生都致力于控制体重的斗争，脂肪给你带来的压力往往有甚于金钱、感情关系或无麻醉情况下进行的结肠镜检查。

我们总是以为自己在正视和面对体内的脂肪。有关脂肪的概念长期盘踞在我们的头脑里。我们清楚地明了脂肪顽固地紧贴在我们的脖颈和手臂上，赘肉挂在我们的肚子和臀部上，在跳舞时会跟着身体旋转。不过，你清楚下面的事实吗？

我们实际生活中往往会忘记脂肪的存在。我们一餐中会吃下很多食物，紧接着又会享受同样丰盛的一餐——因为我们并不像照镜子时见到下巴肿了一圈那么明显意识到健康受到威胁。现在人体消化系统之旅已经结束，你已经了解了人体储存脂肪的过程，因此我们马上要探讨的是这些储存在体内的多余脂肪下一步会做什么——针对你的心脏，针对你的动脉血管，针对你的整个身体。

我们大多数人都以为人必须骨瘦如柴，身材如电缆那样才算健康。但事实上很多所谓瘦人的体质比所谓的胖人要差，健康状况并不佳。**YOU 提醒**！这种现象是正常的：事实上，做健康风险极少的胖人，要比做健康饱受威胁的瘦人好。请注意，这里并不是说让所有的人都去努力多吃油炸食品增肥。在其他因素处于同等水平的条件下，身体承载多余脂肪，会更容易患心脏病、中风和糖尿病。但是，我们的目的是让你不要只是惦记着自己的体重，我们希望你可以开始考虑一些真正值得关注的数字——特别是那些对你的丈夫、妻子、孩子、父母和朋友来说很重要的数字。秤或引来路人的口哨并不能反映你身体的真正情况。衡量身体健康的真正指标是腰围以及脂肪在人体血液和动脉血管中的活动情况。

脂肪与健康的关系

　　这就是我们很多人进行自我健康评估的方法:如果疼痛的严重程度尚不足以烦劳医护人员,我们会坚强地忍耐下去,继续进行正常活动,让大部分的一般性不适症状演变为疲倦、紧张、衰老或吃下一罐子香草味软糖。这种处理方式的问题出在哪里呢? 你的生活规律很可能更容易与电视节目安排保持同步,而不会顺应自身的健康需求做出适当调整。当然,如果你的体重超重,多余的脂肪肯定会带来明显的负面影响,比如没有精力或缺乏自信。但是,与脂肪过多有关的很多危险因素根本没有外在的症状表现——这意味着判断体重超重是否会危及到生命的唯一方法,就是把显微镜放在出现问题的部位,观察机体内最核心层面出现的状况。

"褐色脂肪组织"

　　当然,你肯定清楚脂肪会长在自己的臀部,但是脂肪也能在人体的血液里生活。如果抽取一管血液,静置后(我们建议你不要在家做这个实验),你会看到血液表面会浮上一层凝块状乳质,有点儿像提拉米苏蛋糕,这就是脂肪。脂肪怎么会到了血液里呢? (如果干脆直接回答是吃提拉米苏的原因,可以给半对。)脂肪通过人体肠道被血液吸收。但是,这里的"关键先生"是网膜。就这么个不太像器官的家伙,为什么能引起我们的关注呢? 因为网膜储存的脂肪,可以快速地直达肝脏(这意味着脂肪可以促使有害胆固醇和甘油三酸酯的含量上升),还会吸收掉体内现有的胰岛素(导致血糖升高)——说明这种由奶油转化成的脂肪在网膜内安营扎寨,将人体各器官直接置于缺少保护、极易受到危险性打击的位置。

打破误区

可以看出，脂肪就像是房地产，最重要的三大因素是：地点、地点，还是地点。人体有三类脂肪：血液中的脂肪（称为甘油三酸酯）、皮下脂肪（位置紧贴在皮肤表面以下），以及网膜脂肪。（当然，此外还有一类脂肪，那就是食物中的脂肪。）回顾上一章的内容，你可能还会记得，网膜是一种含有脂肪层的人体组织，位于腹腔内部，垂挂在胃肌以下。（因此，一些有啤酒肚的男士往往腹部肌肉很结实——因为脂肪其实位于肌肉以下。）

由于网膜脂肪与人体主要器官毗邻而居，器官中的营养物质成了网膜脂肪最佳的能量来源。（既然隔壁就有加油站，又何必舍近求远，跑到镇子另一头的加油站去呢？干脆就近吧！）我们可以把网膜脂肪想象成一个讨厌的 18 岁摩托车手，行驶在拥挤的高速公路上，它挤走胃，推开其他器官，霸占所有的地盘（见图 5.1）。

最值得注意的，也是最具鼓舞意义的是，一旦你对自己的网膜开始实施生理性的改造，你的身体就能很快体会到效果。也就是说，一旦你的身体感觉到网膜脂肪的减少，与血液有关的数值指标（胆固醇、血压、血糖）就会开始朝健康方向发展——甚至早在你还没有察觉出自己的体重有所减轻之前，在几天之内就会发生这样的变化。（特别是考虑到不可能通过 CT 扫描这样的检查来观察人体网膜的大小。）

此外，网膜释放出的脂肪会迅速而又源源不断地到达肝脏，这与大腿处的静止脂肪恰恰相反。脂肪经过肝脏处理后，随即被运往动脉，脂肪在此处与健康威胁因素如低密度脂蛋白（LDL 有害）产生联系。网膜脂肪带来的另一个健康问题是机体的脂联素分泌量会变得极少，而这种化学物质能减少机体的压力，消除炎症，与控制饥饿的激素瘦素有关。摄入的脂肪越少，机体分泌的脂联素就越多。脂联素会产生一种能够消除炎症的物质。但更为重要的是，脂联素浓度较高与脂肪含量下降有关。因此，体内的网膜脂肪越多，调节脂肪的脂联素的分泌量就越少。我们知道，那些体内脂联素含量较低的人往往存在腹部肥胖、高血压、高胆固醇以及与冠状动脉疾病有关的其他健康危险。

上述原因说明了与大腿赘肉相比，网膜脂肪对健康的影响更大（尽管大腿赘肉影响你穿比基尼的效果），也解释了网膜脂肪（或苹果状身形）对人体带来的危害，比

图 5.1 **腹内的压迫** 网膜贪婪地抢夺腹腔空间，欺压其附近的机体结构。横膈膜和肺部受到挤压，会造成呼吸困难。而遭到排挤的肾脏及其供血系统又会分泌激素促使血压升高，以此还击网膜的压迫。

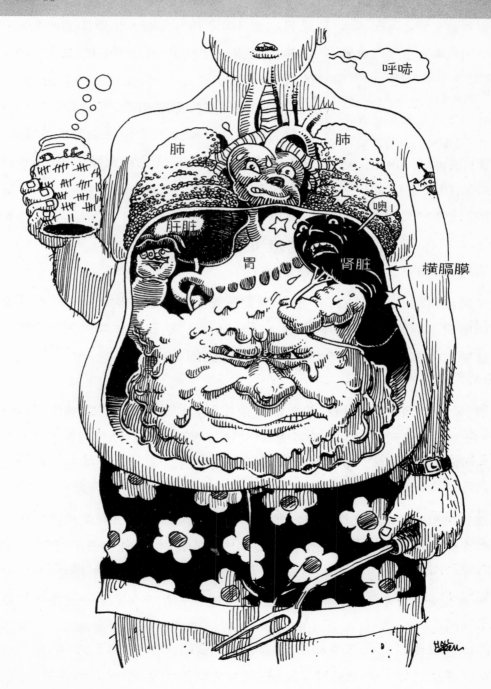

皮下脂肪(如大腿赘肉,给你带来梨状身形)更大的原因。皮下脂肪并不会给人体重要的内脏器官提供营养,不会影响供应给重要器官的血液中相关成分的含量。

　　你的腰部越接近理想尺寸,动脉血管和免疫系统就会越健康。动脉血管和免疫系统越健康,你的生活就会越健康——而且特别棒。每天,你的精力都会更加充沛。

通向健康的高速公路

　　在了解人体动脉内部情况之前,你需要首先了解动脉的构造——这样你就会清楚动脉能够或不能够承受何种破坏。人体动脉有三层,是人体中的单轨铁路——向全身各处输送血液,从而给各个器官提供营养(见图5.2)。

　　内层:动脉的最内层(内膜)与血液直接接触,其质地像特富龙树脂材料一样光滑,因此血流可以顺利通过。在正常情况下,这种表面光滑的动脉层有助于保护中间的肌肉层(中膜),它是最易受到外来物质攻击的一层。

　　中层:动脉的中间层支撑着动脉的整体结构,其工作原理有点儿像挤压软管的手或缠住人颈项的蟒蛇。当你心情抑郁或焦虑不安时,中层便会收缩,使血流的通道(内腔)变窄。不过,中层还有一个好处,它可以通过舒张(如同手松开软管)释放压力,让"特富龙层"向外扩张,给动脉管血流开放更多的空间,比如说在你运动的时候。此时,随血流通过动脉的红细胞、氧气及其他营养物质的含量增多。如果它能像你9岁时的那种状态,你会在它工作时觉得更加有活力。

图 5.2 **通行** 动脉有三层——内层促使血流顺畅地通过动脉（内膜），外层起保护作用（外膜），还有中间的肌肉层（中膜）。内膜受损，就会损伤像瓷砖般光滑的细胞层，进而伤及娇嫩的中膜肌肉层。

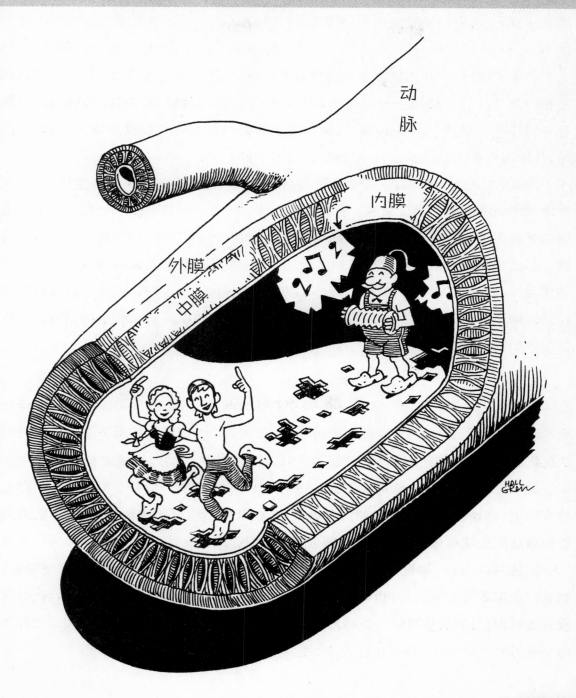

外层：动脉外层(外膜)将动脉保护起来,将其与身体其他部分隔开,就像香肠的肠衣一样,它能够维持动脉形态,使其与外界隔离。

在通常情况下,在内层上排列着娇嫩的细胞,血流可以自由通过。让我们把这种结构想象成一道瓷砖墙——这是由诸多瓷砖组成的光滑墙体,瓷砖彼此相接,之间存在着很小的缝隙。在瓷砖墙里,你抹好了有黏性的水泥浆以固定墙体;而在动脉中,你则有紧密的接合部位,将细胞牢牢连在一起。

那么,在人体动脉中,这堵墙会始终保持紧密贴合,除非出现某种变故,让这些光滑细胞之间的接合部位脱胶。最厉害的瓷砖破坏者——高血压——是破坏动脉墙壁的长柄大锤。不过,能够破坏动脉内壁的小尖铁镐也有不少:胆固醇、尼古丁、高血糖、压力、愤怒以及大约四十种其他危险性因素,主要源自个人选择的生活方式。其结果是什么呢?破坏动脉内壁,让墙体上出现小缺口,这些小缺口最终会导致机体结构的大破坏。据图 5.3 所示,破坏与修复动脉的比赛开始了。(详细请参阅《YOU:身体使用手册》第 2 章。)

脂肪的效应

许多年以来,你已经习惯于低头关注体重秤的指针,借此来决定自己的健康水平。哥们儿,看错针了! 你需要的针是:那根给你抽血化验的银针。根据简单的验血检查结果,你就能了解自己目前的身体健康状况,然后根据这些数据采取行动,将自己的健康配置重新设定为出厂状态。

血压:如今血压测量仪比比皆是——在药店,在健身馆,在购物城的书报亭里,甚至在沃尔玛和麦当劳里,也能看到血压测量仪。这很好,实际上,这些非常好。(量量自己的血压,看看你还吃不吃得炸薯条。)

图 5.2 **动脉里的"交通堵塞"** 有害的胆固醇(低密度脂蛋白,LDL)会刺激血液中的白细胞发动攻击,战斗双方会深陷于动脉血管壁内。最终产生的有毒区域会造成动脉壁上出现不平的破裂口,血小板和凝血块会自动补上缺口,这样下去最终会彻底封住动脉管道,造成血流的交通堵塞——心脏病的发作。

图 5.3 动脉里的"交通堵塞" 承前页。

超级高密度脂蛋白：胆固醇药物的未来

在位于意大利北部的加尔达湖畔有一个村庄，那里的村民体内高密度脂蛋白含量都很低。依照一般的科学常识认为，由于体内携带胆固醇的保护性蛋白质浓度不高，这些村民都将会死于冠状动脉疾病。但是，事实情况却不然。原来，这些村民体内含有高浓度的类似滴诺的高密度脂蛋白（称为 apo—1a—Milano），可以清除动脉中的黏性油污，促使血流更顺畅。这项个案调查引领了胆固醇药物的一波新浪潮：未来的药物将旨在提高高密度脂蛋白、清除有害低密度脂蛋白的机能，而不是原先通过降低低密度脂蛋白含量来达到控制胆固醇的目的。

这是因为你需要经常关注自己的血压——人体最重要的关键信号——还要把血压变化情况时刻放在心上。高血压仍然是心脏病、中风、心脏衰竭、肾脏衰竭和阳萎的主要病因。人体血液的其他数字化指标表明血液内的物质含量，而血压则是血液在体内流动状况的标尺。简而言之，血压描述了血液在流动过程中对动脉血管壁施加的压力大小。我们通过测量心脏收缩压（心脏收缩时血流对血管壁产生的压力，最高值）和舒张压（心脏舒张时血流对血管壁产生的压力，最低值）来衡量人体血压。

如果血流产生的压力过大，压力会在动脉的光滑内壁上凿出小小的坑洞（见图5.4），让瓷砖墙上出现破裂口，从而引发一系列水泥浆脱落的连锁反应，进而导致严重的炎症和血管堵塞（我们在下文中对此做了详细介绍）。我们也可以将这一过程想象成敲打小手鼓。如果用手指敲击小手鼓，鼓面始终会保持完好无损的状态。但是，如果手持两根棒球球棒猛烈击打，小手鼓的鼓面就像是处于喷雾杀虫剂火力攻击之下的蟑螂。你的保健目标是：用稳定舒缓的节奏对待自己的动脉血管壁——让体内的血流轻轻地嘭、嘭、嘭，而不要重重地梆、梆、梆。（血压在一天内多有波动，你的目标是让自己血压的整体水平得到控制。）

当然，有很多因素会造成你的血压飙升（压力、体内的矿物质钠含量过高、由于食用水果和蔬菜不足而缺乏矿物质钙或钾、缺乏体育锻炼），但是体重问题会直接导致高血压。这一点也是显而易见的。出现这种情况，部分原因是由于肾脏受到脂肪的挤压会装死，除非受到更高血压的刺激。（人体的肾脏主要负责调节血压的工作。）

图 5.4 **血压概况** 对于高血压患者而言,血流对动脉血管产生极大的压力,心脏必须拼尽全力,才能维持血液继续流动。由于补偿效应,心脏会变得极厚,就像是一门心思培养肌肉的举重运动员。充满肌肉的心脏会变得十分僵硬,失去弹性,无法放松。如果心脏不能放松,血液就无法顺畅地通过动脉,最终会引发高血压,损伤动脉。

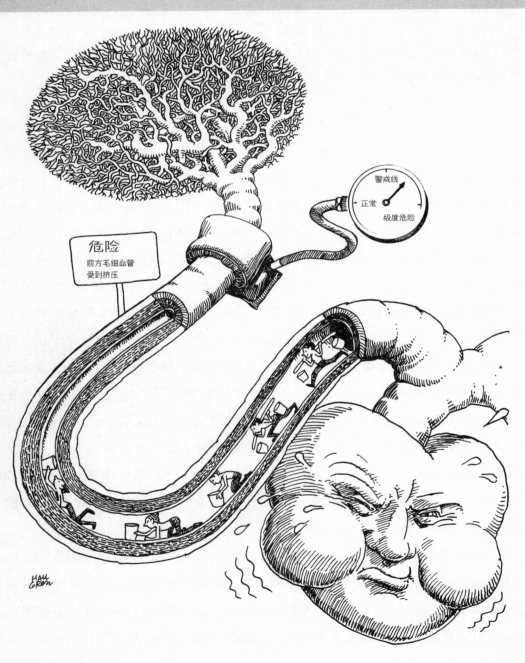

值得庆幸的是，你可以通过集中精力解决自己的腰围问题，快速而且大幅度地降低血压。减去自 18 岁以来所增加体重的 10%（假如你重了 20 公斤，那么只要减去 2 公斤就可以了），会让收缩压下降 7 毫米汞柱，舒张压下降 4 毫米汞柱。事实摆在眼前：腰围缩小，血压就会下降。

胆固醇： 听到胆固醇这个词，你会想到鸡蛋、心脏病和医生的叮嘱。但是，胆固醇是人体动脉修理工具箱内的主材料。胆固醇存在的初衷是促进人体健康，尽管在实际情况中往往并不如此。

我们在此要回顾一下前文提过的动脉血管壁上的小破裂口。不论造成动脉血管受损的原因是血压、尼古丁，还是食用了太多的奶酪卷，你的身体都会变得像一头激怒的公牛——因为人体不想让动脉中膜与血液接触。于是，你的身体雇了一个勤杂工用水泥浆补上缺口，覆盖住内膜伤口。

修补人体用到的"水泥浆"是什么？胆固醇，但并不是任何胆固醇都可以用的。

你的身体勤杂工——我们姑且称其为莱斯特——搬来两样东西：一桶水泥浆和一把抹刀。水泥浆可能是有害胆固醇，由低密度脂蛋白（LDL）携带。这类胆固醇庞大又膨胀，往往极易

碎裂，当与动脉壁碰撞时会散成胆固醇碎片。如果人体的低密度脂蛋白水平一开始就很高（也许是由于个人的饮食结构或遗传因素），那么某根动脉血管内膜上就容易

出现许多小破裂口,莱斯特会火冒三丈,拍上越来越多的水泥浆。他会开始用有害胆固醇修补动脉损伤——是大量的极其有害的胆固醇。

不过,咱们往莱斯特的工具腰带上看,他还有另一把抹刀,配合使用的水泥浆型号是高密度脂蛋白(即有益健康的高密度脂蛋白)携带的优质胆固醇。这把抹刀短小精悍,与这种优质光滑的胆固醇协同工作,促进血流带走多余的油脂。

假如体内的低密度脂蛋白泥浆含量过多(这是常见现象,但主要原因是吃错了食物——尤其是单糖类和脂类吃得太多)并且优质形式的高密度脂蛋白泥浆不足(由于有益食品和脂类的摄入量不足、体育运动不够、或雌性激素分泌不足——没错,男性也会分泌雌性激素),会导致一系列的连锁反应,最终可能发生心脏停跳的严重后果。我们把这种现象称为脂肪的多米诺效应。

第一块多米诺骨牌:摄入过多有害胆固醇,不仅仅意味着你的动脉中会积累过多的垃圾(脂肪斑块),还意味着低密度脂蛋白胆固醇会进入动脉中层。在中层里,胆固醇会像坐在紧靠赛场边位置上醉酒的球迷,让赛场气氛变得危险复杂。低密度脂蛋白胆固醇在动脉中层的出现,会刺激免疫系统召集白细胞护卫,试图消除平复这类有害胆固醇产生的恶劣影响。

第二块多米诺骨牌:这些白细胞进而会分泌出在通常情况下用来攻击感染问题的有毒物质——这就造成了广泛的炎症。

第三块多米诺骨牌:有毒物质和胆固醇被腐食细胞吸收,在动脉壁上占据了水泡大小的空间。这样的细胞被称为泡沫细胞——它们增大了斑块的体积或水泥浆的面积,人体勤杂工给动脉壁不平处抹上了更多劣质的水泥浆,让动脉壁表面更加坑洼不平。

第四块多米诺骨牌:你的身体感觉到有问题,就以出现更多的炎症作为回应,导致动脉壁出现坑洼。最初的小缺口通常出现在血管壁的脆弱部位,随即会出现疤痕,最终形成危险的斑块。如果斑块破裂,进入血管,就会碰倒下一块骨牌。

第五块多米诺骨牌:这些粗糙不平的血管壁补丁随即会吸引具有黏性的血小板在动脉中形成血液凝块。在正常情况下,血小板对人体有益(可以加快伤口结疤进程,促进伤口愈合),然而血小板一旦接触到动脉壁上的不平补丁,就会牢牢吸附在内膜上,在受到刺激的发炎血斑之上形成大凝块。这吸引了更多的蛋白质凝块汇聚到这一区域,以填补血小板的位置。

第六块多米诺骨牌:所有这些黏稠物质汇集的速度越来越快,动脉内部发炎现象益发严重,血小板和血凝块最终会充满整个动脉血管。**YOU 提醒!** 血小板断裂的过程持续时间以分钟计,而不会长达数十年,因此你必须要从现在起,通过选择正确的食物来改变出现血栓的可能性。

第七块多米诺骨牌:血液无法通过动脉,通往人脑的营养运输管道被切断。

游戏结束:这一系列连锁反应会引发心脏病(或者根据血小板断裂过程发生的位置不同,血流受阻问题有可能导致中风、失忆、阳萎、皮肤皱纹或诸多健康问题)。

由此看来,胆固醇本身并非十分可怕;体内有益胆固醇不足,和/或有害胆固醇含量过高,才是阻碍血液正常流动的危险性因素。而且,胆固醇并不能让你的血压和血糖恢复正常水平以减少动脉壁出现缺口的机率。

虽然遗传因素在一定程度上决定着人体的胆固醇水平,但是你的体育运动水平和食用的有害食物——反式脂肪和饱和脂肪、单糖类以及过多热量——才真正地决定了人体的莱斯特是否搬来了正确剂量和正确种类的水泥浆,或者说他挪动抹刀是否够快,能不能砌出漂亮平整的墙壁。

血糖:噢,我们都知道是怎么回事。你没有糖尿病,所以根本不打算考虑自己的血糖问题,不屑一顾的态度就像飞机空姐不会对经济舱的乘客大献殷勤一样。然而,这样的做法也许是个错误。如果血糖含量过高,也会让动脉壁出现破裂口。也许你自以为血糖指标正常,其实大多数血糖指标的测量都是在你停止进食一段时间之后进行的。应该在禁食期间(每 1/10 公升在 100 毫克以下,缩写为 100mg/dl)和就餐之后的血糖指标都要达到正常水平,这是十分重要的。为什么呢?因为很有可能出现这样的情况：即使你的血糖指标正常，当你进食时，血糖可能会出现大幅度升高。研究表明，腰围在 102 厘米或以上的男性与腰围小于 89 厘米的男性相比，前者患糖尿病的风险是后者的 12 倍。对于女性而言，腰围为 94 厘米的人患糖尿病的风险远远高于腰围为 83 厘米的人。（要诊断自己是否患有糖尿病，最灵敏的方法是测量禁食时的血糖水平，摄入 75 克糖，2 小时之后再次测量——看看自己的身体处理糖的能力如何。）

很多人认为，糖尿病纯粹是一种遗传性疾病。当然，把自己的健康问题归咎于上一辈的亲人是挺简单的，不过实际情况并非如此。对于 II 型糖尿病（I 型是青年型）患者而言，生活环境（即生活方式、行为，还有你所吃的蛋白杏仁饼干）都是比遗传基因重要得多的主导特性。

不错，II 型糖尿病的确是一种遗传性疾病。也就是说，如果你是同卵双胞胎之一，你的另一个兄弟姐妹患有 II 型糖尿病，你就携带了 II 型糖尿病的遗传基因。II 型糖尿病还是一种十分严重的疾病：糖尿病会让人每活一年，都要衰老了一年半。比方说，假如你在 30 岁时患上了糖尿病，在活到 60 岁的时候，你的身体并没有真正的 60 岁的样子，你的精力水平和身体出现障碍的风险等同于 75 岁的同年龄水平。

下面我们介绍这种病的具体特点（见图 5.5）：在正常情况下，人体血液中的胰岛素会吸收血糖，将其送入人体细胞中，但是对于 II 型糖尿病患者而言，血糖进入肌肉和脂肪细胞的转移过程则受到限制。咖啡里放糖可能更有风味，但是血液中的糖会使动脉内膜细胞的接合部位松动脱胶，让动脉壁出现小破裂口。血糖最终会导致这些接合部位出现小洞。血糖会导致胰岛素分泌紊乱，人体制造蛋白质的效率下降，其所作所为真的很像营养物质中的可卡因。

网膜脂肪（腹部脂肪）可以引发 II 型糖尿病。腹部脂肪会增加葡萄糖进入细胞的难度，胰岛素也较难胜任自己的本职工作——运送葡萄糖。体重问题，特别是女性腰围超过 94 厘米，男性腰围超过 102 厘米，会降低身体对胰岛素的敏感度。人体细胞上的胰岛素受体阻止胰岛素发送将葡萄糖送入细胞内的消息，造成葡萄糖漂浮在血液各处。网膜脂肪还很自私：它用光了人体内的胰岛素，让胰岛素无法完成正常工

图 5.5 **人体运输线** 人体对胰岛素正常效应的排斥,会造成细胞对摄入葡萄糖(糖类)表现出抗拒。这就迫使多余的葡萄糖滞留在血管中。这些葡萄糖像岩石碎渣一样,会损坏像特富龙材料般光滑的体内路面——动脉血管壁。胆固醇卡车在崎岖不平的血管道路上颠簸,会抛撒垃圾,使人体的血流高速公路受损。

作。（一项研究表明，网膜脂肪消耗掉的胰岛素，占到血液供应总量的四分之一。）

　　所以，你的血糖会一直处于高水平。这是因为血糖并没有送入人体细胞中，因此也未被正常分解，说明糖会在血液中四处游荡，就像逃学的孩子到处捣乱。

　　即便是这样，那又如何呢？血糖过高就像小池塘储存了过多雨水一样，池水漫溢会破坏周围的一切。血糖过高会：

※ 削弱排列在动脉内壁上光滑内皮细胞之间的接合强度，让类似特富龙材质的动脉内膜更容易出现小缺口。

※ 动脉血管受到击打的力度增强，导致高血压。（血糖可以将敲击血管的检验锤变成夯破路基的长柄大锤。）

※ 让人体的白细胞不再对抗感染，削弱了免疫机能。

※ 引发了红细胞内部的化学反应。红细胞负责在血液中运送氧气，这些细胞会紧紧抓牢氧气分子不放手。这就阻止了氧气进入人体组织。在这种情况下，葡萄糖会像迷路的小狗一样，不管看到什么东西，都会立即紧紧贴上——很有可能是血液和人体组织中的蛋白质。这些蛋白质在人体组织中沉淀下来，会引发白内障、关节障碍和肺部问题。

※ 影响神经系统，引发的变化会让你的神经细胞出现水肿，受到压迫，丧失正常的工作机能——通常都是距离人脑最远的身体部分受到影响：四肢。

※ 断开人体毛细血管的开关。在正常情况下，人体会自动调节营养物质送入毛细血管的过程。毛细血管的作用有点儿像后备部队（就像停电时使用的发电机），因此当大型血管出现问题时，这些小型血管仍然可以正常发挥作用。但是高浓度的血糖关闭了人体的自动调节机制——高血压使小型

血管细胞间的接合部位产生更多的裂纹缺口。这就像请采石工人用大锤雕琢宝石一样，结果是雪上加霜，动脉血管壁上的破裂口会被扩大。

不过，问题的关键是：只要你愿意，你完全可以控制自己的基因。为了降低血糖水平，你应该避免食用含有简单糖类和有害的促衰老脂肪（反式脂肪和饱和脂肪）的食品。每周进行能够消耗掉 1000 大卡左右热量的运动——每天步行约 30 分钟，每周有 3 天做上 20 分钟的 **YOU 健身**——增强人体肌肉对胰岛素的敏感度，让糖类顺利完成其在人体细胞内的使命，而不是在血液中制造混乱。只要坚持进行少量体育运动，效果就会很明显。

动脉炎症：在考虑造成动脉受损的原因时，我们往往会想到那块凝血。这么大块的垃圾中断了血液的流动，就像吸管里塞进了一粒柠檬籽。如果在路上出现了路障，那么车辆就不可能通过。但是，这只是关断血流的机制之一。另一种机制的发生，则是通过炎症这一变化过程。典型的身体炎症会让我们联想到身体局部的向外拱起——比如扭伤的脚踝或肿起的牙龈，或凌晨两点酒吧打斗留下的黑眼圈。但是当涉及动脉炎症的时候，你必须考虑内部的肿胀。我们在前文提过，低密度脂蛋白胆固醇会有各种各样的凝血活动，人体则会做出相应反应，即动脉中层出现炎症。当动脉中层浮肿时，会向下推挤动脉内层，因为外层的肠衣层不为所动。这种推挤缩小了内膜的直径以让血流可以顺利通过（就像用较细的吸管喝饮料一样）。

我们判断潜在的心血管疾病风险的方式之一，是测量血液中体现炎症状况的化学物质含量。C 反应蛋白（CRP）就是其中之一。CRP 含量上升，说明身体某处出现炎症反应,可能是鼻窦感染,也有可能是牙龈发炎,等等。如果 CRP 含量高,患心脏病的风险就比较大,因为身体内部的任何明显炎症都会加重血管中的炎症。

与脂肪有关的可能性:其他主要风险

我们并不打算用有关健康风险的统计数据来教训你。但是,从脂肪的角度看,我们需要注意的是,这是一个涉及全身健康的危险性因素——身体各处出现的脂肪都有特定的含义。在这种状态下,即使你的健康指标的各个数字就像"冰上皇后"关颖珊的三周点地套跳那样无懈可击,也并不是毫无危险的。体重超重或肥胖会造成下列后果:

癌症风险增大:网膜脂肪引发的炎症,还会导致人体防癌体系的官能障碍。事实上,腰围尺寸与出现激素敏感性肿瘤的风险增大之间有直接联系。这类肿瘤往往会增大女性患乳腺癌和男性患前列腺癌的风险。脂肪含有一种酶,即芳香酶,它能够将肾上腺激素转化为一种长期活跃的雌性激素,这会增大患乳腺癌的风险。

睡眠呼吸暂停综合征的风险增大:腰部的脂肪与粗脖子之间是相互联系的,会阻碍人的呼吸(如果领围尺寸超过 43 厘米,危险就比较大了)。在呼吸受阻的良性形式——打鼾——中,你仍然可以将空气通过咽喉送入体内,但是会产生一种啸声。这违反了"职业安全与卫生条例"的要求,可能会导致周围的人永久性的听力丧失和婚姻矛盾。在有些情况下,这种呼吸受阻会恶化,最终演变到肺部无法吸入空气。这种情况会持续 10 秒之久(见图 5.6)。幸运的是,身体出于本能,会在窒息之前醒来。随着年龄的增长,咽喉处的组织会软化,扁桃体周围的区域会聚集脂肪。当你入睡后,肌肉会完全放松,咽喉组织就会松垮下来,让咽喉后部的空隙变得更小。

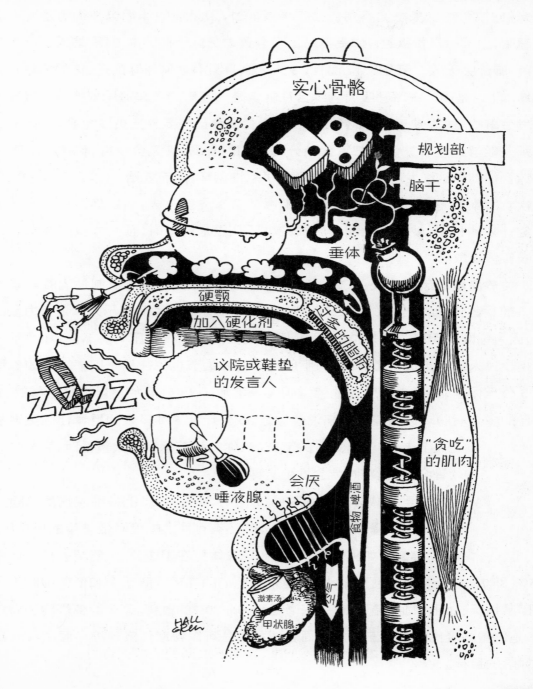

睡眠呼吸暂停综合征让你失去了恢复性的深度睡眠。这会导致在深夜时频繁地醒来(你很可能从来感觉不到自己在半夜醒过,但是你的伴侣也许很清楚),因而缺乏睡眠,白天时昏昏欲睡。你更容易出现导致动脉壁受损的高血压(诱因是当呼吸停止时,肺部会吸收二氧化碳)。而且,令人无奈且具有讽刺意味的是,你的体重还会由此增加。这是因为睡眠呼吸暂停综合征就像是一连串的汽车追尾相撞——接连不断地发生事故。睡眠缺乏让你感到疲倦,你会觉得自己需要补充更多能量。于是你会去吃那些能够迅速补充能量却富含糖分和脂肪的食品,你又会变胖,你的睡眠呼吸暂停综合征则会继续发展下去。这样形成了恶性循环,周而复始。(能激励大家采用健康饮食方案的是,大部分人的脸部和咽喉处会首先瘦下去,所以你很可能早在执行保健计划的初期,就已经能够在腰围减小了几厘米的同时,预防或减少 30% 的睡眠呼吸暂停现象。)

关节问题的风险增大:人体关节虽然十分坚强,但就像是压制住满腹牢骚的父母,它们承受着难以想象的压力,直到最终累垮。你的膝关节属于人体最有力量的关节,因为你既要用膝关节来推开压力,同时还要用它来吸收压力。然而,如果承载的负担超过人体额定负荷量(即体内脂肪较多),膝关节也往往易于磨损。假如你增加了 5 公斤体重,在行走时膝盖的感觉则像是增加了 15 公斤的重量。在上楼时,这 5 公斤的多余脂肪对你的膝关节来说就像是 35 公斤。这种多余的重量让你更容易出现关节老化问题,如骨关节炎。当你的关节承载过大重量时,关节的光滑软骨会出现裂隙,就会发生这种疾病。

一旦你减去了网膜脂肪,缩小了腰围,你患上各种疾病的风险就会自然而然地降低。更棒的是,你还有可能大幅度降低健康的风险因素。

YOU 提醒! 如果体重超重者(一般体重在 102 公斤)能减去自身体重的 7.5%(即 7.7 公斤左右或腰围缩小 10 厘米),他们的高密度脂蛋白和低密度脂蛋白类胆固醇指标、血压和血糖都会有——请注意——20% 的改善。这个数值表明的有益效果,是体重减轻比率的近三倍。下面介绍的方法可以帮助你实现缩小腰围和降低健康风险的目标。

YOU 建议!

　　了解自己吃的脂肪 食物中所含的脂肪,就像老板一样,可以分为两大类:一类对你的健康成长有益,另一类则天生就是以整人为乐的。你对自身的胆固醇指标所能施加的最大影响,是密切注意自己食用了何种类型的脂肪,同时将何种类型的脂肪赶出生活和肠道之外。最重要的是,你应该避免食用饱和脂肪和反式脂肪——对这两种健康的隐形杀手一次的摄入量总共不应超过4克。含有这些脂肪的食品往往与长期性的体重增加和动脉栓塞有关。从本质上讲,有害脂肪在室温下呈固态:动物的肥肉、黄油、长条状人造黄油、猪油。反式脂肪含有交叉链接的氢键,因此在室温下可以长时间保持稳定形态。食用反式脂肪会导致体内胆固醇含量异常(有益胆固醇含量下降,有害胆固醇含量上升),还会使炎症增多,动脉细胞受损,增大了凝血的可能。(顺便提一句,反式脂肪最初是作为蜡烛使用的,但是由于电的出现,蜡烛市场随即消亡。)反式脂肪的价值在于保存期相当长。假如健康脂肪做成的食品保质期可以长达一年,那么食品生产者肯定会愿意选择健康脂肪。与有害脂肪相比,有益脂肪在室温下呈液态,不过在低温下会变浓稠,比如橄榄油就是这样。有益脂肪可以促进人体高密度脂蛋白含量升高,清除体内的有害油脂。远比脂肪中的热量重要的,是脂肪酸对人体细胞正常工作所起的作用,及其对动脉机能和机体炎症产生的影响。

超级(驻颜)脂肪: 促进抹刀发挥作用	愚蠢(衰老)脂肪: 引发血栓,让抹刀无用武之地
单一不饱和脂肪 分为两种类型:Ω3脂肪酸和Ω6脂肪酸,常见于鱼肉(含Ω3脂肪酸)和坚果油(含Ω6脂肪酸)中。目前已经证实,Ω3脂肪酸可以改善动脉和大脑机能。Ω3脂肪酸常见于橄榄油、芥菜籽油、鱼油、亚麻籽、鳄梨和坚果(特别是核桃)。用这类脂肪代替碳水化合物的摄入,可以降低血压和血脂水平。 　　**下限:**人体摄入的脂肪中,单一不饱和类脂肪要占到约30%到40%。	**反式脂肪** 氢化植物油中含有这种脂肪。这种脂肪对人体健康危害最大,会阻碍为瘦身所做的努力。各种食品中都含有反式脂肪酸——特别是那些保质期长的食品——从黄油爆米花和小甜饼,到油炸脆片和人造黄油。 　　**下限:**坚决不吃。避免食用这类脂肪,就像你在感恩节时避免开上高速公路一样——交通大堵塞。

超级(驻颜)脂肪： 促进抹刀发挥作用	愚蠢(衰老)脂肪： 引发血栓,让抹刀无用武之地
多不饱和脂肪 这类脂肪与单一不饱和脂肪类似,只不过前者含有一个以上的不饱和键。这类脂肪常见于植物油如芝麻油中。这类脂肪可能具有改善动脉和大脑机能的功效,有助于让人体拥有更持久的饱足感。 下限:人体摄入的脂肪中,多不饱和脂肪要占到 20% 至 40%。	饱和脂肪 常见于肉类和乳制品中,这类脂肪会增加体重,堵塞动脉。 下限：将摄入饱和脂肪的食物来源限制为精瘦牛肉和低脂乳制品。一次摄入饱和脂肪不应超过 4 克。在人体每天的营养配给中,饱和脂肪和/或反式脂肪的总摄入量要控制在 20 克或 30% 以下。

请注意:家用的最佳食用油是初榨橄榄原油或有机(或冷榨)芥菜籽油。在烹调时,你也可以选用芝麻油或花生油。这是因为这些油类的起烟点——即脂肪燃烧时的温度——很高。烹调温度一旦高于起烟点,就会做出一份焦糊漆黑的"美餐"。在加热情况下,油会散发出恶臭,同时产生有毒的化学物质,因此这样烹制出的健康食品在食用时会失去以往大部分的保健功效。所以,我们最好煮食食物,而不要用油。不要直接在锅中加热油,应先将食物在冷油中滚过,然后再加热食物,这样油就不会加热过度。

以下是一些常用健康油的起烟点:

非精炼芥菜籽油:225 度

非精炼葵花籽油:225 度

特级初榨橄榄油:320 度

初榨橄榄油:420 度

芝麻油:410 度

葡萄籽油:420 度

精炼花生油:450 度

半精炼芝麻油:450 度

彻底清理 越来越多的证据表明,"零血栓"生活与提高体内高密度脂蛋白含量有关,高密度脂蛋白可以有效遏制引发血流栓塞的进程。通过提高体内高密度脂蛋白含量,健康胆固醇含量就会随之升高,能够更有效地清除体内的有害胆固醇。目前已经证实,能够有效提高高密度脂蛋白水平的方法如下:

——摄入橄榄油、鳄梨和核桃中所含的健康脂肪。

——每天步行或进行其他形式的体育锻炼至少30分钟——不要给不锻炼找理由。

——补充烟酸的摄入。每天分4次补充100毫克。烟酸的常规药物(及OTC处方类药物)比烟酸处方药价格便宜得多,而且服用量稍稍超过指定标准,似乎还可以收到更好的效果。有时候我们需要服用较高剂量的烟酸,因为医生可能需要检查你的肝脏机能,以确保你的身体不存在异常中毒的问题。为了减少潮热(身体感觉很热,有头晕现象)的出现,在入睡时提前半个小时服用一片阿司匹林,再补充烟酸。不要擅自加大摄入量,事先要征求医生的建议。如果你有肝病病史,不管服用多大剂量的烟酸,都要事先咨询医生。

——服用维生素 B_5(泛酸)。我们建议的日摄入量为300毫克,可以降低低密度脂蛋白含量,提高高密度脂蛋白水平,目前尚未发现有任何副作用。

——每天晚上喝一杯酒。光饮酒不能使体内高密度脂蛋白升高,可如果坚持不懈,并控制在一杯以内,你会看见一些好的效果。

——用蛋白质或单一不饱和脂肪替代碳水化合物。最近的研究表明,此举能够降低血压,调理血脂水平。

欢迎下面这种药 如果这世上真有抗击脂肪的灵药,医药产业肯定会让从体重秤制造厂商到写节食指导书作家的所有人破产。没有药可以既瘦身又保健。(至少目前还没有。详情请见本书附录中的药物解决方案。)但是,这并不意味着你不能依靠药物来改善健康水平,减低威胁心血管健康的危险。我们的建议——最接近于灵丹妙药的方法——是每天补充2片幼儿型阿司匹林(总量为162毫克)。你需要服用2片而不是1片,因为很多人对较低的剂量有排斥反应。(研究表明,服用剂量由81毫克增加至162毫克,胃部出现健康问题的风险似乎不会增大,出现心脏病或缺血性中风会由原先的下降13%变为下降约36%。)阿司匹林降低了血小板的黏性,减少了阻塞血流空间的炎症出现。目前已经证实,阿司匹林可以减少动脉血管及免疫系统的老化,这意味着各种健康问题的风险下降,包括心脏病、中风、阳萎、结肠癌、直肠癌、食道癌,也许甚至还有乳腺癌和前列腺癌。为了减少胃部因服用阿司匹林出现的副作用,服药前后饮用半杯温水。(如果有严重内出血的病史,正在服用血液稀释剂,或过度运动,都需要事先咨询医生才能服药。)

定期读数。阅读不只是书友会成员或占星术士才会进行的活动。对身体进行定期检查并细读检查报告数据,是为了始终了解自己身体的各项健康指标。衡量你保健成功与否的标准,不是靠体重秤称出来的,成功的真正指标——和检验——是你的心血管健康风险是否已经下降。可以通过下列检查测量做出判断:

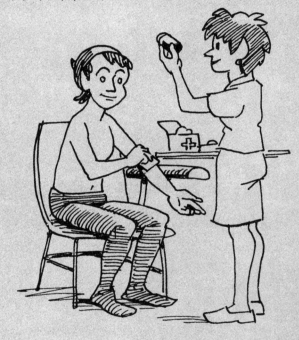

血压:最佳水平是 115/76。血压读数是可变的,因此你需要每天定时在早上、中午和晚上分别测量一次血压(运动后 30 分钟之内不要量血压,这时的血压值一定是比较高的)。取三次测量结果的平均值,得出自己的血压基数。然后,每月测量一次血压,以监督自己的健康变化情况。(如果血压较高,可以每天测量,及时观察血压的变化。)

血脂水平检查:马上就做一下,确定自己的基准指标,然后每隔一年验血一次。这样你和医生可以密切关注血脂的变化,对你的饮食或服药计划做出适当调整。

高密度脂蛋白(有益健康的)胆固醇:如果高密度脂蛋白指标高于 40mg/dl,你的健康威胁较小。这就像篮球运动员一样,越高越好。事实上,如果你的高密度脂蛋白指标高于 100mg/dl,因血流不畅而引发心脏病或中风的机率,比好莱坞明星走过闹市而未被人注意的概率还要小。(自有记录以来,除一些极其罕见的体内高密度脂蛋白故障以外,一个功能性高密度脂蛋白指标超过 100 的人,其医药病史从不会有因血流不畅而引起的心脏病或中风的记录。)

低密度脂蛋白(有害)胆固醇:如果低密度脂蛋白指标低于 100mg/dl,你的健康威胁较小。此外,研究表明,对于全体女性以及 65 岁以上的男性而言,低密度脂蛋白指标的重要性不及高密度脂蛋白。所以,女性及 65 岁以上的男性不必过分关注自己的低密度脂蛋白指标,除非高密度脂蛋白水平过低。

禁食时的血糖:100mg/dl 以下。

C 反应蛋白:1mg/dl 以下。

做做挺举锻炼肌肉 肌肉不只是橄榄球员、保镖和健美运动员的特有资本。我们所有人都可以通过给自身塑造一些肌肉来获得益处。事实上,身体增添一些肌肉,有助于降低血糖水平。肌肉越多,对胰岛素的接受能力也越强——也就是说,促进了胰岛素将葡萄糖输送到人体细胞内这一过程。如果你增加了肌肉,还减轻了体重,人体细胞膜的化学环境就发生了变化,这样身体各处就会吸收更多的葡萄糖,而不会让葡萄糖滞留在血液中。可以通过进行力量性运动的方法来增加肌肉(详见 YOU 健身部分)。

不吃精制糖 导致血糖飙升的一个因素是,呃,糖。也就是直接形式的,纯粹的糖——没有与其他物质,如脂肪或蛋白质配合食用。虽然我们建议尽量少吃单糖类,但如果食用,应该确保自己不吃糖块或甜面包圈。先吃一把坚果或一些橄榄油就面包,这样能减缓胃的清空速度,防止血糖水平产生焰火喷射般的效果。

补铬 铬这种矿物质常见于多种食物(尤其是蘑菇),似乎有控制血糖的功效。每天服用 200 微克的甲基吡啶铬补品能够促进胰岛素的吸收,帮助人体细胞更好地利用血糖作为能量。尽管相关研究尚未获得明确结果,我们仍然建议补铬,以达到控制腰围和血糖的目的。铬可以增强人体细胞对胰岛素的敏感度,而精制糖、白面粉和缺乏运动,都可能会耗尽体内铬的储备。一项研究表明,补铬者 10 周内体重减轻了近 2 公斤,而参照组未补铬,体重毫无变化。补铬应与补镁同时进行。镁可以减少与胰岛素排斥的有关轻度炎症的发生。目前已经证实,补充剂量为 600 微克的铬,对 II 型糖尿病患者十分有效,然而对于其他人而言,推荐的进补剂量还是 200 微克。补铬并不是越多越好,少量补铬就可以收到很好的效果。补铬过量会伤害人体的肾脏。

变得敏感些 下面是一项有趣的发现:肉桂似乎具有类似胰岛素的功效,能够增强大脑饱足中枢的工作能力,同时降低血糖和胆固醇的水平。每天只要补充半茶匙肉桂就能收到效果。可以把肉桂撒在麦片里或面包片上,或者加到果昔里。

进入冥想的天地 研究统计表明,冥想能够明显减少导致冠心病的危险因素,如高血压,改善人体对胰岛素耐力。寻一处安静的房间,花几分钟的时间,闭上双眼,集中精力想着一个健康的词或词组,如"Ω"(或"$\Omega 3$ 脂肪酸")。

你好啊，美女，可以把你的电话号码给我吗？想和你交个朋友啊。

在大多数情况下，"见血"就像看到自行车翻倒或长长的手指倒刺一样，不是什么好事。但是在我们看来，你需要深入观察自己的血液，以评估自身多余体重对健康产生的影响。通过观察血液，你可以获得所有的相关指标，这些数据可以表明与携带多余脂肪有关的健康风险。如果你不了解这些数据，可以就自己最近的验血报告咨询医生或向你的主治医生要求做一次验血检查。

血压：_____
（测量的是血流在通过动脉时对血管壁产生的压力。理想值是 115/76）

高密度脂蛋白胆固醇：_____
（测量的是血液中清除凝血的有益胆固醇的含量。超过 40mg/dl 属于正常水平。如果你高于 60mg/dl，就是太幸运了。）

低密度脂蛋白胆固醇：_____
（测量的是血液中制造凝血的有害胆固醇的含量。如果你有患心脏病的危险因子，理想值是 100mg/dl 以下，而如果你十分健康，而且没有心脏病的家族史，那么理想值是 130mg/dl 以下。）

C 反应蛋白：_____
（测量的是血管内部的发炎程度，多种疾病的衡量指标。大多数医学实验室认定的理想值为 1mg/dl 以下。）

6

代谢发动机

你身体内部的脂肪燃烧机

瘦身误区

- ✣ 你之所以肥胖，都是个人习惯惹的祸。
- ✣ 你的身体通过运动来燃烧掉大部分的热量。
- ✣ 你无法调节自己的"慢代谢"。

坏基因并不是你上高中时穿的破牛仔裤（bad genes"坏基因"与 bad jeans"破牛仔裤"谐音）。坏基因会让你更倾向于出现心脏病、秃顶、精神问题和体重增加。尽管饮食和体育运动在消除脂肪和维持健康体重方面扮演着主要角色，然而基因却是配角团体的重要组成部分。你的食量像条小毛鱼，却长得比白鲸还肥大，这种情况是有可能出现的。简而言之，有些人可能对健康饮食会产生糟糕的遗传性反应（即体重增加），而另外一些人（可恶啊！）则可能对有害食品会产生有益健康的遗传性反应。

打破误区

我们怎么知道自己有没有肥胖的遗传性倾向呢？举例来说，分开养育的双胞胎的相关研究可以很好地解释这个问题。基因相同的两个人以不同的生活方式养育，饮食结构不同却同样存在体重增加的倾向，有大约30%的可能。但是，基因不仅仅决定着人体的脂肪代谢状况。也就是说，家族遗传决定了你天生就是"骨架子大"，或者是单薄纤细得足以通过排风口的夹板间隙。基因还决定着牵涉到体重增加的很多因素，比如极其喜欢吃某些食物或者以某种方式应对压力。家族关系也决定了自家做调味酱时会放黄油还是橄榄油。

然而，我们要做的是，通过让基因发挥的效力缩小，来让你牛仔裤的尺寸缩小。遗传基因的影响会让你向着某种特定的身体类型和行为发展，但是这种安排和不健康的生活方式的选择都可以通过正确的饮食、重新设定身体的相关设置而得到修正和调节，这实质上就是调整打开或关闭的基因。不错，正是如此。你的生活方式选择开启或关闭了自身的特定基因。例如，葡萄皮中所含的类黄酮（抗氧化剂）会关闭制造促炎性蛋白质的基因，而这种蛋白质会导致动脉老化。

前文已经探讨了人们进食的原因、食物在人体内的旅行，以及人体储存多余脂肪所产生的影响，我们下面需要了解的是人体燃烧脂肪的过程。在本章中，我们将会探讨人体消耗脂肪的自然方式——由基因决定的方式——在下章中，我们则会讨论如何加大人体的天然脂肪燃烧引擎的马力。

当然，我们首先要谈一谈人体的新陈代谢。这是人体的自动温控装置——衡量标准是人体消耗掉多余脂肪的速度（"新陈代谢"这个词的本义是"变化"）。

人体每年摄入的 100 万大卡的热量大部分都很快就被消耗掉了。消耗的热量提供给人体呼吸和睡眠的能量，维持人体各个器官的正常工作。人体摄入并储存的能量主要用于身体的生理系统及结构。

YOU 提醒！ 你摄入的热量只有 15%至 30%是通过有意识的运动被消耗掉的，比如锻炼、步行或者过一次完美的性生活庆祝爱情纪念日。因此，虽然你也许会认为练习舞

> **健康提示**
>
> 有关新陈代谢的理论认为，寒冷的外界环境会刺激食欲。（你有没有注意过，在冬季时食量会增大，而做了运动以后，身体变暖，就不会感到饥饿？）体温低的人，新陈代谢速率也比较低，往往容易体重增加。

蹈或瑜珈是燃烧脂肪的主要途径，但其实体育锻炼只能燃烧掉少量脂肪。人体消耗掉的热量，有很大一部分是用于维持心脏跳动，让大脑牢记伴侣的生日，让肝脏清理掉前一晚上喝下的勾兑伏特加酒。

不过，这并不意味着没有多少外部因素影响人体脂肪燃烧速度的升高和下降。任何人体活动都会加速新陈代谢的进程，包括烦躁地坐立不安（科学术语称为非运动类活动生热作用，或简称为 NEAT）。体温每升高 1 度，人体新陈代谢速率就会提高14%。（顺便提一句，摄入蛋白质似乎可以自然地收获相同的效果。）人在睡眠时，新陈代谢速率会降低 10%。**YOU 提醒！** 如果超过 12 小时不进食，新陈代谢速率实际上会下降 40%。如果你漏吃三餐，身体会感受到一场饮食灾难迫在眉睫，会立即转入储存模式，而不再是燃烧模式。这就是挨饿瘦身方法无法奏效的主要原因。你的身体很担心面对饥荒，于是降低自身的新陈代谢水平，转入紧急储备模式，而不再维持稳定的燃烧状态。吃早餐的人普遍要比漏吃早餐的人瘦，因为他们让自己的代谢基因一直处于开启状态，这说明热量更有可能早在转化为脂肪之前就被人体消耗掉了。

在努力缩小腰围的瘦身战斗中，我们有一些可怕的对手。我们在战场上会遭遇的最大敌人，有些正是我们自身的激素。诚然，我们都很清楚，激素受扰，会让十几岁的男孩变得性欲旺盛，或是让绝经期妇女出现严重潮热，让她感觉像是到了 8 月的

死亡谷(位于沙漠地带)。但是，也许你并不清楚，你的激素与你穿上贴身泳衣是否好看有很大关系。

是什么在偷偷地让你变胖？

在你由于缺乏毅力抗拒意大利腊肠而用腊肠猛敲脑瓜之前，或者假如你搞不明白为什么自己吃得比所有的朋友都少，体重却还是不断增加时，可以考虑人体激素的作用。激素对你身体的影响，也许比你想象的要大。腺体构成了人体的内分泌系统，负责分泌激素，与影响代谢和体重的遗传性疾病有关。主要的代谢腺体有：

甲状腺：甲状腺激素影响着人体消耗能量的速度快慢。这种激素分泌过多，会迫使身体代谢过快，浪费很多能量。(在极端情况下，甲状腺激素分泌过多实际上会让心肌出现代谢亢进现象，削弱心肌力量。)但是，如果甲状腺激素分泌不足，人体就会出现一种被称为"甲状腺机能减退"的疾病，于是人体的代谢速度缓慢，有如龟行。检查甲状腺水平的最佳方法是什么？简单的验血检查。如果体内的促甲状腺激素(TSH)浓度超过 5 国际单位/升，就说明含量过高。这意味着你的身体努力想实现体内甲状腺激素水平的零流通，但却以失败而告终。垂体腺释放 TSH，通知甲状腺分泌两类激素，帮助控制代谢过程。尽管甲状腺激素浓度下降一般不是体重超重的唯一诱因，然而这种激素的浓度异常可能说明你应该去看医生或内分泌学专家，看看自己是否需要服用甲状腺药物以提升新陈代谢水平，助甲状腺一臂之力。(甲状腺机能亢进的症状包括焦虑、心悸、失眠，以及毛发与指甲的快速生长。另一方面，甲状腺机能减退症患者则可能会出现没有活力、体重增加、食欲减退或指甲易断等症状。)

肾上腺：肾上腺位于肾脏上方，形态就好像一顶简易帽子，不过这对腺体是由释放促肾上腺皮质激素的激素 CRH 控制的。CRH 由大脑内的下丘脑产生。这种值得注意的重要联系，让肾上腺能够对感受外部世界的感觉器官输入的信息及时做出反应，就像是一头冲锋在前的长毛猛犸象。当处于慢性压力之下时，肾上腺体会分泌皮

质醇，皮质醇能够抑制 CRH——这就使事情变得太糟糕了，因为 CRH 可以减少食欲。皮质醇指标过高会降低人体对胰岛素的敏感度，因此糖尿病变得越来越普遍，对脂肪和蛋白质代谢都会产生负面影响。肾脏应对高浓度皮质醇的办法是让盐和糖留在血液中，这样就会造成血压升高。与此同时，其他由肾上腺产生的激素，包括雄性激素及其衍生物雌性激素，浓度也会随之升高。这可能会引发与肥胖有关的疾病，如子宫肌瘤和乳腺癌。要测量皮质醇的水平，你需要接受验血检查或 24 小时的采尿化验。在 24 小时内，皮质醇含量大约在 100 毫克，一般就说明其浓度高。(请注意：对于有些人来说，限定的数值是可变的，这取决于不同实验室得出的数据不同。)顺便提一句，也正是由于这个原因，服用类固醇药物的人(比如为治疗哮喘服药)体重似乎会增加。皮质醇就是类固醇的一种形式。(这里所说的类固醇，与某些运动员擅自滥用的类固醇有所不同。那些合成代谢的类固醇与雄性激素有关。)

　　胰脏：在正常工作的情况下，胰脏会分泌胰岛素。这种物质能够促进葡萄糖通过血液送达肌肉，产生能量并以脂肪的形式在体内储存起来。事实上，胰岛素的工作机制很像瘦素，它会提醒你少吃。但是，当人体细胞出现对胰岛素的排斥时，就会抵消胰岛素抑制食欲的作用。我们提醒尤其是那些糖尿病初期患者，他们可以通过正确的饮食选择来自然地避免高血糖的发生。但是，一旦人体食用了含糖量高的食品，而且胰岛素的分泌量不足以克服胰岛素排斥现象(II 型糖尿病)，饱足感的出现时间会大大推迟，食欲抑制的情况也很不理想，这样下去人体会陷入饥饿的恶性循环。

激素在行动

因此,你的目标不应该是消耗掉自己身体里的所有脂肪(虽然你可能一向都是这么想的)。一般人体内储备了 2500 大卡的碳水化合物——大部分储存在肝脏和肌肉中——用于各种各样需要消耗能量的机体活动,特别是即取即用形式的能量,比如你努力追赶一班公交车,或是被一头横冲直撞的犀牛追赶,这些情况都需要立即消耗能量。一般人体内储存的脂肪有大约 112,000 大卡。(也就是说,如果你的体重处于理想范畴,那么你体内储存的脂肪一般应该在 6.4 公斤左右。)这说明身体内的脂肪并不是你的敌人,除非其含量超过了人体所需的正常水平。人体需要脂肪来进行正常活动,脂肪是储存能量的银行账户,可供人体提款。(回忆一下食物在体内的加工处理过程,参见第 3 章中的示意图。)

当然,此处问题的关键在于:人体不会让能量银行的分行遍及身体各处——并不是人体的各个角落都可以随时提款。

从总体上看来,目前已知的人体激素,有 9 种激素让人多吃,14 种激素阻止人继续吃下去。激素就像是你自己的生理结构运动经纪人,是站在你这边的。激素十分关注你的健康状况。不过,这并不意味着你不可能存在遗传事故。也许你的身体无法正常分泌瘦素,或许你身体内的皮质醇含量过高,或许瘦素无法送达你的大脑,又或许与饱足感有关的激素全都没有发挥作用。毅力再大,也无法克服这类问题。唯一的解决办法是重新设定人体的激素线路。你无法改变自己的生物内环境,但是你可以设法引导它为自己的健康服务。

激素性影响的一个典型例子是脂联素,我们在上一章中提到过这种激素形式。人体内的脂联素含量越高,体重就会越轻,体内脂肪所占的比重就会越小。(此外,这

> **健康提示**
>
> 并不只有那些修指甲的男性才会认为自己体内存在雌性激素,全体男性体内都有雌性激素——而且雌性激素对所有人都有益。雌性激素能够提高高密度脂蛋白含量,而雄性激素则会降低高密度脂蛋白胆固醇的水平。女性体内的雌性激素含量比男性高得多,这也许可以部分解释中老年女性出现动脉硬化问题的情况明显少于男性。很多专家认为,男性平均寿命较短与雄性激素对身体健康的危害有关。

种激素还与网膜脂肪有直接关系。网膜脂肪也就是人体内的肠道脂肪，假如没有网膜脂肪，在体内四处游荡的脂联素会更多。）这种激素能够促进人体肌肉将脂肪转化为能量，抑制食欲。请注意：当体重减轻时，体内的脂联素含量会升高。**YOU 提醒！**这是人体最棒的奖励机制之一。你的体重减得越多，你的身体处理炎症的能力就越强，这是由于脂联素对机体具有保护性作用。至于身体炎症的相关话题，我们在前几章中都有涉及。一旦体重增加，体内不适就会渐渐增多，其中的原因之一也是同理——人体分泌的脂联素这种天然抗炎剂减少。

性 的 因 子

众所周知，雄性激素和雌性激素在人体毛发、乳房大小以及性欲等方面都会产生影响。但是，性激素并不仅仅影响着人体腰部以下的活动，它还能影响到腰部本身的变化。

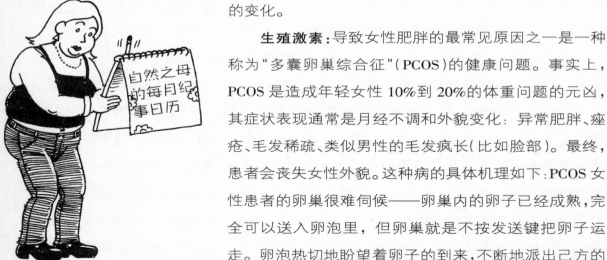

生殖激素：导致女性肥胖的最常见原因之一是一种称为“多囊卵巢综合征”（PCOS）的健康问题。事实上，PCOS 是造成年轻女性 10% 到 20% 的体重问题的元凶，其症状表现通常是月经不调和外貌变化：异常肥胖、痤疮、毛发稀疏、类似男性的毛发疯长（比如脸部）。最终，患者会丧失女性外貌。这种病的具体机理如下：PCOS 女性患者的卵巢很难伺候——卵巢内的卵子已经成熟，完全可以送入卵泡里，但卵巢就是不按发送键把卵子运走。卵泡热切地盼望着卵子的到来，不断地派出己方的信使——雌性激素上门催促。雌性激素要在另一种称为黄体酮的卵巢激素的配合作用下，两者相互平衡，才相得益彰。可只有当卵泡送出卵子后，卵囊（称为黄体）才会

能够改善性生活的饮食?

健康食品还有另外一个好处:很多健康食品可以促进性激素分泌,增强性欲——这包括了Ω3脂肪酸以及含有促进睾丸激素分泌的锌这种矿物质的食品——其他一些食品(如芦荟和朝鲜蓟菜心)也常与性事联系在一起,这是因为其外形与人体的某些生理特征相似。由于就这一话题进行随机客观的试验比较困难,我们会浮光掠影地介绍有限的事实,让你的想象力充分发挥作用。

充分分泌黄体酮。而对于 PCOS 患者而言,多余的雌性激素四处游走,有一部分会转化为雄性激素,即男性激素,这类激素会导致毛发疯长,食欲增强。这时,体重就会随之增加。为了克制住再吃一块椰子奶油蛋白酥皮饼的冲动,很多女性选择服用避孕药。这类药物通过限制体内性激素的含量,来平复卵巢活动,达到阻止体重增加的效果。仅仅服用避孕药,并不会带来体重的增加或减少,但是由服药引起的食欲减退和改善 PCOS 引发的性激素过量分泌,可以影响体重的变化。

睾丸激素:这种激素也许是络腮胡子和大男子主义的根源,然而女性体内也有睾丸激素,而且这种激素也可以影响男性和女性体重的增加。绝经期之后的女性及年长男性体内的睾丸激素水平往往会有所下降,这会致使性欲减退,而由于肌肉质量减少,以脂肪形式储存在体内的热量增多,因而有可能导致体重增加。其他诊断结果(比如缺乏其他激素,包括甲状腺疾病)与体重增加之间的因果关系并不明确,丧失性欲的原因也尚未落实(感情危机、压力、阴道萎缩),睾丸激素胶布或局部敷用的睾丸激素凝胶或乳液可以达到补充睾丸激素的效果,不仅可以扭转性欲的颓势,而且有可能——只是"有可能"而已——消灭大肚腩。有人认为提高性生活满足感有助于培养对饮食的饱足感。小小提示:睾丸激素目前尚处于研究阶段,相关产品的广泛应用时机尚未成熟。因此,在考虑治疗由睾丸激素不足引发的健康问题时,我们需要明确的是,睾丸激素存在一定的健康风险及副作用,其中包括痤疮、面部长毛和暴躁的情绪反应。

YOU 建议!

假如你认为问题不是出在自己身上，就要努力找到真正的原因。有些人尽管食量小得可怜，没日没夜地辛苦锻炼，体重就是减不下来。对于拥有大肚腩的朋友而言，"激素"是他们肥胖问题最合适的替罪羊。如果你坚信自己的肥肉与个人生活方式无关，那么就应该向医生要求进行验血检查，测量激素及其他化学物质的水平，看看何种药物疗法可以解决激素问题。以下列出的检查指标是我们建议你需要了解的：

检查名称	相关指标的理想水平
促甲状腺激素	低于 5m 国际单位/升
尿液中的皮质醇含量	每天低于 100 毫克
钾	高于 3.5 毫克
钙	8—10 毫克之间
黄体化激素(LH)/	单独的数值不及比值重要。
促卵泡激素(FSH)	LH 与 FSH 的理想比值为 3:1，与测量具体时间无关。
游离态睾丸激素	男性高于 200mg/dl；女性为 20—70mg/dl。

治病要治本 测量游离态睾丸激素总量的验血检查可以诊断出 PCOS。如果你的黄体化激素与促卵泡激素之比大于 3:1(见上表)，也说明你患有 PCOS。治疗可以服用避孕药，以调节体内激素水平，还可以服用抗糖尿病药物二甲双胍以防止卵巢与胰脏之间发生交火，平息肝脏内的炎症反应，从而促使机体对胰岛素的敏感度提高。

3

运动运动

怎样使你的脂肪烧得快些

瘦身误区

❖ 举重会让人变得粗壮。

❖ 去脂的最佳运动是锻炼心血管。

❖ 你需要依靠重物练习来塑造肌肉。

众所周知,肌肉让我们有力气搬运箱子、抱起婴儿;肌肉让我们有力气逛百货商场,还可以赶上 5 点 32 分的那班地铁;肌肉可以让你有力气把自己的舌头摇得比金毛猎犬的尾巴还要快。这取决于你对电影明星肌肉的品味如何。不过,并不是只有家具送货员、奥运会铅球选手或者会上油的开锁匠,才能体会肌肉的益处。你也可以。当涉及到腰部管理的问题时,肌肉的力量在于肌群的工作状态可以像生理学上的狼群一样。尽管人体激素负责代谢机制的大部分工作,但是人体肌肉可以加速机体燃烧多余热量的进程。

YOU 提醒! 肌肉赋予我们代谢能力, 人体每次活动都会消耗热量——在锻炼时,在花园干活时,在过性生活时——不过,肌肉的真正优势在于它们能够不停地消耗热量以维持自身生存,哪怕你的活动速度像轮子坏了的滑板一样慢。请注意,每公斤肌肉每天赖以为生的热量消耗在 80—260 大卡之间,而每公斤脂肪的热量消耗仅为 2—6 大卡。日复一日,人体的代谢速率与热量日消耗量之间的差距渐渐加大。只要给自己的身体增加一只暖水瓶体积的肌肉,就能消耗掉一个冰箱容积的脂肪。

一想到肌肉,我们往往会联想到很大块的肌肉(比如职业摔跤运动员的肌肉)或很美的肌肉(比如布拉德·皮特的腹肌、奥斯卡影后希拉里·斯万克的肩部),其实锻炼肌肉并不一定要练出大块强健的肌群以争取入选全美橄榄球联盟阵容。

打破误区

通过集中精力塑造恰当的肌肉,以及按照后文中介绍的计划安排运动生活,你就不会变粗壮。你的身形会变得坚挺,刺激肌肉生长,从而促进机体燃烧更多脂肪。猜猜最棒的地方是什么?你不再需要借助于昂贵的健身器材或健身馆会员卡来体会增加肌肉的好处。你需要用到的设备只有一样:你自己的身体。你的身体就是你的健身馆。

健康提示

我们可以把运动看作一种治疗调养方法。嫌运动的持续时间过长?研究表明,运动能够降低抑郁症的发生机率或抗抑郁药物带来的健康风险。目前已经证实, 每天步行 30 分钟,患上乳腺癌的风险降低了 30%, 癌症患者存活率提高了 70%。此外,体育锻炼还让急性心脏病发作的存活率提高了 80%。

人体肌肉：塑造力量和燃烧脂肪

人体的附骨肌肉——即通过韧带和肌腱与骨骼相连的肌肉，而不是维护人体器官，如心脏或食道正常工作的自发性肌肉——是成对出现的。这让一块肌肉可以带动一块骨头向一个方向上运动，而另一块肌肉则将骨头带向另一个方向。（在做曲臂运动时，你的二头肌会将上臂和下臂拉拢到一起，而同时你的三头肌则负责把上下臂拉开。）

如果要解释肌肉的生物学机理，我们可以聊上很久，估计要把你闷坏了。所以我们把你需要知道的事实整理之后，概述如下：附骨肌肉原本应有两类任务——让你的速度变快，身体变强壮。肌肉由肌肉纤维束构成，每束肌肉纤维就像一股意大利细面条。这些纤维上面有很多细丝，彼此之间可以相对滑动，就像一架可伸缩的梯子。

当人脑向肌肉发出消息，要求其活动时——步行、抬沙发椅、亲吻爱人的耳垂——你的肌肉就会像伸缩梯那样收缩，通过侧杆咬合位置的变化而上下运动。机体还使用了一个挂钩来固定肌肉，让其维持张开或闭合的状态（见图7.1）。这样，你就搭好了伸缩梯的两个部分——实际的支撑性侧杆，这就是力量；以及促使侧杆做上下运动的力量，这就是耐力。产生力量的这两类结构，其作用就像是消耗大量热量的自行车手奋力骑行，以召集诸多肌肉纤维（见图7.1）。肌肉收缩产生的

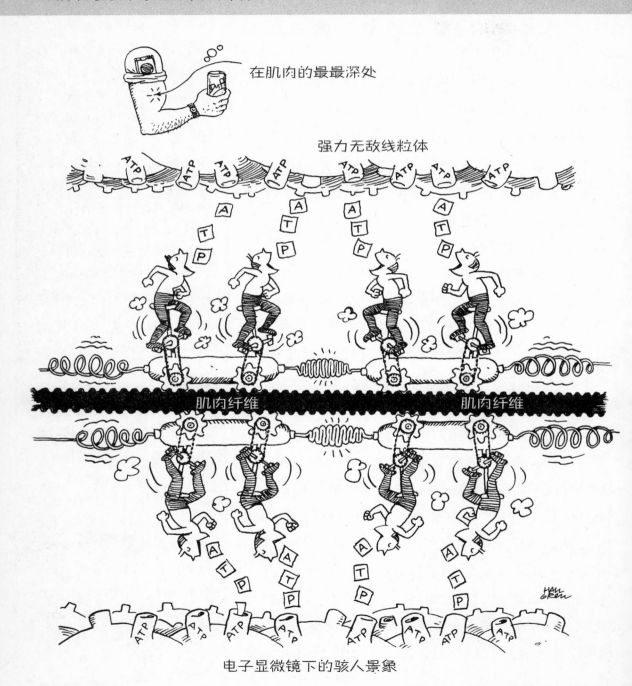

在肌肉的最最深处

强力无敌线粒体

肌肉纤维　　　　　　肌肉纤维

电子显微镜下的骇人景象

反弹效应,在伸展运动的辅助作用下,让肌肉在运动后可以更好地放松。

运动的两种主要形式——耐力训练和力量训练——从不同的角度影响着人体伸缩梯的结构。耐力锻炼提高了肌肉制造能量以及利用所需能量自我收缩的能力,因为你增加了更多有力量的自行车手。不过,肌肉力量还需要竖起伸缩梯侧杆的力量锻炼——有助于促进更大、更强壮和更坚韧的肌纤维结构的形成。具体过程是什么样的呢?在进行任何形式的排斥力训练(即拉或推某类重物)时,你的身体会对此表示:"如果你拆散我的梯子,我下次一定会造一架更大更坚固的梯子。"你身体会继续建造更大更坚固的梯子的侧杆。(顺便提一句,步行既可以提高机体的能耗效率,还可以增加梯子侧杆的数量。这也证实了步行之所以成为下文介绍的保健计划的核心部分,上述因素是多个原因之一。)通过定期进行力量训练,你可以培养出更多的肌肉——人体需要这些肌肉来促进脂肪燃烧。从本质上讲,你要让细面条稍稍变厚变强韧,而不是仅仅制造出更多的细面条。数量固然重要,但一定要重视质量。

肌肉是人体主要的能量消耗点。我们可以把肌肉想象成一团正在熊熊燃烧的火焰。往火里扔一块木头,木头很快就烧得精光。但是,人体脂肪更像是一根燃着的火柴——火柴要烧着木头,要花更长的数年时间。在人体内,肌肉燃烧奶酪热狗的速度比脂肪快得多——因此可以减少体内脂肪的储备量。YOU 提醒!

打破误区

健康提示

运动饮料也许广告做得很棒,但是,只有运动超过60分钟的情况,才需要饮用运动饮料。在长时间运动之后,这类饮料能够更快地给你的身体补水,这是因为运动饮料能够促进肌肉力量的恢复,恢复速度比水的效果还要快(因为运动饮料含有一种称为电解质的人体矿物质,可以加速水的吸收)。但是如果长期饮用或在短时间运动之后饮用,最终会摄入更多的热量,热量来不及消耗,会被储存为脂肪。

健康提示

你除了可以有意识地通过运动来锻炼肌肉以外,人体内还有其他类型的肌肉不受人为控制——比如位于肠道和食道附近的肌肉。这样的肌肉都是自发性的光滑肌肉,而且任何新鲜蔬菜都无法塑造这类肌肉。

你有多少肌肉?

有些与腰部有关的测量指标是非常容易被量化的(比如体重、腰围、自1993年撑破了几条裤子),肌肉质量相对来说难以测量。诚然,你可以仔细地照镜子,看看自己的肚子有没有鼓得像鳄鱼后背。通过了解体内脂肪的比重,可以间接地估计出肌肉质量:脂肪比重越小,肌肉质量就越大(在健身馆可以测量脂肪比重,家用设备如卡钳也可以测量)。事实是肌肉质量与健康状况无关(我们大部分人的体内肌肉含量在9至13公斤之间),而腰围才是与健康有关的指标。重要的是,你需要做足量的锻炼力量型运动来维持机体的肌肉含量,否则随着年龄的增长,肌肉含量会逐渐下降。

只要稍稍增添一点儿肌肉,你的身体就可以利用较多能量,储存较少脂肪。这让燃烧脂肪甚至比心血管锻炼这种运动方式的效率还要高。

人到了35岁以后,体内的肌肉质量一般每10年减少5%——如果不采取任何措施加以阻止的话。(回顾历史,处于人类进化早期的猎手、采集人和搬运者在大约35岁之前都需要肌肉力量进行日常活动,肌肉让他们在儿时有力量行走,长成部落重要成员后有力量捕猎。但是在步入35岁之后,他们的身体不觉得肌肉有任何继续存在的必要,于是身体适应了外界环境的变化,让体内肌肉逐渐流失。)现代人失去肌肉时,机体则会受到明显影响——体重增加。如果不有意识地通过体育锻炼重塑肌肉,你的热量日摄入量就需要每10年减少120至420大卡,才能维持目前的体重。

因此,如果到了35岁以后,你的体重与以往相比保持不变,不做任何形式的耐力锻炼,同时还继续保持相同的食量,那么你的体重就会增加。

随着肌肉的不断衰老,你的身体还会损失少量作为肌肉成分的蛋白质。正是这些蛋白质,给肌肉赋予了力量和耐力的两大特性。运动能重塑并维持体内的肌蛋白及肌肉水平,防止体重增加。因此,你需要从事如下活动:

健康提示

锻炼特定的身体部位并不会消耗掉相应部位的脂肪。你的身体决定着脂肪消耗的具体部位,因此没有"通过运动局部瘦身"这回事。不然的话,我们在健身馆岂不是会看到有人在做双下巴的俯卧撑了?事实上,锻炼身体局部,可以塑造相应部位的肌肉——在脂肪燃烧后,该部位会呈现出精瘦强健的肌肉形态和特性。

※ 每天步行 30 分钟，有助于培养肌蛋白，这是肌肉具有耐力和力量的基础。这种活动让你的肌肉做好准备，进行如下活动……

※ 每周 30 分钟的力量/耐力训练，可以重塑作为肌肉力量基础的肌蛋白。（即每周锻炼 1 次，每次锻炼 30 分钟，或者可以有间歇地做 2 次，每次 15 分钟，或者是 3 次，各 10 分钟。）

在第 11 章中，我们将列出锻炼方案的具体内容。不过我们也希望让你了解，肌肉就像是重量级职业拳击手——这个比喻不仅说明其具备痛击脂肪的能力，而且肌肉确实很重。如果大家从现在开始坚持运动，饮食调整得更健康，最初的机体反应是生理上的挫败感，因为大家的体重一开始都不会出现变化。**YOU 提醒！**这是因为脂肪轻而肌肉重，肌肉要比脂肪重得

多。因此当你塑造了少量肌肉，同时减去脂肪时，体重秤的示数也许不会出现明显减小，但是，腰围会明显缩小，你整体的身形也会变得瘦削起来。在经历了最初的过渡期之后，你会进入长期运动阶段，你的身体组成、机体代谢状况、体重和腰围都会继续发生显著改变。

现在的问题是：我们该如何给自己的身体增加肌肉，而不是仅仅维持现有的肌肉水平？而且，我们该如何适当地增加肌肉比重，而不会最终变得像大熊橄榄球队的中后卫那样魁梧健壮？

当然，这个问题的答案还在于运动——不过运动的方式也许并不是你认为的那样。我们大部分人将运

健康提示

选择用自由重物练习举重，还是借助举重机锻炼，就像是决定吃鲑鱼还是罗非鱼：两者各有优点。自由举重（杠铃和哑铃）可以让你锻炼平衡感，因为你的身体在举起重物时必须保持其平衡，而举重机可以避免因姿势不当对身体造成的伤害，因为机器的设计目的之一在于迫使你在锻炼时采用适当的举重姿势。

健康提示

Q10 辅酶这种补品是负责能量转化（葡萄糖转化为 ATP，为细胞层面的机体活动提供能量）的人体细胞的重要组成部分。在一些研究中，辅酶 Q10 让肌肉能力提高了 10% 到 30%，而且还能保护肌肉免受氧化性压力的侵害。目前，消费者面临的主要挑战是找到真正含有标签上所说的辅酶 Q10 成分的药物。

动分为两类：基于耐力的训练（有氧运动，比如慢跑或游泳）；基于力量的训练（举重）。进行任何形式的运动都可以消耗热量，但是最有效且最持久的燃脂方法并不是你认为的游泳或跑步，而是出现在力量训练之后。力量锻炼让你的肌肉成为身体生理结构的最大盟友之一。下面我们将告诉你如何利用自己肌肉的力量——正确地、轻松地利用，这样的方式将不仅让你拥有傲人的身形，比莫尔的雕塑杰作还要引人注目，而且还能让你拥有理想的腰部。

　　很多节食方法并不会提及运动的作用，但我们认为体育锻炼对改善健康水平和缩小腰围至关重要。塑造肌肉是保健的一方面，然而心血管锻炼和柔韧性练习也是腰部管理计划的一部分。运动的这三大要素协同作用，会给你的身体带来如下益处：

※ 运动增进代谢机能。人体消耗能量的速度比未运动以前要快，运动开启了人体交感神经系统的工作开关，可以抑制食欲。你可以自己做这样的实验。当第一波饿意袭来时，试试快步行走或慢跑。等你运动完，饥饿感很快就消失不见了。

※ 运动可以促进人体减去让关节承受额外压力的多余体重。随着体重的减轻，你的膝部、臀部、脚踝和背部的疼痛都会有所缓解。这样，你会进入行为习惯的良性循环，会更愿意做运动。

※ 运动刺激人体分泌内啡肽，这种物质可以激发大脑的愉悦中枢。愉悦中枢一旦被激发，会让人更有自控力，这种自我控制与避免无节制大吃有关。

亚洲人的养生之道

在中国北京的早晨醒来，你会看到数百人不论男女老少，都比划着古怪的动作，迎接又一轮旭日东升。他们的样子就像是在和看不见的魔怪格斗，然而他们实际上在练太极——这种运动形式可以训练身体的平衡感、汇聚机体精气，放松身心。你可以把太极当作一种冥想式的锻炼形式，或者是改善平衡感的方式之一。

※ 运动有助于减少抑郁，促进积极的人生观，因此你可以做出其他积极的生活选择，不必依靠食物来解决你的生理和心理问题。这也可以有效地防止沙发、椅子和床这样的设施成为实施腰部管理计划的拦路虎。

※ 运动保持血管畅通无阻滞，降低与肥胖病有关的健康风险，比如高血压、有害胆固醇水平升高、记忆力障碍以及心脏病。

如果一一细数体育锻炼的诸般好处，可以花上数十页的篇幅，不过我们认为你一定很清楚运动的妙处。你不必对体育运动全情投入，矢志不渝地要成为广告里展示的健美先生——你也不必每天做上 3 小时之久的运动，急切期待着效果的出现。

事实上，运动的美妙之处在于，它与你的生活必须避开的事物（垃圾食品、借口）不同，你可以把体育锻炼加入自己的生活（在看热门电视剧重播的时候就可以做运动）。如果你能让自己的肌肉按照正确的方式活动，腰围尺寸的变化趋势也将会是正确的。

你会不会太过了?

运动至少有一个方面与坚果很像:确实有"过犹不及"这回事。运动给身体带来的好处一件加一件,比算术书里的加号还要多,然而,过度锻炼也会产生负面效果。每周通过运动消耗的热量超过 6500 大卡(即大约做 13 个小时的运动)或者连续进行心血管锻炼的时间超过 2 小时,不仅会增大关节压力(大小取决于运动强度),而且似乎还会导致身体面对的氧化性压力过大,使人寿命缩短。

在刚开始锻炼时,你的身体会出现一些表现于外的反应:你会流汗,可能你会感到酸痛,可能会一身酸臭得像过期变质的通心粉色拉。你的身体还会有内部反应,体内的肌肉体积、血流和血液化学成分都会出现变化。虽然运动——即使与健康饮食相结合也是一样——并不会立即吸去人体内的脂肪(详见本书附录中有关手术吸脂的介绍),然而哪怕在短短一周以内,你也能亲眼见证并感受到自己身体形态发生的可喜变化。将健身与 YOU 饮食方案相结合,你的身体组成状况会发生改变, 在最初的两周以内,你可能就会发现自己的腰围缩小了 5 厘米。所以,站起来,咱们一起活动活动吧。

健康提示

当你加大运动强度的时候,身体往往会消耗较大比重的碳水化合物,而不是能量的脂肪储备形式。有些人错误地以为,这说明增大运动强度不会再消耗脂肪,而只会消耗碳水化合物。由于高强度运动消耗的热量总量要高于较低强度运动的热量消耗(尽管这其中碳水化合物的比重可能稍高于脂肪),高强度运动利用(消耗)的脂肪,差不多总是会比较低强度的运动多。

YOU 建议！

了解"神奇四法" 身体活动和运动与蔬菜一样,有各种形态、大小和口味,而所有的不同种类都对人体有益。你需要根据自身的健康状况和感受,考虑给你生活增添如下运动要素:

※ **步行**:我们可以在百货商厦步行,可以绕着屋子步行,也可以在冰箱与水床之间来回步行。没错,任何形式的步行都对健康有益(最佳的运动量是每天步行至少达到 10,000 步)。不过,你必须完成每天总计达 30 分钟的步行。(如果有需要的话,可以分段进行,但每段步行至少要达到 10 分钟。)步行是进行所有其他运动的基础,因为步行不仅可以增强你的耐力,而且还让你的身体做好力量训练的准备。作为每日的常规事务,步行是一种心理上的约束调理,帮助你长期坚持完成运动计划。事实上,步行是最具灵活性的一项运动。坚持步行,你就不再只是周四晚黄金档电视剧的忠实拥趸。

※ **力量**:即便你从未接触过杠铃这种健身器械,也并不表示你需要避开抗力训练。力量训练——不论是借助于杠铃、举重机、负重腰带,还是自身的体重——都有助于重塑肌纤维,增加肌肉质量。肌肉可以耗尽人体摄入的多余热量,从而提高人体燃烧热量的效率,有助于防止与衰老有关的体重增加。以下就是力量锻炼奏效的关键所在:很多美国人往往花很多时间锻炼自己的外围肌肉(比如二头肌或小腿肚),然而高效的力量训练应锻炼大型肌群,因为其构成了人体的核心中轴——大腿、上身的大型肌群(如胸肌、肩肌和背肌)以及腹肌。这些都是人体的基础性肌肉。最棒的是,你根本不需要使用健身器械就能收到效果。

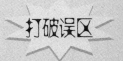

有关腹部运动的小提醒:从本质上看,腹部运动并不能燃烧脂肪,却可以增强整个机体核心的力量,在身体消耗脂肪的时候,可以平坦腹部,增强腹肌力量。而且,腹部肌肉会给你的腰部带来肌肉层的支撑,防止腰部受伤。你的腹部越紧实,腰部受到的压力就会越小。没有地基,房子是不可能从二楼盖起的,同理,你的腹肌及整个机体核心就是健康小屋的地基。

※ **心血管耐力**:通过进行心血管运动——即能够使心率升高,并保持一定时间的一切活动(不好意思,看老牌帅哥乔治·克鲁尼演的电影而引起的心跳加快可不算)——你可以全面提高身体的耐力水平,燃烧热量,改善心脏的机能和工作效率,同时降低血压。让身体出汗,也可以有助于排出毒素,不然毒素会蓄积在人体组织内。

※ **柔韧性**:柔韧不只是瑜伽教师和准伴侣的要求,柔韧也是你希望自己的肌肉可以实现的目标。良好的柔韧性可以避免关节受伤,因为伸展形式的运动可以引导你的肌肉完成一系列各种动作,而你在锻炼和日常活动中都会做到这些动作。此外,柔韧的身体还可以让

图 7.2 **主要区域** 你可以把自己想象成一个侏儒,只有躯干、臀部、背部和腹部——人体的基础性肌肉。要对抗脂肪时,谁又会关心无关紧要的二头肌和小腿肌呢?

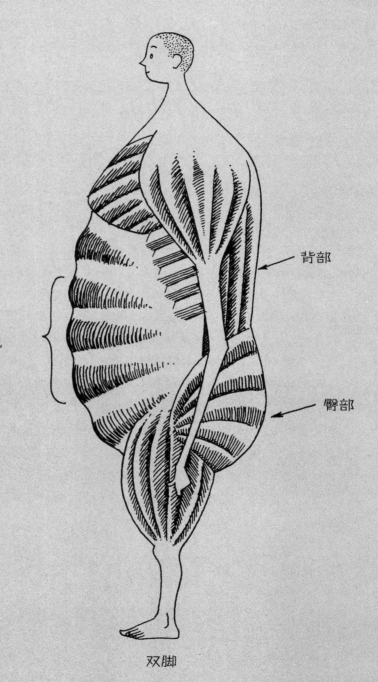

背部

臀部

"六块"腹肌

双脚

你自我感觉更好。柔韧不会再让你的身体感觉比死了一周的蟑螂还要僵硬,还有助于冥想,让你可以集中注意力于自己的身体,凝神静思。此外,身体越柔软越放松,遭遇突发事故时受到的负面影响就会越小。

YOU 瘦身运动列表

运动名称	运动量
步行	一天中累计 10,000 步(每天至少坚持走上 30 分钟)
肌肉力量训练	每周 30 分钟的抗力运动
心血管耐力训练	每周 3 次,每次在达到自己最大心率(计算方法:220 减去你的年龄)的 80% 的情况下坚持做 20 分钟。对于 50 岁的人而言,目标心率应为 0.8×(220−50),即每分钟 136 下。此外,你还可以用运动强度来衡量自己的心血管耐力。以从一级到十级的标准,评估自己的运动强度。你的运动强度应为七级或八级——你所测算的最大心率的 70% 到 80%。
柔韧性运动	每天 5 分钟

没有任何借口 一说到健身的话题,我们大多数人都会打出两张借口牌:我们手上有写着"没空"的 A,还有"不方便"的 J。好吧,我们知道你很忙。我们知道你手头的事很多,要不停抛接的球比手舞足蹈的小丑还多。我们知道"沦陷"在沙发里比在地板上做俯卧撑要容易。不过,我们还知道:时间和便利都不是借口。首先,按照我们制订的健身计划做,花不了你很多时间(每天步行 30 分钟,每周做 30 分钟的抗力训练)。假如你没有时间,就必须心甘情愿地承认,这与没时间无关,而是你对自己的生活失去了控制力,无法安排出足够的时间用来呵护自己的健康安乐。

其次,运动并不需要健身馆或时髦的器械,开车去健身馆换上运动装所花的时间比实际健身还要多。你可以在家完成各种运动项目——只要利用少量普通器械或甚至可以借用你家中现有的日用品。事实上，在 YOU 健身方案中，你可以借助于自身的体重作为重物进行健身。这肯定比健身馆锻炼强。在健身馆里，你往往要花大把时间守在运动机旁，等待占着机位的某人看完她手头那本八卦杂志。没错，你太累了，压力太大了，太忙了，太这太那了，这些都是可以脱口而出的借口。不过我们要说，这太糟了。能彻底摆脱脂肪的唯一方法就是先从彻底摆脱借口做起。

你好动，你去脂　一种被人忽视的运动形式是：好动。研究表明，好动的人都是比较瘦的。假如两个人的工作活动和饮食结构相同，下楼去直接和人沟通的那个，肯定要比发电子邮件交流的人瘦。研究表明，促使这类人迅速消耗脂肪的原因，并不是什么神秘食品、人体器官、细胞或小精灵，而是他们不安于室的种种活动。不过，这并不能说明，如果你通过活动全身的方式健身，抖动双腿，扳扳指关节，你就会变得比富家女帕丽斯·希尔顿还要瘦。然而，很多研究已经证实你活动得越多——身体的运动方式十分微妙——身体消耗掉的热量就越多。不论你在何处，都要尽量给自己的肌肉创造活动的机会。收拾餐具、打电话的时候站起身来转圈踱步，主动下楼去和同事沟通而不是发电子邮件，在开会时用脚打拍子。争取一切机会活动活动，会给自己的身体带来微妙的代谢支持，收获的效果却绝不会微不足道。

YOU 测试

你有多强健?

有很多方法可以评估瘦身计划的进展情况:身材尺寸缩小了多少厘米,健身馆的优惠券用去了多少张。不过,你从事不同类型活动的强健水平也是可以测量的。你可以通过下面这些测试来看看自己有怎样的体魄。(在做各项测试之前,确保正确热身,可以花至少 5 分钟的时间步行或做些低强度运动。)

心血管:你可以通过测量自己运动后的心率,来评估自己心脏的工作效率。做运动让你的心率达到最大心率(即 220 减去你的年龄)的 80% 到 85%,坚持 18 分钟,随后再做 3 分钟让心率达到最大值的运动,然后停下来测脉搏。在停止运动 2 分钟之后,你的心率应该减少了 66 下或更多。这种方法必须事先征得医生的同意,除非这是你经常进行的健身方式。

肌肉:要评估上身肌肉的耐力水平,可以做俯卧撑测试(男性是标准姿势,女性做俯卧撑时可以双膝跪地)。30 岁男性应该能做到 35 个以上 (30 岁之后每 10 年减少 5 个,直至 70 岁)。30 岁女性应该能在双膝跪地的情况下做到 45 个(30 岁之后每 10 年减少 5 个,直至 80 岁)。

柔韧性:要评估腰部的柔韧性,可以坐在地上,让双腿平放在身前,稍稍分开。双手交叠,手指伸直,身体前倾,用手指去碰自己的双脚。45 岁及以下的女性应该能够到超过双脚 5 至 10 厘米的地方。上了年纪的女性应该可以够到脚底。45 岁及以下的男性应该能够到脚底。上了年纪的男性应该可以够到脚底之前 7 至 10 厘米的位置。

挤压身体 下面这项腹部运动,不受场地的限制:吸气收腹,尽力提臀,好像正在努力穿上一条太紧的牛仔裤那样。试着感觉从天花板上吊下来的一根绳子拉着你自己的头顶,保持这种姿势不动。这种运动在塑造正常体态的同时,还可以锻炼你的横腹肌(支持性带状肌肉)。坐电梯、排队、工作,无论你在哪里,都可以做这种运动。

第三篇
脑的学问

人脑的化学物质与情绪
是如何控制你的进食习惯的

第 8 章

情绪化学

情感与食物之间的联系

瘦身误区

❖ 无节制地大吃主要是由极度饥饿引发的。

❖ 对食物的渴求是由味蕾引导的。

❖ 抵制食物诱惑的最佳方法是靠毅力。

我们的祖先进食是为了维持基本生存。他们进食是因为饥饿，或者可能是为了庆祝战胜敌对部落。那我们现代人进食又是为了什么呢？我们进食的原因有生气、无聊、紧张、抑郁、沮丧、看电影、忙碌、不够忙碌、与朋友相聚或者与朋友分离。我们一贯认为进食是一种情绪性反应——我们会用巧克力代替沟通，用冰淇淋代替洗澡，用薯片代替击打沙包，依靠食物调节情绪——然而与其将进食与个性遭遇联系起来，不如说进食与身体的化学变化有关。

在本书开头，你了解了身体内激发饥饿感的化学变化。瘦素和饥饿激素是控制进食行为的"记忆棒"。但是有很多时候，心理情绪有可能引发进食的生理反应，诱使我们狼吞虎咽涂满芥末的热狗。在接下来的两章中，我们会探讨人脑与情绪的科学机制如何影响着你的饮食结构和进食原因。在肥胖问题中，情绪方面是着墨最少的部分，然而情绪却是很多人进食过量的真正诱因。从真正意义上看，你的下丘脑（请注意，这是你的饱足中枢所在地）也是人脑与身体"紧密相连"的部分。身为下丘脑的挚友，脑垂体这种腺体发出化学信号，与身体其他部位沟通。下丘脑这里真的是瘦身战斗成败的关键所在——它联系着生理与心理上的进食需求。

众所周知，情绪性进食并不会吃芹菜。情绪性进食是一种失去控制、毫无节制的大吃（进食品种往往是从你的食物记忆库中选取的）。我们会把所有的小甜饼都消灭干净，因为它们看起来很棒，味道更棒。

这是一种对食物的渴求，人们渴望吃的食品通常富含淀粉、糖、盐或脂肪。下列大脑分泌的 5 种化学物质对我们的情绪产生主要影响，它们不仅是我们之所以在某些特定情形之下渴望进食的基础，而且还是目前和未来的很多瘦身药物的关键性化学成分。

请注意，我们有目的地避而不谈这些化学物质之间发生的错综复杂的相互作用及其非情绪性影响。化学物质间相互作用的复杂性——在这世上只有极少数人清楚——确实存在，不过却无助于你了解导致进食情绪的化学机制。为了理解导致进食的一些情绪和压力，你必须明白人脑分泌的化学物质影响着我们的饥饿感，而我们的心情是"为什么"进食的调节者。

去甲肾上腺素：这是决定原始人"搏斗还是逃跑"的化学物质。它决定你与剑齿虎搏斗，还是拼命逃跑，躲进自己的安全小屋里。

血清素：神经递质中的詹姆斯·布朗（灵魂乐的教父）。它让你感觉良好，是抗抑郁类药物的治疗重点所在。

多巴胺：人脑的游乐场。它是一种愉悦型回馈机制，对成瘾性物质尤为敏感。它还能让你感觉不到疼痛。

γ—氨基丁酸（GABA）：氨基酸中的"英国病人"（同名影片主人公受伤丧失记忆，因此人称"英国病人"）。它让你感觉麻木，对外部世界的反应性能力下降，是麻醉方法起效的机理之一。

一氧化氮：类似冥想类药物。它有助于平复身心。这种强效的神经肽通常是一种寿命很短的气体，还有让身体血管放松的功效。

现在，真正的问题在于：所有这些化学物质，与你吃不吃"好时"巧克力或果脯，这之间究竟有何联系？考虑这个问题的最佳方法很可能是以血清素为例进行说明。请把你的大脑想象成一台小型弹球机（见图8.1）。人脑有数以百万计的神经递质，它们彼此之间相互传递消息。当血清素神经递质（从鳍状弹球板）发出信号时，全体神经递质会把你感觉良好的消息传递到大脑各处。标志着良好感觉的弹球疯狂地在大脑里四处弹跳，沿路击打美妙感觉的标志性目标，畅快

健康提示

当脑部的血清素水平下降时，你的身体会感觉饥饿。出于自我保护的目的，机体对碳水化合物的渴求会像12岁的孩子渴望一亲偶像那样强烈。机体在长时间未进食之后，脑部血清素的含量会迅速下跌，这促使你要拼命把食物往自己身体里塞。有些人通过补充5—羟色胺以维持血清素水平，这是色氨酸的一种分解产物，可以转化为血清素并刺激血清素的分泌。在一项为期6周的研究中，一组瘦身节食者服用5—HTP，体重平均减轻了5.4公斤，而参照试验组则人均减轻了1.8公斤体重。尽管这种补品的副作用之一是反胃、恶心，然而服用300毫克5—HTP的女性有90%反映在节食时容易保持饱足感。

得分，此时人体自我感觉良好的信号最强。然而，一旦弹球板未接住弹球，任其滑落（也就是说，脑细胞截获了血清素，将其分解），你就会丧失刚刚那种无比欢畅的感觉。那么你的大脑会怎么做呢？再往机器里投一枚硬币，再玩一次。对于我们很多人

情绪食品

最近的研究证实了我们很多人一直以来都相信的事实：人们的情绪决定着所吃的食物。研究人员调查了人们的饮食结构，以证实个性是如何影响饮食的——从生理特性的角度看，我们的情绪有可能引导我们去吃某些特定食物。研究得出的结论是，很多食物都会发出特定信号。例如，处于压力之下的肾上腺有可能发出想吃盐的信号。那么，你的情绪和当时选择吃的食品之间，又有着怎样的对应关系呢？

大份家庭装

如果你选择吃……	你可能正觉得……
硬质食品，如肉类或坚硬松脆的食品	愤怒
糖类	抑郁
软质的甜食，如冰淇淋	焦虑
咸食	紧张
大块的充饥型食物，如饼干和意大利面食	孤独，性欲受挫
任何食品，一切食品	嫉妒

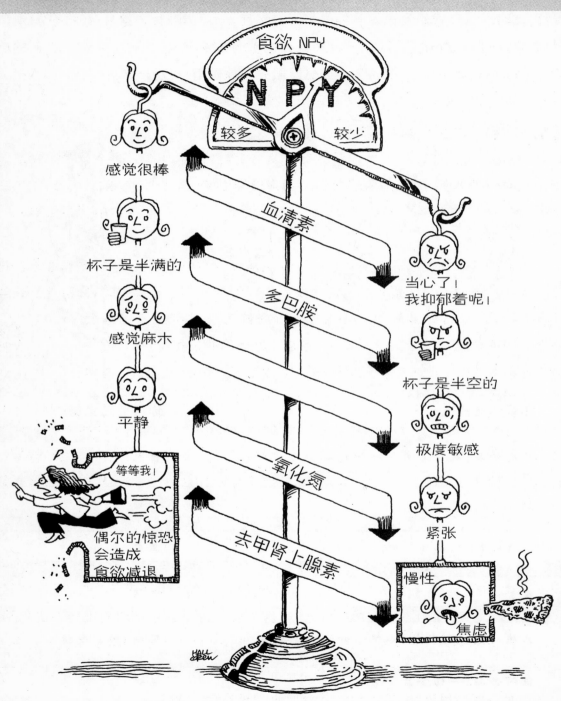

来说,这"再玩一球"往往是能够自然地(并且迅速地)带给我们美好感受的食物,以抵消机体感受到的血清素水平衰落带来的负面影响。

遗憾的是,我们满足再玩一球的渴望的方式,往往是选择能够即时令血清素飙升的食物。有可能与这种骤然上升相伴而来的是糖分的异常输入:糖能够刺激血清素的分泌。胰岛素有助于人脑分泌血清素,进而促进改善我们的情绪,让我们感觉好起来,或者掩盖了我们当时也许会感到的紧张、痛苦、无聊、愤怒或挫折感。然而,血清素只是这场游戏中的众球之一。人体内还有很多其他化学物质在互相作用之下,争先恐后地把食欲和对食物的渴望发送到一个又一个缓冲器上。

为了对具体过程形成一个整体上的认识,我们可以把这些化学物质想象成一杆秤的两端。当与正面情绪有关的化学物质处在上升(或激活)水平时,你就处于化学性兴奋状态。然而,一旦这类化学物质水平下降,人体就会经历大幅度的化学性情绪衰落(见图8.2)。**YOU 提醒!** 这让你处于焦虑状态,迫使你四处搜寻食物,尤其是简单碳水化合物,以期重新回到化学性兴奋水平。这也是非法依赖性药物的起效机理:使用者不停地寻求兴奋的感觉,却并不总是为了追求兴奋本身,而只是为了避免化学性情绪低落带来的负面影响。你不断要努力找回神经化学物质带来的舒适感觉。当这类化学物质含量较高时,你的体重会有所减轻;一旦含量下降,你就要吃东西,而所选择的食品往往会增加你的体重。

正是由于这个原因,在头骨以下发生的种种变化,对皮带以下发生的诸多故事发挥着至关重要的作用。了解你的情绪如何引导你的食欲,可以帮助你更好地抵制贪吃的冲动,并且在理想情况下,彻底避免贪吃。你的目标是:让带来良好感觉的激素含量维持在高水平,这样你将始终保持饱足状态,永远不会经历因激素大幅度升高和降低而致使你不断去找有益大脑却有害腰部的食品来吃。在下一章中,我们会对这个问题做进一步探讨——有可能导致进食、饥饿和体重增加的更深层次的情绪。

YOU 建议!

让饮食为健康服务　各种食物会对胃部、血液和大脑产生不同的影响。下面列出的一些营养物质都可能影响饥饿感的产生及相关的脑部化学物质:

※ 火鸡肉含有色氨酸,这种物质会增加血清素的分泌,从而改善心情,抗击抑郁,有助于抑制你对简单碳水化合物的渴望。

※ Ω3脂肪酸常见于鱼肉中,一直被认为是人脑助力剂和胆固醇清理者。不过目前也已经明确证实了这种物质有助于缓解孕期妇女出现抑郁症的问题。我们在下一章中会对抑郁症做进一步说明,这种健康问题会导致无节制的情绪性进食。由于我们很多人的Ω3脂肪酸摄入量都很低,这个原因也许可以解释有些抑郁症病例。

品尝风味　如果要吃对健康有害的食品,可以浅尝辄止,让食物在唇齿间运动,纯粹享受口感。我们建议食用一块含70%可可的黑巧克力,慢品冥想——这是一种有益健康的舒缓紧张的做法,也是用甜食奖励自己的方式。我们要努力找到让你感觉良好,并促进血清素分泌的小技巧,这样你就不会因为情绪大幅度波动而疯狂地找东西吃了。吃有害食品是可以的——偶尔为之。吃下的第一块巧克力并不意味着迅速长肉;一块下肚,就意味着已经收到整包巧克力产生的饱足效果。

睡觉　充足的睡眠可以让你保持苗条身材。**YOU 提醒!** 这是因为,如果你的身体每晚睡眠时间没有达到恢复精力所需的7至8小时,神经细胞无法分泌正常剂量的血清素或多巴胺,身体就需要想办法补偿。典型做法是很想吃甜食,甜食可以促使人体立即分泌血清素或多巴胺。缺乏睡眠会扰乱整个机体的正常工作——甚至会让NPY含量升高,从而增强食欲。随着年龄的增大,缺乏睡眠产生的负面影响有可能会越来越大。当人上了年纪,脑内的松果体的褪黑激素的分泌量会减少,让人想吃碳水化合物。

第 7 章

谁该惭愧？

节食无效的心理原因

瘦身误区

❖ 要是你有瘦人那样的毅力，节食就会奏效了。

❖ 努力节食瘦身而失败，总比根本不节食要好。

❖ 在节食瘦身时，你任何时候都不能多吃一点东西。

大部分节食方法与行动无关，它们都与念头有关。从本质上来看，节食迫使我们想想想，不停地想。节食迫使我们整天想着食物，更甚于囚徒成天琢磨着重获自由。你不得不想着热量、营养配比，或者何时再能吃上半块饼干。你总想着自己在挨饿，最后往往会形成两类典型的进食模式：你要么严格执行自己的节食方案，要么放弃。是豆芽还是上等牛排，是胡萝卜还是饼干，是黄瓜还是意大利辣香肠，要么什么都吃，要么什么都不吃。

打破误区从某种意义上看，我们一直以来都过分注重体重和饮食的内容选择，却没有对饮食方式和原因投入足够的关注。我们大多数人在努力减肥时，亮出了自认为最有力的武器——我们的大脑——以自律（"我可以抵御住这种食物的诱惑！"）和极度自信（"凭借我的智慧，完全能够拒绝这种食物！"）的形式，发动了一场心理层面的战斗。然而在本章中，你会看到事实真相是，存在着非常强大的情绪动机促使人类进食——因而导致大部分节食以失败而告终。从很多方面看，恰恰是我们的大脑，扮演着节食捣乱者的角色。

我们努力节食的本意在于减轻体重，却让自己陷入了屡战屡败的怪圈，让责备成了我们生活中的一部分。试问有谁没受到过指责？健康专家将全民肥胖的问题归咎于快餐店的面包和大号家庭装套餐；表面上，我们将自己的肥胖问题归咎于快餐食品（油脂含量高）、杂志封面（那些不切实际的完美身形是对我们的最大嘲讽，让我们每天吃着少得可怜的奶酪蛋糕，一边还自惭形秽，身心饱受折磨）、一周 60 小时的工作时间（让我们整日坐着不动）、柔软舒适的躺椅配上真人秀电视节目（让我们整晚坐着不动）、香肠（好吃啊！），或者中毒已深的乳酪成瘾症（不是一般的好吃啊！）。

然而，内心深处，你觉得由于你的大腹便便而应受责怪的人其实只有一个——你自己。

你在自责。

你责怪自己，破坏你节食瘦身努力的，并不是餐馆或食品生产商，也不是炸透的芝士胡椒薯片，而是你的意志。归根结底，防止肚皮撑断皮带的整个战役就是一连串体现意志反应的"要是当时如何如何就好了"——你察觉到无法控制自己拒绝那一年又一年、一天又一天、一餐又一餐、一口又一口顺着食管滑下去的食品。要是当时有毅力拒绝蛋黄酱就好了，要是当时在吃了四筒品客薯片之后停嘴就好了，要是当时有控制腰围的气魄、力量、自律意识、冒险精神、精力、动力和动机就好了，要是那样，你最终就会拥有理想的体形。

真的如此，你实际上就是把节食失败的原因归罪于自己的大脑。我们依靠自己的头脑来抵御诱惑，来做出明智的决定，来食用正确的食物，来更清楚地了解自己的健康状况，并且做出有益健康的生活选择。因此，我们很自然地要依靠自己的头脑来对抗自认为能够处理好的情绪——紧张、焦虑、抑郁（研究表明，受这几类情绪影响较深的人，往往更容易出现体重超重或肥胖问题）。因此，当我们放弃节食，任由身体如吹气气球般膨胀到挤不进大门的地步，我们会很自然地认为问题出在自己身上，认为是我们的意志力不够坚忍，才无法在控制腰围战斗中打胜仗。

节食失败的真正原因是什么呢？研究人员得出结论说，也许你的头脑确实意志力不强，容易受到外界因素的影响，但却不是因为你的行为引发的。至少从科学的角度看，过量进食的机制可能有点儿类似药物成瘾。事实上，有研究表明，肥胖人士大脑内甚至也有类似药物成瘾者的"奖赏中心"。

那么，打个比方说，你现在感到紧张，请注意，下丘脑和相关化学物质随着人情绪的变化而变化。当感觉到紧张时，人体会激活脑中一个称为"蓝斑核"的部位处的神经递质。你的身体做出反应，努力要让这些神经递质平静下来，对抗紧张。有些人依靠香烟，有些人依靠食物，有些人依靠性生活，有些人则依靠药物。如果用食物应对紧张，你还会激活脑部的"奖赏中心"。随着最初产生良好感觉的机制耗尽，你会再次依靠同样的东西来让自己感觉好起来，平静放松下来，这样的东西就是食物。正因为这个原因，紧张和焦虑这样的情绪会从神经递质的层面，让坚持执行节食计划变得越来越困难。

尤其值得注意的是，紧邻下丘脑的地方有一处称为乳头体的脑组织，此处分泌控制进食和饱足的化学物质 NPY 和 CART（由于乳头体的形状很像一对乳房，故得此名）。这里储存着食物的记忆，因此一旦接收到饥饿信号，大脑会进入食物记忆库检索，生成想吃过去吃过的某些食物的愿望——这些食物有可能都是有害食品。此外，胖人的脑部颅顶区——舌、嘴唇和口腔的运动控制中枢——的活动状况与瘦人不同。脑部扫描显示，当胖人难抵糖类魅力时，该区域会被激活。而瘦人脑部的该区域则始终处于休眠状态，这说明糖可以对有些人的情绪性进食产生影响，而对其他人则不管用。

假如你一直在努力为纤细腰部而奋斗，你很可能已经往自己仅 1350 克重的脑里存入了节食成败的所有可能情况。在你的认识中，节食是与敌人正面遭遇的一场恶战，节食的可怕敌人有墨西哥玉米卷、鲜美调味酱汁，等等。但是你不可能战胜自然的力量，有太多的激素和神经递质，它们的任务非常简单，就是"奉上大蛋糕和数磅体重"。如果指望自己的毅力或坚定信念可以克服这些化学信息的影响，等同于要努力用自己的小手指力量让火车停下来。

节食：回避问题

花一秒钟的时间，想象一下一群特别类型的人——肥肉疯长的极端例子。这些人往往都是典型胖子的理想写照——滑稽、和善、慷慨、有魅力、口齿流利、富于创造性，比完美钻石还要光彩照人——只除了一样憾事以外，那就是他们往往被误认为是一座四层楼高的仓库。（我们都会这么说："要是他身材苗条，就绝对称得上是完美无缺了。"）这让我们很苦恼。我们苦恼的是弄不明白体重问题的阴阳平衡所在。一个人的智慧足够分清玉米肉饼和苹果，或者其坚持不懈的努力换来了成功的事业，而正是同一个人，却又每晚躲在食品橱架旁，愚蠢地偷偷大吃奥利奥夹心饼干。

一定是有什么地方出了问题。

的确如此。不过，答案可能并不是像你自己认为的可以在赌城拉斯维加斯找到真爱那么简单。问题的关键并不是在腰带层面上的，而是与大脑的认知水平有关。也

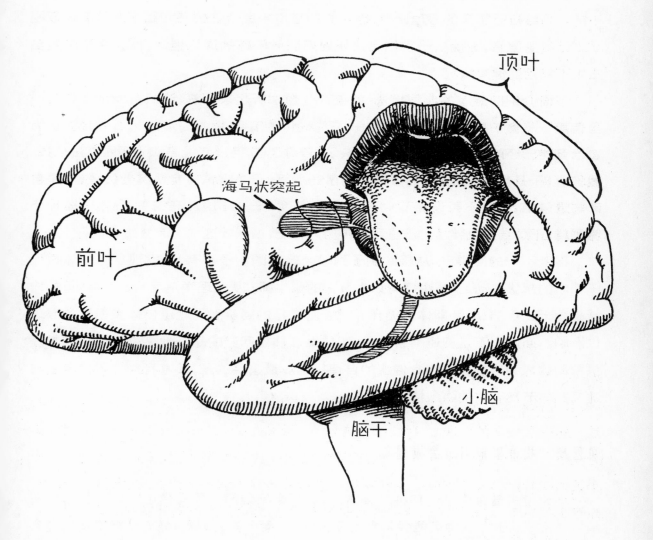

顶叶

海马状突起

前叶

小脑

脑干

许你很清楚自己有健康问题，腰围尺寸有海王星周长那么大；也许你甚至也很清楚，自己在应付自信、自尊受伤引发的情绪性问题时，会引来肥胖的并发症。**YOU 提醒！**

不过也许你不知道的是，你会变成所谓超重问题的回避者。由于体形问题给自己带来的心理压力，而所处的环境中民众在公开和私下场合普遍蔑视肥胖者，因此出于害怕无法处理好肥胖问题的深切担忧，你会完全回避自己的健康状况。

下面介绍回避者的典型想法（如果这些想法听起来耳熟，请点头以示支持）：一旦偏离——哪怕是稍微出现偏差——原先制订的节食或健康饮食计划，你都会认为自己可能已经前功尽弃了。（可以点头了吗？）这样，回避者就陷入了怪圈无法自拔：我们胖，于是努力减肥；我们做错了稍微一点点，于是害怕节食最终会失败，于是自动与世隔绝，于是不再谈论节食，于是不再节食，于是干脆放开约束，狂吃一公斤奶酪蛋糕，于是结果更胖了。于是我们再努力减肥，循环就这样周而复始地进行下去。

程度不一的回避者（从极端例子到较为轻度的例子都有）会发现自己的体重处于不断的起伏波动之中，频度有如牛背上的驯牛师。从生理学角度看，这种体重的增减是永无止境的循环（即体重循环）。然而，真正的回避者问题源自体重循环的心理性影响。回避者不是回避有害食品，实质上往往想回避的是其他事物——比如想提供帮助的人和努力实现饮食健康的自律行为。最重要的是，回避者努力要使自己与这两类与节食有关的强烈情绪割裂开来。

负疚感："我希望他们不会发现"。

不论过去曾经尝试过何种节食方法，你都毫无疑问地要与禁止"入内"的食物清单打交道。高蛋白饮食可能会禁食土豆；低脂饮食可能会禁食奶酪；无糖饮食也许会要你从此不再踏入可爱姨妈的厨房半步（姨妈都擅长做甜品）。正如被大人告诫不准碰香槟高脚酒杯的孩子一样，你不可避免地会想吃土豆，想吃奶酪，而且你会发现连续三次拒绝姨妈亲手做出的美味饼干太没礼貌了。但是，由于你已经列好了一张禁

图 9.2 **"天旋地转"的世界** 在我们与食物的战斗中,负罪与羞愧的龙卷风在人体的心理版图上登陆。造成的间接伤害是:我们的腰部。

食食品的清单，所以哪怕只是吃了半块饼干、吃了一大块干酪，或者吃了三小片薯片，你都会认为这是"一级节食谋杀"——节食计划宣告死亡。这时，负疚感就会油然而生——因为你清楚自己偏离了预先设定的节食标准。这一现象普遍适用于描述各种程度的回避者。我们都会感受到因为难挡食品诱惑而产生的负疚感，于是我们会在潜意识中认为，克服每天每餐都忍不住想往正在吃的胡萝卜上涂奶酪而带来的沉重负疚感，与应付体重超重带来的负面影响相比，前者更难，更折磨人。

羞愧感："哦，天哪！他们还是发现了。"

对于那些自觉愧对节食计划的人而言——"罪行"，不管是浅尝一块巧克力威化饼干，还是"背叛"节食，"亲近"做蛋糕的面糊——他们总会产生比负疚感还要糟糕的感觉。那就是与背叛节食有关的羞愧感。你有欺骗行为，因此会觉得自己缺乏坚持到底的能力。那么，你的伴侣和同事在过去 8 天的午饭时间都曾亲眼见证你只吃卷心莴苣。现在你做错了事，该对那些关注你节食进展的人说什么呢？好吧，说你节食失败了？还是你只能坚持节食一星期？你做错了一件小事，而且天哪，你竟然无法阻止自己不吃那讨厌的羊角面包？公开的羞愧感，或仅仅是暗自察觉到的遭遇尴尬的可能危险，都主要源自全社会对肥胖的普遍轻视。这种羞愧感——一种比负疚感程度更深的感情——会让你再次陷入回避的恶性循环：回避者这样盘算，安于天命做不节食的胖子，总比最终公告天下自己节食失败要体面得多。

研究表明，对于健康而言，根本不节食要比声称节食却在每次电视广告时段偷吃焦糖炖蛋更好。这是因为节食往往促使体重发生反复增减，是一场体重与食物的拉锯战，实际上这种现象与保持超重体重不变相比，对人体健康的危害性更大。（这很可能是因为大多数体重反复者，最终增加的体重往往超过减少了的数量，因而会饱受羞愧感的心理折磨。）

那么，如果你并不是那种一脚踩穿楼板的大胖子，却清楚自己该减轻些体重，你该怎么做呢？好的，假如你数年以来都在为控制自己的体重奋斗不止，那么你很可能已经经历过类似的负疚感和羞愧感，甚至还有可能遵循相同的行为模式：如果你无法完全遵守自己确定的节食方案，那么你干脆敞开肚皮大吃，就像一条身处站满了人的水域中的南美食人鱼，自由放肆地大吃特吃。

回避是一种正常的思维过程：当遇到障碍时，你不打算想办法绕行，而是转身沿原路返回起点。吃 4 根薯条会导致吃一把薯条，一把又会引出另一把。吃下两把薯条之后是："亲爱的宝贝，把那小袋薯条也递给妈妈吧。"大约 16 秒钟之后，你的负疚感会比没有拴绳的未阉割的狗还要激烈。不论你是以吃了一口、吃了一盘、还是吃了一餐的形式背叛了自己的节食计划，这种不守规矩的行为会摧毁一切。处理情绪性进食的技巧之一是活在当下，吃在当下——不要为自己过去吃了什么而感到不安，不要总想着你将来要吃什么。

人脑不适合"节食"的原因

遗憾的是，正是原本帮助人们减肥的方法，助长了妨碍体重减轻的行为和心理模式：节食助长了"要么什么都吃，要么什么都不吃"的心态。

原来，我们一向视为金科玉律的节食规矩，其实大部分都是骗局而并非一般普通的常识。就像充满视觉震撼力的诱人宣传片花制造的期待效果，远远超越电影本身所能传达的内涵。大多数节食方法的问题也不是出在预告上，问题出在情节上。典型的节食话剧开场都会展现一个英勇的节食者准备作战——正面直击敌人。主人公的武器装备是勇气、决心，还有一点儿其他因素。她全副武装，要与飞舞的巧克力圣代决一死战，以获得对食物的绝对控制权。然而，我们的主人公没有意识到的是，她所指望的秘密武器永远不会到来；擅长英雄救美的骑士杳无音信。因此，战斗变成了永无休止的痛苦折磨，让心理和生理极度疲劳，而与食物肉搏之后的所有努力，往往反而会导致胃口大开，昨天吃的 3 根芹菜茎和 1 个圣女果带来的能量光环迅速隐

你能抽空做些改变吗?

众所周知,改变生活既涉及精神层面,也涉及行为层面。研究表明,改变生活的最佳四步骤如下:

态度积极 适用于教练、老板、父母,以及腰部管理者。如果你因为体重问题而自责,如果你因为体重问题而闷闷不乐,如果你的心情比8月的地铁车站还要糟,那么你的首要任务是调整关注焦点。你需要考虑自己可以做什么,该如何去做,为什么这样做对自己有益,以及最终如何收获成功。在瘦身竞赛中,一本正经的自信心每次都能战胜负面情绪,无往而不胜。通过摆脱负疚感和羞愧感这样的负面情感,你会对自己进食时遭遇的障碍做出正确、理性(而且是长期性)的决定。

争取支援 你也许并不知道,你的世界中充斥着阴谋破坏者——这些人企图让你的身材变得比微软公司的保险箱还要庞大。这其中,有每周四例会时带糖果来的老板,有在你心烦意乱时奉上馅饼的朋友,也有建议用玛格丽塔酒配上烤干酪辣味玉米片来欢度周末的伴侣。或许他们都是出于好意,但问题是他们希望让你心花怒放的努力,实际上恰恰是要让你"伤心欲绝"。我们希望你做的——不,需要你做的——是培养一批支持你瘦身的亲友团。他们了解你的努力目标,清楚你所要应对的困难,理解你的弱点,明白你的优势。(身边没有这样的人吗?可以上网找找,包括登陆 www.realage.com)这样的亲友团将可以对你的节食苦乐产生共鸣,当你遇到困难时送上安慰,考验、测量你的责任感和使命感。通过公开责任——即时时汇报和交流每日的努力情况与成功进展——你的生活将更有可能实现永久性的改变。

摆出姿态 小手势(向过往的汽车竖起中指的情况不包括在内)有丰富的含义,可视为爱情信号的有之,可视为索贿信号的亦有之。标志性手势还可以促发心理上的转变。只要做一点儿看似微不足道的改变,就有可能决定长期性的最终胜利。不管这种改变是去买个计步器,加入健身俱乐部,还是买双慢跑运动鞋,把食品橱里的垃圾食品都扔掉,或甚至是在电脑建立文档记录节食进展。**YOU 提醒**!研究表明,假如你像这样迈出了一小步,将特定计划坚持执行下去的可能性就会增大3倍。这种小小的改变开启了腰部管理计划的点火器。(详情请登陆 www.mychoicescount.com)

马上就做 一旦以小姿态开始实施节食计划,说明你已经准备好了。每天都吃塑造完美健康的食物。每天步行30分钟,今天、明天,以后每天都是这样。不错,每天步行30分钟是瘦身努力的最低要求。(如果没时间一次步行30分钟,可以分成小时间段完成。)下面要再用另一个实际行动来证明自己的瘦身决心:每天的蔬菜摄入量加倍(或增为3倍)。一只脚先迈出那一步,后面一只脚自然会跟上。

退。我们的主人公需要来块比萨饼，还要快！

特写镜头紧紧追随着主人公继续拍摄。我们的主人公向上苍默祷，期盼获得内心的支持力量，可以打退食物暴乱分子的下一轮进攻。但是，就在她沉入内心宁静的冥想状态时，突然疾驶而来的卡车轰鸣声确凿无疑地将她拉回到现实。她满心希望那是一辆满载着饮食健康协会志愿者的军用越野车，以超酷的架势来拯救她，可来的却是一辆满载女童子军的小卡车，孩子们是来分发超强薄荷口味小饼干的免费升级试用品的。

遗憾的是，节食的思维定式大部分都源自我们自己最初设定的期望。在决定要开始节食的时候，你给自己定下规矩，你清楚各种健康参数，你清楚蔬菜是营养卫士，而饼干是冷血无情的营养杀手。只要你牢记人脑发挥作用的方式不仅有心理层面的，还有化学层面的，就可以引导节食的过程及期盼向着积极的方向发展。对于我们很多人而言，许多节食方法给我们留下的可踌躇摇摆的空间比性感时尚歌星碧昂丝的紧身裙还少，因为我们只有两种选择：遵从节食规则有奖，犯错则严惩不贷。

在我们生活的其他方面，我们几乎都会给自己保留犯错误的余地。有 70% 的时间被三振出局的棒球运动员都跻身"名人堂"；篮球运动员的投篮命中率只需达到 50%，就可以入选全明星阵容；律师不可能逢讼必胜；父母的决定并不总是正确的。事实上，我们所有人在日常工作中几乎都会犯错。我们从错误中学习，并努力改正，这样就会避免屡次犯同样的错误，或者至少可以想办法将损失降到最小。然而，当涉及到节食的问题，我们会告诫自己要像"蓝天使"特技飞行表演团那样精准，不容有失，不许出错。一旦我们搞砸了，哪怕只是稍稍偏离了原定计划，那也全完了。我们回到更衣室，脱去运动服，冲澡，比赛结束。节食计划宣告死亡，拿干酪罐来。

听从下面提供的建议，你可以学着重新设定自己头脑的工作程序，以摆脱因为进食产生的负疚感、节食失败时产生的负疚感，以及偶尔尝尝未列入健康饮食清单首选食品后产生的负疚感。同时，你一定能意识到，单单一根薯条或一块蛋糕，是不可能主宰你的节食命运的。是一而再，再而三，该死的停不了嘴的整个过程，最终导致了危险的脂肪和体重增加。

在刚开始执行我们提供的瘦身方案时，你确实不得不听从自己身体的需求，对自己的食欲和情绪做出明智的反应。然而，随着时间的流逝，你会学会如何正确地进食，并管理好自己的食欲。到那时，你将会训练自己的头脑不再困扰于正确的饮食——也不会在每每遇到困难时都要自我惩罚。

YOU 提醒！ 我们一直没有认识到的事实是：一旦不再思虑过度，你就不会再暴饮暴食。

心灵的作用

我们将食物作为解决急性情绪问题的方法，这已不再是秘密。工作压力会引导我们的手伸向装炸面圈的盒子。孩子们的撒欢疯闹会把我们赶到零食架旁。诸事不遂的一天会让我们用大桶冰淇淋深度麻醉自己。然而，要彻底斩断情绪与肥胖之间千丝万缕的联系，就好比是断言创可贴和冷敷冰袋能包治百病。事实真相是：受体重问题困扰的很多人，都有深藏于内的情绪问题，比太平洋中部海底都要深。通过进食的自我治疗方式，我们要努力满足提高机体精力的自身需求。

如果你也是这其中的一员，你不会很关心瘦素、饥饿激素和 NP——还有个字母记不清了，叫什么来着？

体重问题与自信心的关系比较大——那是一种扰人的担心，担心苗条身材是自己无法实现的美梦。我们怎么会如此清楚这种想法呢？不是通过调查研究——而是通过体验现实生活，通过分析我们病人的体会，通过"偷听"一帮吃炸面圈成瘾者的心声。现在，我们要走出严谨科学的象牙塔，探索医学研究尚未涉及的领域。因为以西方医学的观点看，与肥胖问题有关的精神情绪层面的深度心理问题，要"证明"其存在的真实性，根本就是相当困难的。

那么，让我们先从这里入手：很多人——尤其是女性——缺乏控制腰部的自信心。（事实上，女性不关心自身健康的最常见原因是，与自身的需求相比，她将他人的需要放在首位。）但是，我们可以更进一步——究竟什么才是自信？假定我们对自身价值的认识普遍源自两大方面：克服困难和达成某种目标，就腰部管理的情况而言，如果你无法克服困难（一盒炸面圈），而且无法达成某种目标（等到高中同学聚会时，自己的体重能减到理想标准），会发生什么呢？没错，你的自信心下滑的速度，会比暑期档重播电视剧的收视率下跌得还要快。为了恢复自信，你需要想办法克服困难并达成目标——而不要把衡量自己生活的标准定为不切实际的体重指标、腰围尺寸和苛刻得近乎残酷的进食习惯。

现在，让我们回到前文讨论的话题，看看自尊自信的情绪需求和对宽大服饰的生理需求之间的关系是如何发展演化的。在年轻的时候，我们都渴望在自己的生命中能拥有某种比日常工作、家庭、睡眠更深远伟大的精神寄托能够伴随我们终身。它也许是宗教信仰，也许是乐于助人的使命感，或者也许是全世界必将实现大同的坚定信念。与这个"它"是什么相比，我们更关心的是我们找到了生命中的那个"它"，并且努力探索"它"的深刻内涵。

心灵层面的满足感存在一定的生化基础。女性生产后，体内催产素的含量会升高，这种激素也会让你感到身为家庭成员、参与宗教活动或者顿悟自身存在意义时的归属感和无限欢愉。当催产素的含量上升，你会感觉内心平静。另外一种假想则认为，一氧化氮（不同于"笑气"一氧化二氮）这种化学物质影响着自信与安宁的感觉。满怀希望与乐观这类情绪特质与体内释放的一氧化氮有关。同理，一氧化氮的释放有可能促进减少焦虑与紧张这类负面情绪。但是，这种化学物质的效力只能维持数秒，因此你需要不断刺激机体产生正确的脑部因果连锁反应，以促进一氧化氮的释放。

心灵层面的满足感既涉及生化层面，还与可感知的实际生活有关。心灵层面的驱动力是深层次的——这种驱动力不是为了满足你的胃或肌肉或甚至是头脑的需求，而是为了满足你心灵的需求。

好了，好了，好了，我们知道你要说什么，你会说：你的心灵与你刚刚又灌下肚一整罐奶油之间，究竟有什么必然联系呢？

联系不少。

对于很多人而言,他们不会处理——甚至不会承认——这种对从未真正达到目标的渴望与不安感,反而会努力用饮食来填补心灵的空虚。由于无法满足自己的精神需求,你用暂时性的解决办法("美味的鸡")去填补永久性的虚空。

听起来挺耳熟的吧?我们敢打赌一定会这样。在你所追求的一切活动中,只有为数不多的事情是你可以完全掌握的,其中之一就是进食。你有充分的自由可以决定吃什么、在哪儿吃、怎么吃,是否穿着衣服吃。由于进食能够带来这种无比洒脱的自由感,吃会让你感觉良好。然而,奇怪的是,食物就好比油漆,你在用涂油漆的方法去修补房子地基上出现的裂缝。涂上两层蛋青色漆也许可以暂时掩盖房屋的瑕疵,但却根本不可能触及问题的根源。**YOU 提醒!**假如你就是这房子,这种暂时性的掩盖会掀起一场龙卷风般可怕的恶性循环,让你的生理或心理都永远无法感到满足。扪心自问,下面的做法会是恶性循环的一部分吗?

※ 你深切地渴求某样东西……

※ 一旦愿望满足不了,你就会通过吃来让自己的感觉好起来……

※ 但是你感觉依然糟糕,因为你的体重增加了……

※ 由于无法将体重减下去,于是你对自己说,你不配拥有美好的身段……

※ 由于你没有克服某个困难或者没有实现原先设想的目标,于是你的自信
　　心进一步滑落……

※ 于是你用食物来调理自己的情绪……

※ 当你找不到可以为之奋斗终身的那个"它"时,就又会用食物来自我调节……

特别值得注意的是,用食物暂时掩盖问题的那些人,有很多是希望生活在飓风中的。变瘦的念头让他们害怕,身为胖子给了他们堕落的借口、抑郁的借口、和巧克力棒纠缠的借口。

很多人就以这样古怪的方式对待自己的身体。那么,关于这一现象的原因,有没有什么科学说法呢?或者说,你为什么要这样对待自己的身体?你这么做也许是因为

这样的思维过程很保险，因为你的肥肉是具有现实与隐喻双重意义的保护层，可以将你与现实隔绝。如果你不断地为整日粘在椅子上制造种种借口，那么你就不必遵守现实生活的种种规则。要是你减肥成功就好了，要是你可以穿得下那件比基尼泳装就好了，要是你和家人远足时不会像刚刚越狱那样气喘如牛就好了。有人也许会认为肥胖就是失败，然而事实是，肥胖——对我们很多人而言——是一种回避失败的方式，因为肥胖可以成为永远拒绝竞争和拒绝参与现实生活的借口。（请注意，"要是如何如何就好了"是自"墨西哥胡椒"以来全世界最危险的语汇。）

那么，现在的你如果缺乏自体分泌的催产素，或吸入了高剂量的一氧化氮，又该何去何从呢？不要幻想自己把这页书翻过去，所有的自信心问题就会像节日街头的热狗卖得那么快。问题的解决需要一定的时间，不过我们也需要注意这场飓风也许正在准备刮来。我们并不要求——或指望——你可以解决它，我们只是要求你可以注意到自己内心深处的感觉，也许这正是大家的皮带已长到可以量出 5 公里公路赛的原因。你只要意识到自己也许正在把食物当作心理止痛片，就能提醒你避免这一现象的出现，也是解决问题的方法之一。因此，我们可以这样认为，情绪行李箱的保修证书已经过期。既然你知道这个行李箱无法再为你服务，就应该把它扔进心理垃圾站，永远地摆脱它的时候已经到了。

YOU 建议!

区别对待 显然,我们有些人是由于生理原因(就是饿了)进食,而有些人则会因为情绪原因(现在是早上 9 点 47 分,老板却刚刚要求你在上午 10 点前完成一份报告,你怒气难平)大嚼万圣节剩下的糖果。但是有时候,找出生理型与心理型进食之间的区别,却往往并非易事。为此,你需要进行 **YOU 节食**饥饿测试。在一天当中,用下列检测标准记录下你的饥饿程度。根据自己胃部提供的信息做出反应,而不要受到压力(孩子们疯狂打闹)、情绪(爱人又加班),或习惯(看雷诺车队比赛,一定要配苹果奶油蛋糕)等外部因素的影响。这一过程可以让你真正地感受到自己的饥饿,这样你就可以让自己的胃,而不是你的情绪,来决定你的进食习惯。

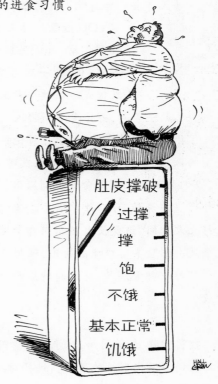

0 储量=饥饿 人会感觉好像自初一就再没吃过东西了,饿呀。

1/2 储量=基本正常 感觉还算不错,没有疯狂地想吃东西的那种冲动,当你驾车下班回家时也许会有这种感觉。

3/4 储量=有饱足感,不饿 在这种情况下,你可以坚持比较长的时间不吃东西。在晚餐前你刚吃过坚果,还喝了杯酒。

满储量=吃饱而惬意 在吃完普通分量而又有益健康的一餐后,你通常会有这种感觉。

S 级满溢=吃撑 吃饱后,你又塞了两勺布丁。

OS 级满溢=太撑 腹部的呻吟已清晰可闻。

BP 级满溢=肚子凸起/撑破 感恩节大餐之后的典型反应。你感觉恶心,甚至会无可奈何地埋怨起妈妈做的美味火鸡。

这个测试的目的在于,每当你发现自己不知不觉要去拿奶酪沙司酱或饼干盒时,就可以评估自己的饥饿程度。然后,考虑清楚自己去拿昨天吃剩的宽面条,究竟是因为真的饿了,还是一个与饥饿毫无关系的原因。在理想情况下,你应该始终让自己的饥饿程度处于 3/4 储量到满储量的范围之内——一直保持饱足感。通过有规律的日常饮食,你完全可以实现这一目标。(详见第四篇)在采用这些测量标准 2 周之后,你会本能地了解自己进食的原因,更棒的是,你还会训练自己进食纯粹是为了满足胃的需求——而不是情绪的需求。

坚持所选 没错,多样性固然是生活的调料,但却也有可能导致节食计划的破产。当面对琳琅满目的可供选择的食品时,你很容易不自觉地放弃良好的饮食习惯,受到火腿肉的引诱,落入有害饮食习惯的魔爪。在餐馆就餐,面前摆着一本电话簿那么厚的菜单,人就很容易向美食投降。摆脱脂肪炸弹轰炸的途径之一是:每天至少有一餐不做选择。将不做选择的一餐定为你总是匆匆吃完的那一餐,然后将此餐转化为生活中自然而然完成的日常事务。这对大多数人而言,一般来说是午餐。因此,找出自己喜欢的健康午餐饮食结构——色拉配橄榄油烤鸡肉、全麦面包配火鸡肉——每天午餐都坚持吃同样的配餐。每天中午都吃一样的。没错,每天午饭都这么吃。

YOU 提醒! 越来越多的研究表明,适当限制食物和口味的多样性,可以有助于控制体重。(请联想一下你养的狗:珀涅罗珀在日常饮食正常的情况下,体重保持不变。但是,一旦它开始大嚼晚餐吃剩的各种食物之后,这只小小的狮子狗看上去就像是一头体形硕大的藏獒。)奥妙何在?情况似乎是这样的:当你食用了富含各种口味的一餐时,身体要不断摄入大量热量以维持饱的感觉。(你可以想想感恩节的情形,当时你吃了很多不同的食物,肚子撑得饱饱的,却还是可以吃得下南瓜派。)因此,当我们接触到口味丰富的饭菜时——比如墨西哥菜或印度菜——我们往往会吃得更多,以满足自己味蕾的需求。不过,我们并不想让你对食物感到厌倦,如果你每天至少有一餐是固定不变的配餐,就会减少食物对你产生的诱惑,可以让你不再总是想着食物。事实上,我们通常推荐我们的病人一天中有两餐坚持天天相同。这是使大脑意识自动化的一种方法,自然地培养个人习惯。当然,我们并不想让你完全失去体验丰富口味的快乐,限制口味的做法是为了控制你的食欲。

另外一种方法是:选用超特级初榨橄榄油烹食,这种油口味比较平淡,可能会有控制食欲的功效。

找替代物 众所周知,对于回避者而言,进食就像兴奋欲狂的球迷一样毫无理性可言。如果我们都有能力做出理性的选择,选择对人体健康更有益的南瓜而不是红肉——那么数以亿计美元的节食产业将没有存在的必要。进食是一种情绪性行为,而且让人上瘾。一般人都知道炸面圈是摧毁身体健康的手榴弹,但是经过附近小店时,我们总要捧回家一打涂满奶油的"健康杀手",还没转过街角就已经解决掉了 3 个。此外,研究表明,工作压力最大的人,体重增加也最多。上述两大事实是对肥胖者的双重打击。因此,真正的关键问题在于,如何才能及时发现自己非理性、情绪性以及成瘾性的行为,并将其转化为明智、理性、有益的决定。首先,你可以列出有益健康的备选食物清单,把危害腰部健康的食品清理出自己的冰箱和食品柜,具体操作方法详见本书第四篇。

此外，你可以找些除食物以外的其他事物来满足现在由食物填补的需求。从传统意义上来看，人们的自我满足感有很大一部分源自我们对自身外在面貌的看法。不过这种满足感转瞬即逝，我们需要想办法寻找那些我们在生命中真正感激的事物，并投入精力关注——不论是家庭、事业，还是我们积极参与的一种爱好。

别让双手闲着 你一定以为，长期坐在电视机前打电子游戏意味着注定终身肥胖。然而，事实情

况却并非如此。研究表明，玩电子游戏实际上与肥胖无关。原因何在？原来，当你的双手紧紧握住控制器，手指飞快地运动时，你的双手不会有工夫紧抓那盒蛋糕不放。（有些游戏甚至还配有足垫，让你可以同时用双脚来发号施令，这样你玩游戏就等于在做全身锻炼。可以问问你们的孩子"跳舞机"是怎么回事，那就是可以用脚来玩的"健身游戏"。）不过，这并不是说，与"超级玛丽"保持亲密接触是瘦身的首选方法，这只是证明了比较重要的一点。**YOU 提醒**！当你的双手和大脑都忙碌着的时候——不论是打电子游戏，在花园里干活，还是接受切除脾脏的手术——说明你的大脑正处于瘦身的理想状态：不再想着吃的事，不会自然而然地去找某些东西来放进自己的嘴里。

禁止涉足"油炸食品"草坪

像这样步行 YOU 身体锻炼计划的根本在于每天最少步行 30 分钟（如果难以实现，可以分成三个时段，每个时段各 10 分钟）——而且做完运动后要告诉别人（没错，每天都要坚持做运动，不准找借口）。做运动不仅可以收到生理成效，而且还具有心理功效（实际上，心理效果甚至还要更明显）。请记住自信的源泉是：克服障碍和实现目标的能力。步行既可以克服障碍，也可以实现目标。**YOU 提醒**！步行 30 分钟：步行很容易，具有可行性，是能够坚持下去的——步行是为了脱离食品飓风包围，恢复正常生活秩序所迈出的第

一步。很多人觉得自己还不配享有减轻体重的权利,每天步行可以为你争得这种权利。向他人宣告自己的健身努力,可以让你为自己的努力成果感到自豪。

沉浸在自己的思绪中 不论何时,一旦你感到自己迫切想吃东西,只要坐下来考虑自己的生活,思考是什么驱使你拿起刀叉或打开冰箱,你会把那样东西塞进你朋友或家庭成员的口中吗?哭是可以的,思考是可以的,冥想也是可以的。事实上,你也许可以从自己的伤痛中学到有用的东西——而不是想着自己可以再长上8厘米厚的腹部脂肪来暂时缓解痛苦,这样做只会使情况恶化。对有些人而言,冥想或默祷可以增强他们满足自己潜意识驱动力的能力。

接受触摸 寻求与他人的积极接触,接触既要有生理层面的,也要有心理层面的。(记住人行道那一头人家的电话号码。)有科学证据表明,催产素的分泌增多有可能降低血压,缓解压力所产生的负面影响。研究表明,提高体内催产素水平的方法是通过调节CCK,这种物质有助于抑制食欲,还可以通过多接触社会和增加身体接触来促进催产素的分泌。因此,如果没有别的什么特别原因,为调节体内的激素水平而安排每周一次按摩,是很不错的健康选择。按摩有可能强化冥想和催眠疗法产生的效果——这些方法估计可以促进催产素的分泌——对瘦身有益。此外,虽然有关按摩的信息就和马拉松精英们的肥胖问题一样详尽,然而对被人触摸的恐惧以及催产素的缺乏,也许是导致滥用药物人士往往存在腰部管理方面问题的一个原因。

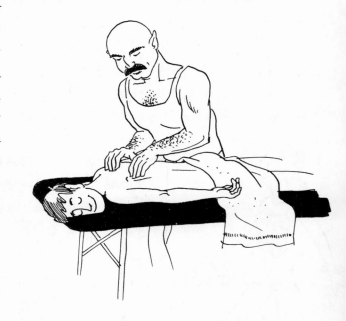

为什么问"为什么"?

　　事实上，你知道答案。你知道自己是否需要减肥，自己的样子看上去如何，自己的感受如何，还有自己是否觉得身上的衣服绷得比密封罐头还要紧。这些因素都可以帮助你做出是否需要减肥的结论。但是，为了能够做出改变——可以坚持下去的改变——你不仅必须了解你在过去都做过些什么，才导致今天不佳的外形，你还必须了解你为什么要虐待自己的身体，了解导致你腰围增大的情绪性和生理性诱因。首先，你需要自己做一个"为什么"测试——即不断地扪心自问，问题是有关自己体重的"为什么"，直到你了解到自己想要减肥以及减肥失败的真正原因为止。有关"体重为什么"的问答可能是像下面这样：

　　你为什么想减肥？因为我想穿得下以前穿过的牛仔裤。

　　你为什么想穿得下过去穿过的牛仔裤？因为我想更自信。

　　你为什么想更自信？因为我会感觉更好，就能努力结识新朋友。

　　你为什么想努力结识新朋友？因为我最近刚离婚，希望可以开始一段新的感情。

　　你为什么想开始一段新的感情？因为我感到孤独……

　　彼此相连的问答环节很可能到此为止——你可以将第一个问题与最后一个回答连在一起。你想减肥是因为你感到孤独，然而，导致你体重增加的原因很可能也一样：你感到孤独。

个性测试

没错,你可以这么认为:狂欢节上卖的裹着果汁糖浆的玉米热狗,确实与你快要被大肚皮撑破的腰带有一定关系。那么,最有可能危害腰部健康的破坏者是什么? 是你的种种借口! 现在,你可以做做下面这个相关的个性测试,来看看是什么样的态度和行为,有可能会妨碍你减轻体重并收获健康(完整测试请登陆 www.diet.com)。累计你打勾处的得分,看看你对于饮食和运动所持的态度,是如何影响自己的腰围尺寸的。

这像是你做的吗?	如果符合个人情况,请在此栏打勾	这说明你是一个……
进食模式		
"每天,我都要变换就餐模式,比设计师变换衣料、款式还要勤。"		常常漏吃三餐的人:漏吃三餐,进食没有规律或无固定模式。
"我白天吃起来就像沙丁鱼(食量小),晚上吃起来就像座头鲸(食量大)。"		讲究晚餐的人:在一天里,你摄入的热量有50%或更多是在晚餐和睡觉前这段时间。
"我最有可能吃东西的场所是:那里要有招待,汽车可以直接驶入的通道,或者要有送菜的服务员。"		便捷快餐的拥趸:你所有三餐都是包装食品、微波炉食品或冷冻食品。
"天哪! 水果和蔬菜的味道就像下脚料一样。"		拒绝果蔬的食客:除了极少数食品以外,你的饮食基本上就是肉类和土豆(或者是意大利面食、面包和甜食)。

这像是你做的吗？	如果符合个人情况，请在此栏打勾	这说明你是一个……
	进食模式	
"我需要点些抑制食欲的饮食。只要有食物与我的距离在5米以内，我就一定会把它吃下肚。"		喜吃零食者：除了日常三餐以外，无论何时，只要手边有食物，你就会吃上些零食。
"我盘子里的食物堆得太高了。至少违反了三条城市建筑限高规定。"		真正的大份食客：你吃得很多，吃得很快，而不管饮食是否健康。
"和朋友一起出去玩时，我会吃色拉，回家后则会扫荡食品柜。"		摇摆不定的食客：你会按照富含健康食品的严格饮食结构进食，但很快就会在美味诱惑前丢盔弃甲，大吃有害食品。
	运动模式	
"我很喜欢让身体活动活动，比如我会把回形针串在一起。"		沙发椅使用冠军：你不喜欢流汗，你其实并不真心喜欢体育锻炼。
"我不做运动，因为在健身馆锻炼的那些人和我相比，身材看起来都像超级名模或施瓦辛格。"		心绪难平的运动参与者：由于自认为身材不佳，你不喜欢在公共场合做运动。

这像是你做的吗？	如果符合个人情况，请在此栏打勾	这说明你是一个……
	运动模式	
"我喜欢运动，可是一旦没有运动，就会变得像一辆撞坏的赛车——很难重回赛场。"		要么全力以赴，要么无所作为的行动者：你会连续几天或几个星期努力健身，然后会有更长一段时间根本不做任何运动。
"在过去的三年里，我一直在做同样形式的健身，从未有什么改变。"		因循守旧的重复者：你坚持固定不变的运动计划，但却无法减轻体重，这是因为你的身体已经通过自行调整适应了运动计划。
"我担心自己会由于操作运动器械不当而受伤，使自己的健康状况恶化，或者假如我运动强度过大，会心脏病发作。"		脆弱敏感的屈从者：要么你会因受伤而不再运动，要么会担心自己也许会由于身体已经走样而受伤。
"我愿意锻炼，可我连刮胡子的时间都差点儿挤不出来，更不用说要在跑步机上活动20分钟了。"		善于推脱的运动员：你太忙了，而且心情沮丧，所以根本抽不出时间做运动。

这像是你做的吗?	如果符合个人情况，请在此栏打勾	这说明你是一个……
	应对模式	
"啊哈！我发现食物就像羽绒枕头一样教人舒服。"		情绪性进食者：当你感到紧张、焦虑、疲倦或抑郁时，都会吃东西。
"就我的衣着安排而言，我已经有了一个周密的遮掩计划——我为自己的身体状况和身形而感到羞愧。"		自我审视者：你为自己的身材感到惭愧，很难将自己的身形与自信割裂开来处理，这样就影响了你所做的日常决定。
"我是节食者中的苏格拉底——与通过实际行动瘦身相比，我会花更多的时间考虑自己减轻体重需要做哪些工作。"		坚定不移的拖延者：你很清楚瘦身的重要性，而且明确表示自己想减肥，但你似乎永远不会付诸行动，因为总有其他事情发生，延误计划的实施。
"我的戏法变得比马戏团表演者还要多。排在我的任务列表最末位的是什么？是留给自己的时间。"		服务大众者：你天性和善，对家人、朋友和同事具有责任感，全心奉献，但是你总是将他人的需求放在自身需求之前。
"我的生活节奏很快，我的任务清单长得就像小说一样，我找不到生活的制动闸，生活节奏片刻也慢不下来。"		快节奏生活的人：你的身体具有"多任务处理"的功能，不会抽时间考虑或计划如何改善自己的生活方式。

这像是你做的吗？	如果符合个人情况，请在此栏打勾	这说明你是一个……
应对模式		
"为了减肥，我试遍了各种方法，但是没有一样管用。什么都不管用！"		满心怀疑的节食者：你说自己已经试过了所有瘦身方法，什么都不管用，那么可以看出，你已经产生了一种不利于自身健康的态度。
"你问我的工作怎样？很棒。家庭生活？再好不过了。我期盼着自己的瘦身计划也能收到同样神奇的效果——但是进展却总是不能尽如人意。"		反应过度的成功者：你的家庭和事业都获得了成功——而且还期盼着自己的瘦身努力能够收到同样的效果。然而，你永远不会感到满足，你设定的高期望值会让自己感到沮丧和气馁。

经作者本人同意，上述表格改编自库什纳医生的《个性类型饮食》(由圣马丁出版社出版)。

自行核分 将食物(进食)、情绪(应对)和体育锻炼(运动)各栏的得分分别加起来，得出三项总分。得分最高的栏目是你需要特别注意的方面。任何一个栏目得分在4分或4分以上，说明你一定要注意该栏目。因此，如果你的食物总分为6，情绪得分为4，而运动得分为2，那么你需要关注食物和情绪方面，不过别忘了每天要步行30分钟——不准找借口。

不要回避这项测试

回避者往往会产生力不从心的感觉，如果自己获得了负面评估，就会极其敏感，这种现象应该没什么好奇怪的。假如你的个人情况符合下列言论中的四条或以上，那么这就说明你有强烈的回避者性格倾向。

※ 我回避涉及密切人际交往的工作和活动——这不是因为我担心自己使用的香体剂浓度不够，而是因为我害怕受到他人的批评或拒绝。

※ 除非我事先知道别人会喜欢我，否则我在参与人际交往时会犹豫不决。

※ 当身处社会公共环境时，我会觉得自己比视网膜脱落的裁判还要无能为力。

※ 只有灯关了，我才会脱去衬衫。

※ 我所接触到的全部社会环境感觉都像是高中，我很在意被人批评或拒绝。

※ 我不参与具有冒险性质的活动，因为我最大的恐惧就是要冒丢面子的风险。

※ 当面对新的人际关系时，我的感觉就像是在海边沙滩上一样：羞怯内敛；如果可以躲到其他地方去的话，要我做什么都行。

第四篇
YOU饮食与运动计划

将成为终身性和自发性的
饮食与运动计划

第 10 章

为健康转弯

改变你对饮食的所想所知
——并且改善你的生活

看到这里,你已经可以不必成为像居里夫人那样的科学家,就能理解化学物质的神奇力量。而且你已经意识到,如果要用强力来调整体内化学物质的平衡,只会让你处于明显的劣势。你很清楚脑部和身体内的化学变化发挥着十分重要的作用,可以决定你的一切,从行为到情绪。但是,你还有可能通过较为微妙的方式来改变身体的化学环境。例如,我们可以以在社会群体中的人际交往和积极的思维方式为例。有证据表明,这类行为能够改变体内的血清素含量,让你自我感觉良好,抑制食欲。只有像这样,你才算真正运用了自己的头脑以及一切不可感知的抽象概念,如毅力、自律和动机——从而通过其他的更为具体的方式以与人体发生的化学变化实现互补。这些积极行为会帮助你克服生活道路上将会不时遭遇的黄油障碍。

在即将开始介绍 **YOU 饮食计划**之前,为了让你理解如何运用情绪为自己的健康服务,让我们再次深入一个典型节食者的头脑——比方说是一名女性。体重超重的心理特征之一是很多节食者——即清楚自己需要减肥并且愿意减肥的人——身体感觉总是有点儿不舒服。没错,她的体重也许比 18 岁时重了 10公斤、15 公斤、20 公斤或更多。可是,她也许已经习惯了自己生产之后的体重,她很喜欢星期五和朋友们一起吃午餐,或者她不愿意再审视自己的一衣橱衣服,因为她已经很难找出一件自己穿得下的。**YOU 提醒!** 这才是真正的她——她安于现状,很满意自己目前的生活状态,而不愿意经历努力减轻体重所带来的痛苦挣扎和艰苦锻炼。(更不必说还有负疚感和羞愧感了。)

因此,这位节食者有两种选择:她可以继续待在自己目前所处的小山山顶位置,而且感到惬意(相对而言);或者她可以努力向着不远处美丽山峦的山巅进发——她所有瘦身目标的最终目的地。在那里,她会发现自己的身形尺寸缩小,所穿的比基尼泳装只有叶片大小,让自己显得性感迷人,去医院看病的次数减少,还很有可能降低身体健康风险,生活质量明显改善。也许,那里才是她真正理想意义上乐于到达的地方。然而问题是,从小山顶的舒适区域到山巅,这一路可绝非坦途。为了到达那里,她必须偏离自己目前所处的舒适水平,顺路而下,路上会遭遇一些崎岖的地势,然后又要不断地向上爬,沿着似乎难以逾越的陡坡向上攀登。于是,她会问自己:到达理想

的巅峰需要经历这么多艰苦的努力,是否值得? 我目前所处的位置不是已经很舒服了吗?

以上就是节食者在尝试了一两次之后的想法。安守身材不够理想的现状,总好于经历短期的令人有些不适的转变过程——比如开展体育锻炼项目,或不去送餐到车服务的餐厅,或改换日常饮食,或不时体验烦躁不安和饥饿。对于很多节食者而言,在努力瘦身的道路上很难辨明方向。于是她们就调头回去——迅速地——回到最初的小山山顶,恢复原有的舒适水平。(通常这座小山此时都会变得更宽大,既是心理上的,也是腰围变化上的。)事实是,大多数人都不愿意面对在到达山巅过程中所要遭遇的挑战,即使山巅会展现健康改善和自信心增强这样的美景。

那么,我们必须要做的,是把桥建起来——明智选择饮食的桥、运动自律的桥,或者聪明努力而切忌蛮干的桥。我们必须灵活运用技巧和方法来加固这座桥,让你在不小心踏错步子的情况下,不至于彻底堕入巧克力、奶油、杏仁糖的无底深渊。我们具体该怎么做呢? 开始动手干吧! 从现在开始。我们的小举动有可能带来大变化。

有时候,我们认为应该把着手实施计划的动机放在首位,但是很多时候,动机出现在行动之后:做个小改变(不管是每天步行 30 分钟,还是晚餐前吃坚果以维持饱足感),突然有一天,你会发现自己拥有了做更多改变的动力——以及成功的动力。

我们主要是想教你如何避免产生与节食、饥饿和可恶的体重秤相关连的不适感觉,让你可以尽量没有痛苦地顺利通过瘦身引桥。通往顶峰的旅程可能有点儿像登山的感觉,但是你不应该觉得自己好像在一路下滑,直堕谷底,然后再一切从零开始向上努力。我们会运用 **YOU 饮食与运动计划**以及相关技巧来造好那座瘦身引桥。

YOU 建议！

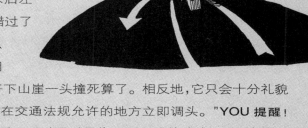

念 YOU 调头咒语 如果你开过装有 GPS 卫星导航系统的汽车,就应该知道那是怎么回事。输入你所要到达的目的地,系统———利用卫星确定你目前所处的以及最终要到达的位置坐标———会准确地、及时地、实时地告诉你该怎么走。400 米后左转,一直走,不要偏离车道。不过,假如你不慎错过了一处转弯口,或转上了错误的街道,会发生什么情况呢? GPS 不会痛骂你,不会责罚你,更不会因为你不慎错过了第一大道而要你直接开下山崖一头撞死算了。相反地,它只会十分礼貌地说:"下一步,在有可能的情况下,请在交通法规允许的地方立即调头。"**YOU 提醒！**GPS 实事求是地明确了你的错误,然后只不过要引导你回到正确的路线。GPS 允许犯错,并且在你出错时努力协助你改正错误。

这就是我们希望你能拥有的精神状态。你总会转错弯的。你将在热狗前左转,在蓝莓派前右转,不时还会驶上香蕉、坚果、薄烤饼配上香肠馅饼的州际公路。这是否意味着你应该直接开下节食的绝壁山崖,堕入自我毁灭性大吃的脂肪裂谷? 当然不是。这意味着你往后要更注意路旁的标志和如何到达最终目的地的指示说明。这还意味着,每一次你舔掉手指上的一点儿生奶油,都不可以用一篮子羊角面包来作为"惩罚"自己的方式。那么,你所要做的———从现在开始就要做———是承认自己将会面对困难的事实。我们要拒绝回避者和失败主义者的精神状态,他们一旦做错了一个决定,就马上全盘放弃健康的饮食计划,我们应该要勇敢地面对自己的错误。具体该怎么做呢? 不停地默念 YOU 饮食咒语:

"下一步,在有可能的情况下,在交通法规允许的地方立即调头。"

"下一步,在有可能的情况下,在交通法规允许的地方立即调头。"

"下一步,在有可能的情况下,在交通法规允许的地方立即调头。"

然后,回到正确的路线。

扼杀健康进食安排的,并不是偶尔吃的甜食或比萨饼,而是在最初犯错之后出现的一系列行为。默念上述咒语可以引导你回到原路上———你会了解到,自己有可能会犯错,然而错误是可以改正的,不要苛责自己,你可以克服困难。这样做为什么有效呢?

※ 当你陷入艰难的进食处境时,这种方法给你提供了一根精神手杖。

※ 它提醒你始终保持自信积极的态度,你会很清楚第一次犯错并没有什么可怕,可怕的是出错时不知道该如何处理。

※ 它强化了整个瘦身方案的深远主题——努力管理腰部的原因。这一方案对你的健康所带来的长期性益处，要远胜于你向大盘美味投降所得到的益处。

了解自己的战斗体重 你以往衡量自己节食成败与否的最常见方法，极有可能是称称自己减轻了多少公斤。如果你已经减到了自己的目标重量，那么这场仗就算打赢了。如果没有，那就是你输了。然而事实情况是，从长远来看，我们所有人都会断断续续地增减少量体重，即使是我们正在努力瘦身的时候，也会发生这种情况。举例来说，人体内水的重量往往会由于我们所吃的食物品种变化而出现上下波动。很多碳水化合物摄入量低的节食者体重减得非常快，这是因为人体内缺乏碳水化合物，会导致肌肉中的糖原储备被消耗供能，随着糖原的流失，机体会相应地失去大量的水分；碳水化合物摄入量一旦恢复正常，糖原又会重新回到肌肉里，吸收蓄积水分。这就会使减轻了的体重又重新增加。因此，通过少吃碳水化合物来减肥，开头减轻的三五公斤体重，是由于水分的暂时性流失而出现的假性瘦身。

因此，你不应该给自己的瘦身定下一个单一的目标体重，比方说，66 公斤，而应该选择一个自己体重应该达到的范围。你可以选择一个自己可以接受的体重范围——比方说，64 公斤至 67 公斤之间（或者腰围在 78 厘米至 84 厘米之间）。当你把自己的目标体重告诉别人（不过并不是说别人都会问你）时，绝对不应该是一个确定的数字，你需要把自己的理想体重视为一个范围。其一，这样做可以允许体重出现正常波动；其二，这样做对心理胜利起到了关键性的作用：你可以不再单单依赖于某个武断的数字，简单地判断自己是大获全胜还是一败涂地。而且，设定理想体重的范围，还给你的头脑设定了正确的程序模式——你会提醒自己，身体应该接受变化。

定期自检 你可以用量具定期测量的方法，依据自己设定的体重范围来判断自己有没有越过理想体重／腰围的上限——量具形式不限，围绕腰部测量的皮尺、体重秤都可以。或者是，对了，你缠在自己腰上的那根会及时提醒自己长胖了的腰带如何？不论你使用何种自检工具，我们建议自检工作在每周六的中午时分进行，这样测量数值可以真实地反映你的体重和腰围所处的范围。你可以把自己的身体想象成一根橡皮条，在稍稍拉伸的情况下，橡皮条一定可以弹回原状。可是，如果拉伸过长，橡皮条就会失去原有的形态，恢复原状也更困难。

做好失败的准备——制定应急预案以防不测 我们的后车厢里有备用轮胎，以便一旦爆胎时，可以及时更换轮胎。我们的抽屉里总是放着蜡烛，以便一旦停电时可以应急。我们给电脑文档备份，这样电脑出现故障时就不会手足无措（我们有些人还希望自己备份的次数可以再频繁些）。这样做很好。应急预案给你提供了精神保障，让你能够应对不期而至的灾难。但是，有一种情况下，我们却不做后备计划，这就是我们的节食方案。我们吃了三天的花椰菜、鱼肉和水果，到了第四天举白旗投降，大吃双层汉堡外加超大份薯条。对于我们很多人而言，大吃有害食品就意味着我们的节食计划正式无疾而终——我们又重新回到自己最喜欢吃的三大类食品的怀抱：巧克力、薯片和巧克力薯片。

正确的做法是，着手制订节食计划应急方案——这个节食计划急救包适用于你在就餐时可能会经历由撞车引发的爆胎事故。按照下面介绍的"三步走"应急预案操作，你就能更自如地应对偶尔出现的意外和潜在的节食灾难。一旦你感觉自己要偏离腰部管理计划设定的轨道，就可以试试下面的方法：

※ **精神**：默念 YOU 调头咒语十遍。让咒语提醒自己，偶尔的行程中踏错路是可以的。你自己有能力控制局面，把身体引导回正确的发展方向，积极的增援和源自于克服困难的信心会带给你巨大的精神力量。此外，默念咒语的放松作用，还可以影响体内血清素含量向着有利于你自己的方向发展。默念咒语会转移你的注意力，而目前你正在全速向糖果驶去，转移视线正是你所需要的。

※ **生理**：做瑜珈运动或试试髋部伸展运动（参见 **YOU** 健身部分）。我们推荐做伏地拱身运动（见右图），四肢平衡全身重量，同时臀部向上拱起，整个人形成一个倒"V"字。这个姿势不仅可以让你重新集中注意力，让你有时间做深呼吸，提醒自己努力的目标是什么，还能够促进瘦身，因为当你头朝下的时候，要吃东西总是有点儿困难的。

※ **营养**：在冰箱里放一罐小胡萝卜、芹菜或凭个人喜好任选的爽脆蔬菜，或者是自己爱吃的一种苹果（没错，品种对我们个人的口味选择来说大有关系）。胡萝卜和苹果是最佳的抗压力食品，因为其一，它们具有一定的甜味，可以满足人的食欲；其二，当你恨不得要去咬老板的脖子时，它们让你有东西可以啃啃。这样的果蔬会成为你的应急食品——也就是说，当你感到愤怒、沮丧、暴跳如雷、悲伤或焦虑不安时，就会向这些食品求助——它们还会排解你因刚刚所犯营养摄入的错误而产生的负面情绪。

我们很多人都处于这样一种精神状态之下，即要么不"节食"，要节食就要力求完美。但是，这种心态恰恰埋下了失望与羞愧的种子。因为"完美节食"永远都不会成功，瘦身成功与"坚持"相伴而来——坚持应对挑战，坚持长远眼光，坚持在计划伊始就刻苦努力，自然而然地萌发出良好的生活习惯。

自动化 可以把你的腰部管理计划想成有点儿像你开车去上班一样。也许这是你第一天上班，面对的是新的城市、新的工作。你把车开上了高速公路，却发现高速公路已被挤得水泄不通。于是，你倒车回头，走了好几条岔路、捷径和旁路，最后终于发现了一条去上班的最佳路线。现在你不再需要地图了，你会自动地选择这条路线去上班，完全不必担心自己拐错了弯。这是自发的行为——而你选择健康饮食的方式也应该是一样的。当开始实施健康饮食计划时，你会遇到各种不同的路线，遭遇数次交通堵塞，也许甚至还会有点儿迷失方向的感觉。但是，如果你坚持走下去，就会找到正确的路线，就能自动实现自己的良好生活习惯，调节体内的化学平衡，让进食变成你所经历过的最便捷的旅程。

那么，我们应该如何自动实现自己的健康饮食呢？我们在本书中所介绍的工具可以助你一臂之力。（如果有读者跳过了前文未读，我们将在此列出主要工具。）

99 秒版

现在，我们都已站在节食赛跑的闸门前，是不是已经跃跃欲试，等不及要一显身手了呢？请浏览一遍 **YOU 技巧** 的作弊纸——技巧无论大小，都要看一遍——你将要运用这些方法来变革自己的饮食、运动、情绪和行为安排，还将其变为自发性的生活。这条大道直通你的美丽新生活，还有你的全新身体。

主要 YOU 法则
你需要记住：

崇尚优雅，拒绝蛮干
节食战斗的胜利，靠的不是拼命蛮干，而是运用智慧的努力。

让饮食计划自动化
在为期 14 天的时间里，训练自己做出恰当的选择，你就能重新设定自己身体的工作程序，这样你就不会为自己再次受到有害美食的诱惑，重蹈节食失败的覆辙，而痛苦不已了。

牢记腰部比体重更重要

腹部脂肪是与肥胖有关的健康风险的最有力指标之一。扔掉体重秤,改用皮尺测量腰围。

了解自己的身体

充分体会自己体内器官的奥妙所在,从而理解自己应该做什么,才能对它们产生积极影响。

保持饱足感

为了瘦身,你需要吃东西。

获得支持

将朋友、家庭成员或新结识的网友招入麾下,让他们成为你的瘦身同盟军。

理解错误是可以原谅的

只要你很快能够回到节食的正路上来,就说明你犯的错误其实并不算太离谱。

You 饮食计划

※ 为了促进饮食自动化,每天选择至少一餐,在饮食品种上做些变化,其余两餐每天都吃同样的食品。

※ 在一整天中要常常吃些东西,这样你就能保有持久的饱足感。反之,你吃得越少,身体就越有可能转变为挨饿模式,希望储存更多脂肪。

※ 审查食品标签。将饱和脂肪摄入量限制在每餐4克以下,避免食用各类反式脂肪。不买高果糖玉米糖浆(HFCS)或单糖类含量每份超过4克的食品。你要尽量避免摄入食品中所含的单糖类,这不仅因为其热量过高,还因为它们会导致人体内血糖的大幅度波动,让人陷入不断想吃高热量食品的恶性循环。

※ 食用含有纤维、健康脂类(单一不饱和脂肪和多不饱和脂肪)、全谷物类碳水化合物和蛋白质的食品,还有水果和蔬菜。餐前摄入少量健康脂肪(如一把坚果),可以让饱足信号从大脑送达胃部,这样你在进餐时就不会吃得过量。早上食用纤维,有助于控制下午的食欲。食用抗炎性

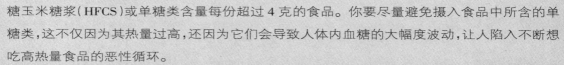

食品有助于抵消肥胖的副作用。抗炎性食品包括绿茶、Ω3 脂肪酸（常见于鱼类和核桃中）、咖啡、蔬菜和水果。

※ 进食前喝一两杯水。人体所感知到的饥饿信号实际上也许是口渴信号。

※ 常备应急物品，这些东西有助于遏制食欲，如维生素 V_8、一根胡萝卜、一个苹果，或甚至是口气清新剂。

※ 根据一级至七级的等级划分，记录自己的饥饿程度（一级表示极度饥饿，七级表示吃得极饱）。一天中，通过适度进食，尽量使自己始终处于三级至四级的范围内。

※ 已经证实，有助于腰部管理的两类调料是：红辣椒和肉桂。

※ 意识到犯错是可以理解的。关键是迷途知返，而不要用错误的方法来打击自己。尽快 YOU 调头，矫正调试自己。

※ 使用九英寸的餐盘。较小尺寸的餐盘等于减少一份的食量。

YOU 运动技巧

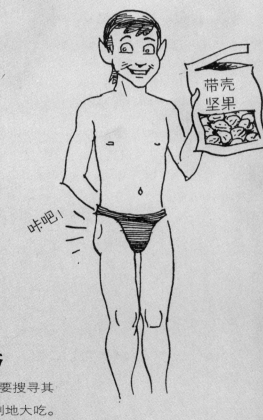

※ 每天步行 30 分钟。不要找借口，在步行后给瘦身同盟军打电话汇报。

※ 每天体育锻炼后做做伸展运动，放松肌肉，保持肌肉的柔韧度，可以防止肌肉受伤。

※ 无论何时，都可以做下面这项运动：吸气收腹，提臀内收，感觉好像要穿上一条很紧的牛仔裤。这个动作有助于塑造体态，增强腹部力量。

※ 站起身来，动一动。无论何时，只要你在上班时或在家里有可以活动的机会，就要利用一切机会运动运动。

意想不到的 YOU 技巧

※ 每晚睡眠时间在七到八小时之间。缺乏睡眠会让你要搜寻其他替代物，来保证脑部的化学平衡，这将导致无节制地大吃。人脑需要睡眠来更新相关的化学物质，甜食会加剧消耗脑部

本来已所剩无几的化学物质储备，让大脑无法释放出化学物质去补偿睡眠不足所带来的负面影响。

※ 玩电子游戏：可以让你的双手闲不下来，这样就不会有机会再去碰椰子松饼了。

※ 性生活健康、安全、一对一。满足了脑部一处欲望中枢的需求，有助于满足另一处欲望中枢的需求。

YOU 测量技巧

※ 量腰围。女性的理想值是 83 厘米或以下，男性的理想值是 89 厘米或以下。

※ 问问家人，你的父母和祖父母在 18 岁时是什么模样，这能让你对自己的理想体形产生感性认识。

※ 接受体检：血压、胆固醇、血糖和 C 反应蛋白（炎症指标）以及某些激素水平，具体检查项目取决于你的体重情况。

YOU 药品柜储备技巧

※ 每天服用两片阿司匹林（162 毫克），以减少动脉炎症的发生，降低与肥胖有关的健康风险。服药要征得医生的同意。

※ 如果在具体节食"施工"时，设计图纸遭遇了一处"腰部高原"，那么就需要向医生咨询瘦身处方药的具体情况。

※ 目前已经证实，下列补剂对腰部管理的某些方面有效：甲基吡啶铬、西柚精油、藤黄、仙人掌提取物、5—HTP、L—肉毒碱、Q10 辅酶、姜黄、加州希蒙得果、希蒙得木素。要想了解何种补剂更适合你，请咨询医生。

11

YOU 运动计划

腰部管理的真谛

世界上有各种类型的健身馆：家庭健身馆、饭店健身馆、女性健身馆、肌肉男健身馆，还有看上去很像 Spa 水疗馆的健身馆。尽管也许所有健身馆都是锻炼肌肉、心脏或欣赏紧身健美服的理想场所，可我们认为，有一家健身馆可以提供你所需要的一切：

你自己的身体。你的身体可以成为你的最佳健身馆。

说真的，你所需要的只有两样东西：你的身体和有关如何运用自己身体的知识。无需杠铃，无需哑铃，无需球类，无需脚踝负重，无需运动机，无需任何广告推荐的运动器械——只要有你的身体参与就可以了。通过学习并运用只需你生理哑铃参与的运动计划，你就已经拥有了自己所需的一切工具，让锻炼身体变得既轻而易举又自觉自愿。这是因为：

※ 使用自己的身体无需任何花费。

※ 你消灭了回避锻炼的最佳借口，比如需驾车、交通不便，或需要购买器械等。

※ 仅仅使用自己的身体，你可以锻炼到能有效实现腰部管理目标的所有肌肉——初级和高级锻炼都能做到这一点。

事实上，你可以进行完整的全身健身，实现机体总共三方面的全盘活动——力量、柔韧性和心血管功能——只要每周三次，每次做 20 分钟的简单健身项目（或将锻炼时间划分为更小的时间段，收效几乎完全相同）。而且，不论你的身体技巧水平如何，只要稍稍做些运动形式的调整，以更好地适应你自身的能力，从而自主地变换健身形式。

在详细介绍运动计划之前，请记住，你锻炼的原因是：通过力量训练增加精瘦肌肉；通过心血管训练锻炼心脏；以及通过伸展运动来增强身体的柔韧性。这些都可以有助于燃烧脂肪，减小压力，改善健康状况，缩小腰围尺寸。这些方法都不会让你的身材膨胀到"庞然大物"的地步。运动计划的另外一个意义在于：你将集中精力塑造身体的基础性肌肉——人体的这些核心肌肉主要负责消耗脂肪、纤细腰部和预防受伤。主要肌群有：大腿肌、胸肌、背肌和腹肌。

不论你是运动新手还是老将,刚开始执行本书 **YOU 计划**的人,都要首先从每天步行 30 分钟做起——无论何种情况都是如此。只有当你完全掌握了步行运动的要领,无论坚持多久都甘之如饴,这时你才可以开始实施下面的计划。每天步行 30 分钟就像每天的睡眠一样必需和重要,不论你的锻炼技能是专业运动员的级别,还是菜鸟水平,步行都会对你的健康有益。我们大部分人都不敢想象无眠有多么可怕。从衰老的角度看,一天不步行就和一天不睡觉一样有害。随着非步行型锻炼变得越来越容易,而你变得越来越强壮,越来越苗条,你就应该能够挑战自我,增加运动量,或者根据自身能力对运动形式做些微小但却重要的调整。

YOU 运动计划

每天:

※ 步行:步行 30 分钟。风雨无阻,拒绝借口。不管你是一次完成,还是把 30 分钟分成至多三个 10 分钟的时间段,都可以。

※ 伸展:暖身后(比如步行后),伸展 5 分钟,有助于拉长肌肉。下文 **YOU 健身**部分会详细介绍伸展运动,随后还会介绍瑜珈动作。

每周三次:

做 20 分钟 **YOU 健身**。按下列顺序做运动:一般来说,你会先增强肌肉力量,然后再伸展肌肉。如果要将健身时间划分为更短的时间段,可以根据个人需求安排,但是始终要尽量将锻炼身体特定部位的力量和伸展运动安排在一起进行——也就是说,做完锻炼双腿的力量训练后,要立即做伸展运动。此外,在每周剩余的四天中,你可以只做下文介绍的所有伸展运动(在标明运动项目的数字后有"S"的标志),可以将这些运动变为在步行之后进行的三至五分钟的全身性伸展运动。

健体塑形:如何正确地锻炼

1. 平视前方,或略向上看,可以避免颈部受伤,防止双肩前倾。

2. 调节面部肌肉:好像正准备打除皱针,放松脸部,不要紧张。

3. 放松双肩,挺起胸膛。

4. 假想自己的头顶被一根绳子拉着,可以拉长脊柱,防止身体前倾。

5. 大声报出每次运动动作重复的次数;这种报数可以促使你不断地呼吸,防止你屏住呼吸。

6. 收紧腹部,吸气提臀以支撑你的腰部。(每当坐上汽车、公共汽车、火车、飞机或进入电梯时,都练习一下吸气收腹的动作——这样做就可以使其变成主动自发的行动。)

7. 稍稍屈膝,这样不会造成关节锁死。

8. 在做肩部运动时,你要确保总能看见自己的双手(如果需要的话)。

9. 呼吸。很多人在做力量训练时都会屏住呼吸。

完全错误的锻炼姿势

10. 在运动间隙不停止活动,以维持较高的心率,或者直接进行下一个锻炼项目。如果说不出话来,这说明你的运动量过大。如果可以与人交流,而且能让对话者清楚地明白谈话细节,这说明你的运动量也许还不够大。

11. 随着你的身体越来越强壮,心血管训练要增长锻炼时间,而不要加大运动量;而力量锻炼则要加强力度。也就是说,重复多做几次非负重性运动,这将有助于防止过度运动造成的伤害。如果你确实感觉体弱,只要保持运动姿势不动,放慢锻炼节奏就可以了。在确保姿势正确的情况下少做几次,要比拖沓无力地做很多次动作更为重要。

20 分钟 YOU 健身

按顺序完成下列动作。根据自己能力水平的限制，对运动时间和动作重复次数做出相应调整。每种力量锻炼之后要做伸展运动，以拉松相应肌群，增强机体的柔韧性。在一周不做健身的其余四天里，你可以在步行后做些伸展运动（标志为"S"），作为一个短期性的柔韧性练习环节。下列每种动作都配有视频录像，详情请登陆 www.realage.com。

健康提示

在几个月之内，你的力量水平有可能提高 100%，但是情况也可能往相反方向发展。如果每周不进行力量型训练，身体内的肌肉成分将会不断流失，三个月后，力量水平会下降多达 50%，三年后则会下降 80% 之多。你可以把锻炼看作学习西班牙语的过程——你越是始终如一，其结果就越是容易水到渠成。因为你的肌肉没记性，就像你的头脑一样需要不停地锻炼刺激。

1. 转肩运动

消除肩部的纠结赘肉。

向前转动双肩 10 次，然后再向后转 10 次。"以划水姿势"将双肩向后压 10 次，再向前压 10 次。你的目标是让肩部完成全方位的运动。注意自己无法顺畅活动的位置，在双手划圈时放松该部位，努力张大。在每套动作的间隙，养成习惯前转双肩 5 次，再后转 5 次。

2. 胸部十字运动

增强胸部与肩部力量

（A）双臂尽量前伸，高度与肩齐平，双手摆出手握网球的姿势来回转动。（B）然后，伸直的双臂交于胸前，掌心相向（这样可以给双臂运动带来空气阻力），做一连串横向动作。（C）接着掌心向下，迅速地上下运动双手。每种动作尽量重复做 25 次。

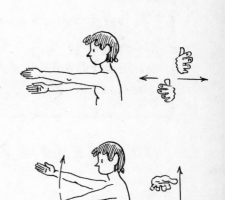

做好流汗前的准备

在开始进行体育锻炼之前,你需要的不只是一件弹力莱卡运动上衣。运动并不危险,但是如果你能了解保护肌肉和整个身体的一些基本原则,那么就会减小受伤的风险。

热身 在开始任何一项运动之前,你需要给肌肉预热大约5分钟,以防受伤。(20分钟**YOU健身**包括了热身运动在内,不过如果你参与了其他运动项目,就需要遵从相关指导。)请记住,你的肌肉就像是意大利面条,加热后都会变得柔软,而如果没有加热则容易受伤。慢跑、快走、骑自行车或借助较轻物件或无重物锻炼,都可以给肌肉做好锻炼前的准备活动。一条有用的准则是:热身时的运动形式与正式锻炼相同,但节奏放慢,或所持重物较轻。你的目标是活动自己的关节,使其做的运动形式与正式锻炼相同——以提高心率,让肌肉温度升高,从而增强肌肉弹性,减小受伤的可能性。有些人建议在运动结束时,应该通过慢跑、骑车或步行让体温慢慢冷却下来,但是与锻炼结束时只做伸展运动相比,慢慢使体温回落的方法是否可以更有效地减少受伤或肌肉酸痛,目前尚无相关证据支持。然而,如果你做的是剧烈的心血管锻炼,那么你确实需要慢慢让自己冷却下来,而不是在健身结束时突然停下来。要慢慢使体温回落,你可以做相同的锻炼形式,比如跑步,但速度比正式健身时要慢。

关注自己的肌肉 特别注意何处肌肉会紧张起来。你应该释放自己身体内的压力,而不是将压力转移到其他地方。最常见的情况是,人们会将压力转移到自己的肩部及前额。请注意这一点,深呼吸,关注自己锻炼的局部肌肉。

倾听自己身体的需求 在进行伸展运动的过程中,要始终确保自己放松而又缓慢地呼吸。如果在伸展肢体时感到疼痛,要马上停下来。(这不同于放松肌肉时会产生的些许不适感,实际的疼痛感应该是停止运动的告警信号。我们要的是肌肉内部的燃烧,而不是身体受伤的灼烧。)

穿对鞋子 你需要买一双适合步行的优质轻便跑鞋(进行力量型健身时应该光脚)。鞋底应该有优质的衬垫,可以有效地处理好在步行和跑步时从脚跟到脚趾的活动。最佳选择是:去跑鞋专卖店购买,鞋店里报酬过低的销售人员其实是这方面的行家。请那里的专业人士分析你的步幅,为自己的双脚挑选最般配的鞋。

3.(S伸展运动)击掌运动

扩胸

双脚成站立姿势,挺起胸膛,在身前击掌;然后将双手放在背后,再次击掌。在运

动过程中,将双手尽量举高。当在背后击掌时保持
挺胸姿势不变。像这样重复做 10 次。

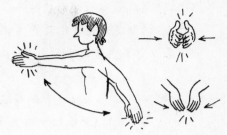

4.(S 伸展运动)臀部运动

拉伸臀部和腘绳肌腱

　　双脚平贴地面,弯腰前倾。单屈一膝,左右交替,同时让另一条
腿伸直(不过双脚依旧平贴地面),低下头去,释放自己所有的压力。
每边轮流伸展各 15 秒钟。

5. 俯卧撑运动

增强胸肌力量

　　确定适合自己的俯卧撑的"起姿",你可以用
脚趾撑地,也可以双膝跪地。身体向下倾,直至胸
部快要触到地面,随即托举上挺。在伸直手肘的
过程中,将脊柱尽量上举,以达到锻炼效果(还可
以锻炼你的背肌)。将脚跟与肩部之间的距离尽
量拉长,身体保持伸长稳定的姿势。不要让自己
的腹部趴到地上;可以吸气收腹,支撑自己的腰
部。这种运动可以释放腰部的多余压力。在做任
何运动时,都要紧紧吸气收腹,可以增强腹肌力
量。如果腰部有疼痛感,可以稍稍提臀,通过收紧

易

中等难度

难

臀部来使尾骨拱起。保持下巴稍稍抬起的姿势,眼光注视手指尖前 15 厘米的地方。
这样可以迫使你在做俯卧撑时锻炼到自己的胸部,而不会过度拉伸自己的颈部。尽
可能地重复多次(这被称为全力以赴的锻炼,有助于塑造肌肉中的力量蛋白质)。如
果这样做过于困难,只要在全身姿势保持不动的情况下,让自己的胸部离地就可以

基本训练

有时候,选择健身教练就像是买汽车——样子看起来肯定很棒,但是你真的了解其工作性能吗?尽管私人健身教练并非健身必备品,但很多人却还是喜欢在健身时接受一对一的指导。特别是因为教练具有丰富的健身经验及知识,以及必须定期向其汇报健身进展的责任感。为了确保你可以找到一名合格健身教练,可以按以下步骤进行:

※ 确定健身教练持有知名组织颁发的资格证书,这样的组织有美国体育医学学院(ACSM)、美国运动委员会(ACE)、国家力量与训练协会(NSCA)和国家体育医学学会(NASM),持有库珀学院颁发的资格证书也可以。

※ 做一下调查,看看他们是不是全职教员,而不是在工作间隙才兼职做训练指导。

※ 确保他们的激励方式(包括嗓音)适合自己的健身方式。有些健身教练比较坦白,而有些则善于安抚。如果他们的努力对你能起到鼓舞作用,你就会发奋努力,力求表现,实现明显的健身效果,这样瘦身战斗已经可以算是完成了十分之九了。

了。或者,你也可以做金字塔式俯卧撑运动:做 5 下俯卧撑,然后保持起姿 5 秒钟。接着做4 下俯卧撑,然后保持起姿 4 秒钟,就这样不断递减至 1 为止。

6.(S 伸展运动)胸部伸展运动

拉伸胸肌与双臂

屈膝跪地,向后深深坐下,保持上身挺直,双手手指交叉放在臀后,同时双臂伸直。双手上举,指节一侧朝向身体后方,同时尽量扩胸。让背后的肩胛骨尽量并拢,以充分扩胸。此时要利用呼吸为自己的健身服务,吸气让气体进入正在被拉伸的肌肉内。另一种方法是双手手指交叉,放在脑后,将双手尽量向外推。这两种方式中,脸都朝向前方。

7. 伏地保持不动

增强腹部和肩部肌肉力量

　　保持俯卧撑的姿势,手肘和脚趾触地,同时将双肩之间的部位向上推,腹部提气,把腰部撑起来。紧收提臀,双眼看着地面(如果你在这时突然想到自己忘记吸尘的家务琐事,赶快转移自己的注意力)。尽全力保持这种姿势不动。如果能够坚持 1 分钟以上,可以进一步加大难度,用下巴去够交叠双手的前方,做 20 次,或者可以努力用一只脚点地保持平衡。

8. 侧身运动

加强斜肌力量(腹部侧面的肌肉)

　　侧身,单肘支地,向上转动另一侧的髋关节。身体保持笔直,努力提臀。紧收腹部,尽全力保持这种姿势不动。换边再做一次。如果可以坚持 1 分钟以上,可以增加难度,让髋部不断做向下运动,使其碰在垫子上,然后再回到原处。

9. (S 伸展运动)上伸运动

伸展腹肌和侧肌

　　身体呈俯卧撑运动的贴地式"下姿",双手放在两肩下方,胸膛与躯干上挺,直至光脚的脚尖撑地,让上肢几乎与地面垂直。身体后仰以延展腹肌,同时让臀部处于放松状态。坚持 10 秒钟。然后头偏向右侧坚持10 秒钟,再偏向左侧 10 秒钟,再回到中间。

健康提示

强度最大的体育锻炼与活动能够消耗掉的热量也最多,这并不奇怪。下面是体育锻炼与活动的一些举例,以及一般人(体重为 90 公斤的男性,或体重为 68 公斤的女性)从事这些活动时每分钟消耗的能量情况:

体育锻炼	每分钟消耗的大卡(男性)	每分钟消耗的大卡(女性)
跑步,速度为每公里 6 分钟	22	17
游泳,运动强度适中	16	12
原地骑自行车,运动强度适中	16	11
举重,运动剧烈	12	9
速度为每小时 6 公里的步行	10	8
活动		
劈木柴	12	9
铲雪	12	9
园艺活儿	9	6
陪孩子们玩耍	8	6
给植物浇水	5	4
工作		
消防	24	18
建筑	12	9
按摩	8	6
看护	6	5
计算机工作	3	2

10.“三脚桌”

增强上背与臀部力量

双手与双膝平放在地上,手指分开,伸直指向前方。保持背部平直,与地面平行,让支撑地面的手臂的肘部微微弯曲。双眼向下注视指尖前方 15 厘米的位置。右手向前伸,左足向后伸,各自尽量伸长,让右手高于头部。你的手臂伸得越高,腰部用的力量就越大,运动的效果就越明显。然后,用右手肘去碰左膝。这样做 20 次,然后换边用左手臂和右腿重复上述运动。要增加该动作的难度,可以将手臂和腿呈直角地向外伸出,让手和腿高于脊柱,保持姿势不动 20 秒。在整个过程中,应该始终收紧腹部,把自己的腰部撑起来。

11. 超人式动作

增强背部力量

　　俯身平躺，向前伸出双臂，手心朝下。尽力向四个方向上伸展双臂，同时提起双臂和双腿，重复多次，直至产生轻度疲劳感。在活动期间始终向下看，不要尽力抬起脖子。这项运动是看你可以坚持多久，以保持自己身体的伸展状态——而不是你的肢体能伸多高。在上举时注意提臀，努力坚持 1 分钟。

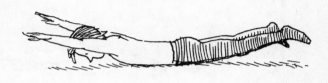

12.（S 伸展运动）麻花式坐

伸展中部以下的上背与髋部

　　坐在地上，双腿向前伸直。抬起右脚，让其落在左膝的外侧。为了支撑背部，将右手放在右侧臀部后方。让左脚趾竖直向上。举起左手，姿势就像是在做"停"的动作，下巴向下收。然后，身体扭向右侧，把左侧的三头肌靠在右侧大腿的外侧。为了加大运动强度，可以让身体的扭转幅度加大，给右侧大腿施加更大的压力。头部保持正直，就像是头顶被一根绳子拉住一样，可以拉长脊柱。深呼吸，让空气充满胸腔，就好像是吹气球那样。要集中精力呼吸，每一次呼吸都是深呼吸。

　　第 13 和 14 项运动的注意事项：在进行所有躺着做的腹部运动时，要让自己的背部平贴在地上。假想有一枚硬币卡在地面与背部之间，收紧腹部以训练胃部保持扁平。一旦你感觉自己的背部拱起，要暂时中断运动，让背部回到地面，尽量平贴地面，然后才能继续锻炼。如果背部平贴地面渐渐变得非常困难，可以暂时中断运动，尽量坚持平躺的姿势 30 秒。假想有一个哑铃与一根系着你肚脐的绳子相连，哑铃正

早晨的"头等大事"

伴随人们醒来的,并不只有咖啡、闹钟和摇滚乐播音员。很多人喜欢用瑜珈运动中的朝日运动迎接新的一天的到来:这是增强身体力量、拉伸身体肌肉和提高机体活力的一套动作。你可以把它视为开始全新一天的零咖啡因方法。按下图中的次序做两遍,在第二遍时换另一侧腿做。

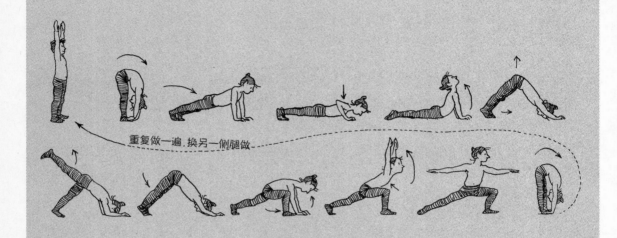

重复做一遍,换另一侧腿做

朝日运动

1. 身体成站立姿势,双脚并拢。双手并拢,手心相对,指尖上指。确保体重均匀分配在双脚上。呼气。双臂上举。身体慢慢向后仰,向上向内提臀,将双臂举过头顶。颈部放松。吸气。

在将你的腹部往下拉,拉向硬币。

13. 落腿运动

锻炼整个腹部区域

平躺在地上,双手放在胸口,双膝呈 45 度角,提起双脚。脚跟下落,碰到垫子,再回到 45 度角的位置。尽量多做几次(直至无法完成该动作为止)。一旦腰部开始向上

2. 身体慢慢前倾，直至双手与双脚平齐，呼气，尽量让头部碰到膝盖。双手下压，指尖与脚趾平齐(如果有困难可以屈膝完成)，触到地面。双膝稍稍弯曲，通过腘绳肌腱缓解背部压力，拉长伸展背部，不要拱起背部，以避免腰部问题。放松颈肩，让颈肩自然垂向地面。利用颈肩的自重来拉伸脊柱。

3. 身体变为俯卧撑的"上姿"，双手撑地，两脚脚尖点地，背部伸直。

4. 身体向下运动，变为俯卧撑的"下姿"，手肘弯曲，身体从头到腿保持笔直。

5. 在吸气的同时，抬头尽量向后仰，伸直双臂。为了让身体上挺的幅度更大，可以让身体向后拱起，拉高头顶，至足尖点地，同时提起骨盆。四个支地点应该是你的双手手掌和两足足尖。

6. 双臂保持笔直，抬高臀部，身体呈倒"V"字，将腋窝朝双膝方向下压，头与双臂并排。在运动过程中呼气。

7. 单腿保持笔直，提起右腿，使其与脊柱平齐。再做一遍时提起左腿。

8. 暂时回到倒"V"字姿势。右腿跨步向前。

9. 吸气，双手和双脚依然撑地，右脚放在双手中间。做第二遍时换左腿。

10. 抬头，双手上举，同时保持跨步姿势不变。

11. 拉开髋关节，向左转身，舒展双臂，右臂向前伸，左臂向后伸，让双臂与地面平行。

12. 并拢双脚，站直。保持双腿笔直，弯腰，上半身俯下身去。尽量让头部碰到膝盖。呼气。

13. 慢慢地起身，挺直背部呈站立姿势，回到姿势1。吸气，上举双臂到头顶上方。呼气，然后重复这套动作，锻炼另一侧的肌肉。

拱起，脚就回到45度角的位置，不断地将自己的身体向下压，让背部如同和硬币粘在了一起，到最终紧贴地面为止。运动新手可以每次用单腿下落。运动老将则可以伸直双腿做该项运动。

14. X型仰卧起坐

增强上腹部力量

　　平躺,双脚放在地上,双膝与地面呈45度夹角。交叠双臂枕于脑后,双手交叉分别放在另一边的肩膀上,在脑后形成"X"状。将头枕在"X"上,放松颈部(刚开始练习时,你可以用下巴夹住一个网球以提醒自己)。运

用腹肌的力量,将身体从地上拉起来,直至与地面呈30度角的位置。在自然呼吸的情况下,让自己的肚脐尽量有往地面贴的感觉,把肚子吸进去,以收紧自身的生理带(这处肌肉称为横腹肌),从而让全部六块腹肌变得紧实。同时,拉起自己的骨盆肌(就像憋尿的感觉)以增强生理带底部的力量。尽量多做几次,目光始终向上看。然后再做上伸运动(第9项运动)以伸展腹部。

15. 坐式腿部运动

增强四头肌力量

　　身体呈坐姿,双腿笔直前伸。屈起右腿,右膝朝上。为了保持背部平直,交叠双手放在右膝上。人体的整个姿态就像是头顶被一根绳子拉着,尽量拉长脊柱(头不要乱动)。左腿保持笔直,左脚趾向上翘起,向上提起至离地15厘米的位置。举左腿25次,然后再换腿做一遍。每条腿各做两遍。除运动的单腿以外,全身保持不动;如果要变换运动形式,可以举起腿左右摆动。

运动，每时每刻，无处不在！

训练完善体态——无论是坐着，站着，还是走着——可以通过收紧腹部实现(吸气，尽量让肚脐贴向脊柱)。 想象有一条直线，从自己的头顶一直通到双腿后侧的腘肌，确保颈部和肩部向后靠，而且使耳后以下的部位处于放松状态。注重培养良好的姿态，不仅能够增强机体的核心力量，还能够稍稍多消耗掉一些热量，因为你为了保持固定姿势不动，会付出更多的努力。如果发现自己的肩膀会向前收，可以试试在和人交谈时交叠双手背在身后。

16. "隐形椅"

增强整条腿的力量

背靠墙，身体摆出坐在椅子上的姿势(当然是在没有椅子的情况下！)，双手手心向上，搁在两膝上。如果可以在身下放一张矮凳，就比较理想了，这样你在锻炼完后可以扶着凳子或坐在上面休息。让双脚脚跟放在双膝的正下方，小腿与大腿呈90度角，双肩放松，向后靠，后脑应紧贴墙壁。保持这个姿势不动，坚持越久越好，努力坚持到 2 分钟。同时，放松面部，自然呼吸。

17. (S 伸展运动)大腿纤细运动

伸展四头肌

单腿站立，屈起另一侧膝关节，用交叠在一起的双手，从身后握住向后抬起的小腿(或用一只手臂扶住其他地方以保持身体平衡)。将脚尽量向臀部靠，同时向前挺胸，让双肩肩胛骨尽量往后靠在一起。大腿双膝处并拢。换腿再做一次。在锻炼过程中始终收紧腹部，以撑住腰部。每一次抬脚姿势要坚持 20 秒不动。

> **健康提示**
>
> 几乎所有类型的运动都可以加入一些锻炼平衡性的元素，只要稍稍调整其运动形式就可以办到。在双腿锻炼时试着用单腿做平衡支撑，或者做平躺运动时不用长凳，而是躺在平衡球上。

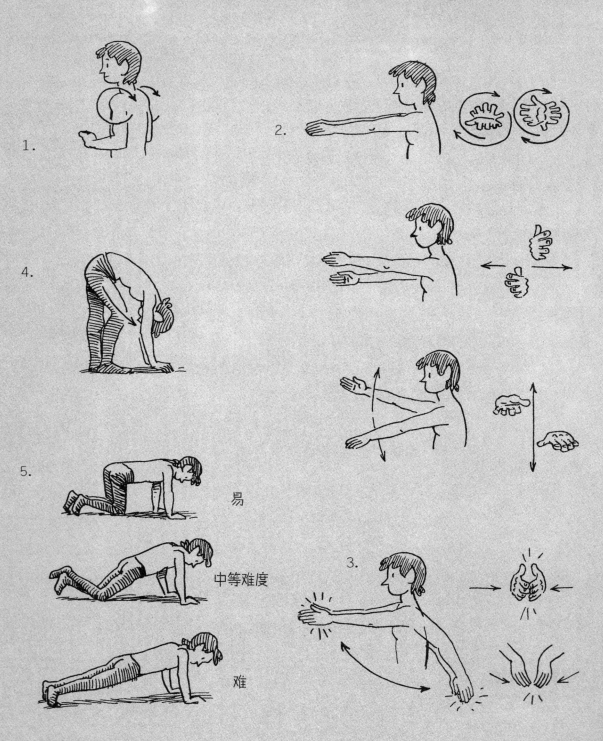

1.

2.

4.

5.

易

中等难度

难

3.

7.

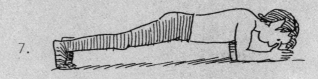

6.

8.

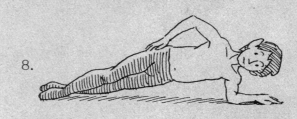

9.

10.

11.

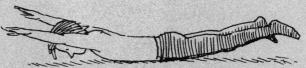

准备好自己的"运动装备"了吗?

已经迷恋上了流汗的感觉? 那么你可以考虑给自己的"生理健身馆"添置如下附件。

机体力量增强后:重物

尽管你可以使用家居物品来进行耐力锻炼,购置一对或两只哑铃也是可以的,随着你的力量不断增强,哑铃锻炼适用于练习跨步、蹲踞等运动。

家庭健身馆的最佳装备:健身球

一旦你在家中成立了健身基地,这种庞大的充气气球非常适合练习仰卧起坐,以及任何坐在凳子或地上完成的其他锻炼活动。健身球能帮助身体培养平衡感,锻炼腹部的固定肌。健身球还是很棒的练习伸展运动的器械。运动示例详情请登陆www.realage.com。

旅行者适用:健身束带

当你力量增强后,耐力束带可以让你提高耐力,健身束带体积很小,旅行时便于携带。

训练平衡感与灵活性:跳绳

跳绳价格便宜,操作使用简单。跳绳不仅能提高心率,还可以测试并改善身体的灵活性。

在家中进行的心血管锻炼:"跳跳乐"

要想锻炼心血管,可以慢跑、游泳、划船、骑自行车,或者只要是能让你的心脏大力跳动起来的运动都可以。如果你是非常配合我们工作的读者,那么我们建议锻炼心脏的最简单方法之一是跳绳,或是一种称为"跳跳乐"的小型蹦床。你可以把它放在床下,用时取出,在上面蹦跳一定的时间,这是不会损伤关节的短期心血管运动。(在使用前可以快速地学习一下操作方法,了解安全注意事项。)

多种锻炼形式的"帮手":负重背心

这种背心会给人体增加额外的重量,锻炼你的耐力(很多背心的重量都是可调节的,你可以根据需要调整负重大小,增减幅度为 0.5 公斤),你可以穿着负重背心进行各种主要运动,如跨步、蹲踞、仰卧起坐和俯卧撑。

心血管锻炼

在一周的锻炼时间里，你需要进行 60 分钟能使心率提高到最大值（220 减去你的实际年龄）的 80% 的锻炼活动。你可以选择进行下列活动：跑步、骑自行车、游泳、划船或使用健身器械训练。（剧烈的性活动也可以算在内，但是健身要求必须持续一定时间，所以，用性事来替代健身活动不太可能是个好选择。）在运动结束前的 1 至 4 分钟里，将运动强度提升至自己所能承受的极限，以达到最佳的锻炼效果。如果按照上述 **YOU 健身** 方法锻炼可以加速心脏跳动，那么这流汗的 20 分钟就可以算作你每周要完成 60 分钟的心血管锻炼的一部分。

请注意： 当你感觉仅仅借助于自己体重锻炼太过轻松时，可以加入耐力训练，托举哑铃或装满小石子、沙子或水的牛奶壶，还可以使用其他家居物件，比如盛满水的汤罐。

加大运动量：给锻炼加分！

仅仅依靠自重参与 **YOU 健身** 的方法属于纯力量和纯伸展性质的健身，然而我们也可以理解，有些读者也许正在寻找——或者已经准备好进行——附加运动。你可以把下列运动作为 20 分钟基本健身的补充。下述动作主要锻炼腿部、胸部、背部和腹部等基础性部位。你可以用这些动作去替换 20 分钟健身中的类似锻炼，或者额外加入这些动作。对于常去健身馆锻炼或在家中健身的朋友们来说，在锻炼时可以引入哑铃或其他健身器械。如无特别说明，动作重复次数一般在 10 至 12 次。

锻炼腿部的运动

跨步

身体呈站姿，双脚分开，与肩同宽，双手分别放在髋部，或提着重物。左脚向前迈出一大步，就像跨过池塘或小溪那样。然后，屈起左膝，让大腿与地面平行，以实现肌肉的高效耗能。（注意不让弯曲的膝盖超过下方的脚趾。）保持姿势静止不动，片刻之后左脚迈回原处，身体重新回到站立姿势。右脚跨前一

步，再做一遍。这个动作还可以增强身体保持平衡的力量。如果保持平衡有困难，可以让前跨脚的脚趾稍稍向内，这样身体就不会绷得太紧。在做跨步运动时，假想自己的脊柱上绑了一把扫帚，那么在整个运动过程中，你的身体可以始终保持正直。做上述动作还可以不用频繁换腿——用一条腿做几次，然后再换腿。这样膝关节承受的压力会稍微少一些。

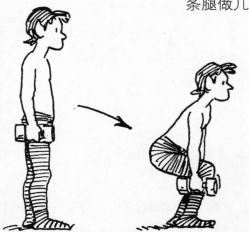

下蹲运动

身体站立，两脚分开，距离比肩略宽，双手提重物，或摆出科幻电影里的经典造型（双手交叉抱肩平举）。在整个运动过程中，让手肘始终与肩平齐。在保持腰部挺直的情况下，下蹲至大腿基本与地面平行（如果膝盖或腰部疼痛，可以提前停下来）。运动时的感觉应该好像快要坐上坐便器，但臀部还没有碰到的那个时候。保持这个姿势不动停顿片刻，然

后身体上伸,回到初始姿势。在整个运动过程中,目光始终正视前方。双肩始终向后扩胸,与髋部平齐。向下运动时吸气,向上运动时呼气。你可以在运动中加入耐力训练,举举哑铃或其他物件。还可以变换运动形式,下蹲至最低处时姿势保持不动,停顿 30 秒,然后再重复做几次。

上步敲击运动

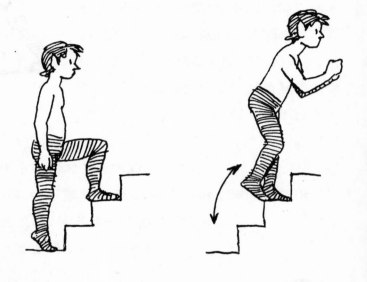

　　站在一段台阶前,让一只脚跨上两级台阶的高度,紧接着抬起另一只脚,跟着上步到同级台阶,连续敲击该层台阶 20 次,然后换腿再做。运用双臂推动身体上伸,就像短跑运动员那样。你应该几乎听不见脚上下敲击台阶的声音。敲击声越轻,消耗热量就越多,膝关节所受的冲击力就越小。

锻炼胸部的运动

俯卧撑变形运动

随着身体力量的进一步增强,你应该试试下面这些附加运动:

※ 呈倒"V"字姿势:双手双脚触地,臀部向上挺起,如同倒置的"V"字。双手与肩同宽,目光注视双手前方 5 厘米的地方,屈肘,用前额碰触目光注视的位置。然后再抻肘伸直双臂,身体始终保持俯身拱起的姿势。

※ 穿着负重背心运动可以增加耐力训练的运动量（大部分体育用品商店有售，或者可以试试网上购物，欢迎登陆 **www.thexvest.com**）。

※ 轮流举起双脚，举到离地 10 厘米左右的位置，做每一遍运动时弯曲膝盖，可以为这项运动引入训练平衡感的内容。

※ 单臂俯卧撑。哇噻！（如果你连这都做得到，呃，那还要看这一章干什么呢，"人猿泰山"朋友？）

锻炼背部的运动

躬身划船运动

站在椅子的斜后方，身体前倾，一手放在椅子上，另一手拿哑铃（或水瓶）。保持后背平直，握哑铃的手向上提起，向身后运动，手肘尽量向后向上伸。然后再尽量让握哑铃的手放松垂下，使其充分伸展以拉长肌肉，再重复做一遍。手在向上拉时，要保持背部与地面平行，双脚紧贴地面，身体不动，双膝微屈。要加速心率以实现高效耗能，可以使用分量较轻的重物做 100 下。如果难度过大，可以降低重物重量继续做。不过，身体在运动全程都需保持良好的姿态。动作姿势正确比多做几次运动要好。

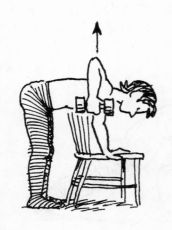
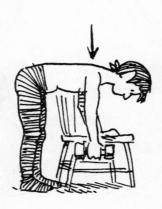

锻炼腹部的运动

仰卧起坐变形运动

※ 仰卧起坐时，在抬起上身的同时，屈起的双腿离开地面靠向自己的头部，同时注意向内推挤肚脐尽量贴地。（锻炼由三组各两块肌肉组成的六块腹肌肌群：三组腹肌分别是上腹肌、下腹肌和中腹肌。）

※ 双臂放松地交叠在一起，置于胸口。抬起双腿，让脚底朝天。双腿保持笔直，向上抬起尾骨，至离地 2.5 厘米的位置，再慢慢放下。（锻炼腹部下方的肌肉。）

健身球运动

※ 仰面朝天躺在健身球上。双臂伸直，尽力上举，双手合掌。双臂保持笔直，然后让二头肌转向身侧或耳后，合十的双手举过头顶，然后再回到上举姿势。除双臂以外，全身保持不动。

※ 俯身向下（面朝下）手肘撑在健身球上，保持肚脐位置固定不动。轮流左右扭动两侧髋关节，转动幅度为 5 厘米，再回到初始俯身姿势。

骑自行车运动

平躺在地上，双手轻轻地搁在脑后。抬起双脚离地，屈右膝，将其拉向胸口。同时，上身抬起，转动左肩靠向右膝。换边来回做。当换边时，放低的脚要悬在空中不能落地。摆好一肘碰一膝的姿势后保持不动，停留 30 秒。换边后再做，再停留 30 秒。你收腹幅度越大，身体上抬的幅度也就越大。要加大运动强度，可以保持一肘碰一膝的姿势不变，抬起伸直的那条腿，不断地抬高放低各 2.5 厘米的幅度，做 30 次。

请注意，千万不要陷入这样的思维误区——认为力量锻炼会让你的体型变得更庞大。你完全可以进行耐力训练，而不必担心自己会变成肌肉贲张的"威猛先生"。增强肌肉力量的真正回报是，你身体内的精瘦肌肉会稍稍增多，可以促使你在一天中消耗掉更多热量，加速人体的代谢速率。坚持锻炼的关键在于避免任何推脱锻炼的借口（为此，我们介绍的 YOU 健身方法已经排除了需要购买昂贵器械的借口），这样你就可以每周坚持投入 60 分钟，努力塑造、维护和拓展自身的"天然脂肪燃烧机"。

第 一 章

12

YOU 瘦身食谱

控制腰围的饮食计划

不管你是不是那种喜欢看书跳过情节，直接看结尾的人，这一章都是你想看的。欢迎来到 **YOU 瘦身食谱**——我们所提供的全新计划会帮助你做出明智的选择。即使你曾经做出过不太好的选择，我们的 **YOU 纠正**也会为你提供建议和策略。详细的计划将从第 240 页开始。不过首先，让我们先来看看我们的准则。

无论是在工作中，在学校里，还是在运动场上，我们都十分赞赏勤奋的人，但是如果您忙得什么都顾不上了，我们就会要求你立刻停下来好好关注一下自己的根本——你的身体。你未必总是会获得提升，被列入主任候选名单或者成为体育冠军。但是作为一种社会观念，我们总是把勤奋努力放在一切事情之上（大概除了每天早晨 7 点钟的一杯星巴克咖啡）。然而糟糕的是，正是"勤奋"这个原因才使我们社会的腰围膨胀得像土星的光环。我们总是期望只要一点点 X（努力）加上许多 Y（忍耐）就自然而然地到达希望之乡 Z（纤瘦的腰身）。但实际上，我们的身体机能并不是这样运作的。你不能指望通过"运动加节食"就能保持苗条的腰身，你越是努力地尝试节食（靠自己的意志力，坚决不吃猪肉皮），你的腰身就越可能变得比糖罐子还圆。

你手头一定有许多可靠而明智的节食计划，但我们这本书不是为了和这些节食菜谱竞争，而是为了给你提供健康减肥的工具，使你成功瘦身。当今的研究数据揭示了你身体的生物学奥秘，它会帮助你提高对食品和运动的判断能力。我们提供的科学事实可以帮助你在将来正确地选择节食和运动计划，就像添加软件程序一样简单。读过这本书之后，你就会对它有很高的评价，你再也不会担心节食没有效果了。不管你怎样想，你都应该知道这章写的腰部减肥与勤奋毫无关系。它与下面的两件事情有关系。

培养自主的习惯 你需要做的第一件事情是别再随意地生活，而是开始正规地、自主地和明智地生活。你可以通过这本书提供给你的工具重新调整你的身体。后面还附有一个为期 14 天的节食计划。这样，你的决定、你的食物选择和生活方式会成

节食计划之一

许多专家会告诉你：能够成功节食的关键在于控制食物摄入量。这是对的，但不是像你想的那样。我们主张你应该用九英寸的盘子，只吃食物中的健康成分，但用不着特意限制对热量的摄入，而是应该细嚼慢咽，慢慢来。如果你减慢饮食速度，就可以使大脑有充分时间分泌足够的"莱普汀"和"葛瑞临"（这是两种可以调节食欲的激素），使你达到饱足感。总之，你应该饮食适量，细嚼慢咽，达到饱足感（使用第179页中测量饱足感的测量标准）。如果你还感到饿的话，就再吃一点健康食品。

为一种愉快的，充满活力的体验，而不是一种负担。

调整修正 要使你的腰身从粗变细，你必须认识到腰部减肥并不是一个所谓"不成功便失败"的提议。这是一次遍布小路和死胡同的旅程，途中有许多岔路口（餐桌上的美食也会时常诱惑你）需要你做出判断。所以你需要心理和行动上的辅导，帮助你逐渐走上正轨。这就是我们的 **YOU 纠正**——让你知道遇到困难是正常的。只要你知道回到正确的道路，那么你就可以好好地计划你成功的腰部管理方案了。

有了一个饮食运作系统，我们还会给你另一个"软件"供你选择——**YOU 瘦身食谱**。这项健康膳食计划会将你的身体系统重新启动，使你学会明智地饮食。有了这项计划，你可以在两个星期内使腰围减少 5 厘米。

当你开始进行这项 14 天的计划（实际上这是一个很简单的 7 天计划，重复两次，就会成为一种自觉的行为）时，你一定要记住：你的身体是由成千上万个美妙的生化"乐器"组成的。这些"乐器"在你体内的"乐团"中演奏着各种不同的曲调和旋律。作

饮食窍门

在晚餐前 20 分钟吃上 15 克的胡桃和一杯你喜欢的汤。或者饮用至少 250 毫升水，并食用一茶匙亚麻籽。这两种方法都能使你产生饱足感，这样就不必在晚餐时吃得太多。

YOU 瘦身食谱表

饮食策略	三餐主食加上零食,你决不会有饥饿感。在睡觉前三小时不要吃东西。吃甜品要考虑一下,应隔一天才吃一次。
健康食品(吃掉!)	全麦碳水化合物;纤维;坚果,它里面富含多不饱和脂肪和单不饱和脂肪;蛋白质,比如精肉(最好是禽类);鱼类。
垃圾食品(扔掉!)	过多的糖、单一碳水化合物、玉米糖浆中的果糖、反式脂肪酸、饱和脂肪酸、非全麦面粉,精白面粉或强化营养素面粉。
饥饿时可吃	苹果、杏仁、胡桃、大豆、无糖口香糖、水、切好的蔬菜、低脂酸奶和意大利乡村软酪,或做好的本书推荐的汤替代食品。
替代食品	你可以根据自己的口味用各种水果或者蔬菜替代本书推荐的饮食计划或食谱中的原料。
饮食记录	你可以在 www.mychoicescount.com 上了解到有关食物的信息。

为一名指挥家,你应该指挥各种不同"乐器",共同演奏出美妙的旋律。**YOU 瘦身食谱**就像任何一首新曲子一样,你需要一到两个星期来学习和感受。等到一切熟练之后,你的"乐队"一定会有绝佳的表现。

补剂	每天服用一粒维生素以补充饮食的不足。(如果你能把药片一分两半,一天服用两次更好。)通过饮食和服用维生素,你能从中摄取1200毫克钙,600国际单位的维生素D,400毫克镁和300毫克维生素B$_5$。另外,每天吃2克Ω3脂肪酸深海鱼油和1/2茶匙肉桂。最后,一定要每周保证摄入10汤匙的烹饪番茄汁。
支持者	不要害怕将资深营养师和健身教练的劝告记下来,然而最重要的健身是你应该有一个热心的支持者——一个能够鼓励你获得成功的朋友。(你一定不愿意告诉这位朋友你刚参加过一个供应油炸面圈的狂欢晚会。)
YOU 纠正	犯错误可以,重要的是应该找到并且认识到它们,让自己有机会重新回到正确的轨道上(管理你的腰部)。

YOU 瘦身食谱:在你开始以前

在你开始做任何事情之前——不管是一项新的工作,一次5公里的长跑比赛,还是要把你女儿的芭比娃娃的547块积木房子搭起来——你都必须做好充分的准备。你会事先读员工手册,研究比赛路线,也会在积木摆满一地时在心里默默诅咒世界上所有的玩具制造商。在你开始 **YOU 瘦身食谱**之前,也要进行准备(不要诅咒)。如果你跳过了内容介绍的部分,那么我们会在这里快速回顾一下你在开始实施之前所应该知道的东西。(如果你已经读过前面的内容,那么就把它当成一个快速复习的过程。)

最佳的用刀方法

实行任何饮食计划节食时,如何使用餐叉和汤匙是至关重要的。不要低估了一把大的厨房刀具的威力——它可以让你在厨房中也能享受到在餐桌上的乐趣。买一把你支付得起的8英寸的厨师用刀(不带锯齿的那种)。如果你能遵循以下原则,那么你的手指头绝不会在做牛油果墨西哥酱时被切掉:

一直保持刀刃接触菜板,抬起刀尖部分,从刀尾开始向前滑动。

另一只手整理食物时,请把手指尖蜷起来,以防切伤。

请点击 www.realage.com 阅读其他用刀方法。

从里到外的改变:这个食谱会使你了解并调节自己身体的生物环境,使自己的身体重新回到最初又苗条又健康的状态。这个食谱会教你食用任何可以帮助你的身体器官和系统功能恢复正常的食物。食用我们推荐的食物和营养品,就会使你自己体内的化学物质和激素分泌正常,达到自己理想的体形。这些食物会使你的脂肪燃烧,而不是被储存起来。这些食品会让你产生饱足感,而不感到饥饿。因此,我们叫它们"产生饱足感"的食物。综上所述,这是一个真正能够使你拥有一个优美腰身和健康体形的食谱。

最好找到问题所在,这样才能更好地解决问题:我们一直更倾向于用艺术的眼光看待身材,而不是用科学的眼光审视。现在通过研究先进的分子基因学、神经学和生物化学,我们最终能够认识到到底是什么让我们能够增肥或减肥,是什么使我们产生饱足感和饥饿感。所以,瘦身实际上是一种复杂的而又可预知的、可控制的过程。在开始瘦身之前应该充分了解自己身体的运作机理,找出问题所在就等于成功了一半。

YOU 要能自律：我们之所以生活在到处都是胖人的社会,原因之一是可供我们选择的食品多达上百万种。虽然这些食品是食品工业的骄傲,但却造成我们腰身悲惨的失败。重新塑造体形就需要抛弃贪食的念头,每天要少食。你要拒绝上百万种饮食的选择,每天实际上只能吃相同的早餐、午餐和零食,只对晚餐稍做一下变动。随着你每天饮食的克制,你成为享乐主义的大胖子的风险也就大为减少了。

YOU 不要对自己犯的错过于自责：有时你会被误导,认为瘦身的唯一途径是所有时候都以完美方式进食。其实这并不现实,也不完美。这也是为什么几乎所有的节食行动都会以失败而告终的原因。这个世界上根本就不存在完美。你可以在必要时启动你的应急计划：当你感到有压力或感到疲劳和烦恼时,可以吃事先准备好的食物和零食。这些食物可以使你减少对美食的渴望,可以帮助你纠正错误的饮食习惯,还可以帮助你对饮食做出正确的选择。

YOU 瘦身食谱简单易做：菜谱上大部分早餐、午餐和零食的做法都只需不到 10 分钟的时间,而且所有晚餐的准备时间也不会超过 30 分钟。

YOU 使你容易产生饱足感——但不会超过规定的热量：我们在列出那些食品之前要提醒你记住饮食原则：饮食并不只是注重热量的摄入,还要注重饱足感。这个节食计划的关键是食用营养丰富的食物,只要产生饱足感就应该停止进食。

食用正确的食品和适当的数量可以使你保持理想状态。我们设计的这个食谱中的每一份食物量以每天代谢 1700 大卡热量为标准。那就是说,一个每天通过正常活动消耗 1700 大卡热量的人可以吃这样一份食物,以保持他(或她)的体重。如果要想减重,那就必须立即控制饮食。如果你一天消耗了 2000 大卡热量,那么每天摄取 1700 大卡热量你就会瘦下来。但是如果你一天只消耗了 1400 大卡热量,那么你每天摄取的能量就多于所消耗的。要找出你的减重临界点,就应该算出你静止时的新陈代谢率,再加上自己体育运动时消耗的能量。

※ 计算你自己静止时新陈代谢率的简单方法是:将自己期望的体重(磅)乘上8,再加上200。但这是一个不确定数值,所以如果有人能给你测量确切的新陈代谢率,那么请接受这个提议。

※ 算出你在体育运动时消耗的热量:你散步所用的时间(分钟)乘以4,你进行的心血管运动和力量练习的时间(分钟)乘以8。散步30分钟加上25分钟的力量练习和心血管运动大约消耗300大卡。你也可以从你使用的心血管运动机的电脑显示屏上读数。

那么让我们来看看这是怎么计算的。
假如你期望的体重是150磅,每天运动消耗的热量是300大卡,这就意味着:

你所消耗的基本热量是 8×150=1200
＋ 200=1400
＋ 运动消耗的300=1700

所以要保持你期望的体重,你一天需要摄入1700大卡。一周想减一磅的话,你一天需要减少500大卡,或者每天增加能消耗500大卡的运动量,再或者两者结合进行。但是如果你不养成一种自动节食的习惯,那么你会发现追踪记录热量数值是一种十分复杂的工作。这个节食计划的重点不在于记录热量,而在于它会使你的身

让一切准备就绪

腰部管理的真相是：垃圾食品并不是坏的食品，而是因为这些食品中所含的成分不健康，而且这些垃圾食品多是快餐，这也是给你惹大麻烦的主要原因。一个成功的节食计划的关键在于当你习惯于将手伸进包里拿那些增肥食品时，用提前准备好的食物代替。所以，你应该从以下选择中找出自己喜欢的食物，每周准备一次。这样当你需要的时候，你就有东西吃了。

切碎的蔬菜：你自己选择。将它们切碎，装包，吃掉它们。小胡萝卜、熟番茄、花椰菜都不错，如果你喜欢豆薯（一种长有脆甜的芜菁状的根茎、可以拌色拉生食或炖煮着吃的松脆果实）、橙色辣椒条，那么就尝试一下吧。

炒蔬菜：你自己选择。用橄榄油和蒜瓣儿、红辣椒或者少许姜黄粉和蔬菜一起炒。放入冰箱用作配菜或零食。

汤：每个星期至少烹饪一次我们给你准备的汤（见食谱），将其装入杯中放入冰箱保存。餐前喝一杯作为开胃食品，或者作为零食饮用。

燕麦：如果你担心没有时间的话，先煮好一周的燕麦储存到冰箱中。对有的人来说，这种燕麦味同嚼蜡，但是重新加热后口味要好些。

应急食品：每一个家庭里都有应急食品——解除你饥饿感的应急食品。我们给你提供了饥饿时可以食用的食品名单。它们是一把杏仁、花生或胡桃，提前切好的水果和蔬菜、水果干儿（杏、越橘）、毛豆（用微波炉袋包好放入冰室）。可以加一点儿薄荷叶，这会使食物口味不那么诱人。

体、你的胃以及你的脑子都会向你发出饱足感的信号，而不是等你撑坏了时才给你发出停止进食的信号。

YOU 健康瘦身膳食：你的选择

如果把这项重塑自己身体的计划看成是腰部管理过程中的辅助和保障措施，那么它的确可以帮助你找到饮食的平衡。这项计划是靠身体内部的化学反应，而不是靠毅力实现的。比如大量的纤维和蛋白质就是早餐的营养成分。（如果你从第1章一下子跳到这一章的话，早晨摄取纤维物质会抑制你下午对美食的渴望，而额外的蛋白质会使你的胃口减退。）有益的身体化学反应来自所有健康食物——坚果、橄榄、橄榄油、Ω3 脂肪酸深海鱼油——这些都能帮助你得到饱足感，会使健康的高密度脂蛋白胆固醇指标上升，不健康的胆固醇指标下降。我们限制单糖的摄入量，因为它们可以引起血糖指标的变化而使你特别想吃高热量的食物。

打开一看，你会在本书中发现许多生菜和全麦面包的身影。实际上，每天重复食用相同的食品是本书节食计划的核心所在。研究表明，一天至少有一次重复食用相同食品的人更容易比那些一天中摄取多种食品的人瘦下来。拥有许多饮食选择就好像我们一直在进行一场永远不会结束的饮食大赛一样。然而，减少你的食物选择，你就会自动地减少你的胃口和腰围。找出哪一餐是你需要快速食用的，对大多数人来说是午餐。因此找一个你喜欢的健康午餐——用橄榄油烤的鸡肉色拉，全麦面包夹火鸡肉——每天都当作午餐食用。每天，是的，每天。

下面，我们会列出每天的饮食选择（除了晚餐，你将在每日饮食计划中找到我们特意列出的食谱）。你可以任意选择，但最好是只选一到两种，每天烹制食用。我们的研究表明大多数成功瘦身的人都只选一个食谱，坚持到底。

你早餐的选择

给喜欢谷类的朋友	给喜欢蛋类的朋友	给喜欢面包的朋友	给不喜欢早餐的朋友
用 120 毫升脱脂乳或富含维生素 D 和钙的豆奶煮燕麦，再加上一小块水果或者一杯高纤维谷物食品或一杯燕麦粥，再加上一块你喜欢的水果	蛋清煎蛋饼(3 个蛋清和一个整鸡蛋)，加一份混合蔬菜；或者两个煮鸡蛋加上两片瘦火鸡香肠或豆腐香肠	一个全麦切片烤面包；一茶匙花生酱，或一茶匙苹果酱或胡桃酱或鳄梨酱	神奇的早餐饮品（参见食谱第265页）或者菠萝—香蕉蛋白质饮品（参见第264页）

你中餐的选择

每餐的色拉	快餐	汤和色拉	健康汉堡
切碎的色拉:6 个碎胡桃，切碎的蔬菜（可选择）与 120 克鲑鱼、火鸡或鸡胸肉搅拌混合，加入香醋（两份）和橄榄油（一份）做调味品；或者食谱中任意一种色拉（食谱见后文）	一杯"YOU 汤"中介绍的汤，加上任何一款"YOU 色拉"（食谱见后）或一份用橄榄油或改良菜籽油与香醋和橄榄油做调料的色拉	蔬菜汉堡或者全麦英国松饼夹风味鸡，加一汤匙无果糖橄榄油拌海员式沙司，切块的番茄、生菜或菠菜叶，再加上红洋葱片	见第259页最佳快餐选择

你的上午和下午的零食选择

水果和坚果	谷物和浆果	蔬菜	水果和酸奶
15 克坚果加一个苹果或香蕉、李子、梨、橙子，一块西瓜，一杯浆果，两个奇异果，1/2 个柚子，或其他水果	1/2 杯全麦谷物加上 1/4 杯杏仁和 1/4 杯浆果、杏或葡萄干	一杯切碎的蔬菜，在微波炉里加热并放进一个小的全麦比萨，或者将切碎的蔬菜放入 120 克原味酸奶或低脂乡村干酪中，再加上莳萝、细香葱、姜、红辣椒或其他调味品（供你选择）或者只是切碎的蔬菜	低脂酸奶，上面放上 1/2 杯罐装的无糖桃块儿，或者中国柑橘和一些葡萄干

你的甜品选择

隔一天吃一次
用肉桂烤制的苹果和橘子、越橘（见食谱） 或者 肉桂苹果酱（见食谱） 或者 加覆盆子、巧克力和开心果的烤梨（见食谱） 或者 加覆盆子、蓝莓和巧克力的桃块儿（见食谱） 或者 30 克黑巧克力（由可可粉制成），大约三或四块

你晚上零食的选择

（但是在 20：30 之后不要再吃了）

爆米花（见食谱）

或者

任何可供选择的零食

或者

全麦烤皮塔饼和番茄—鳄梨餐（见食谱）

你的饮品选择

纯净水或苏打水（如果愿意，可以加入水果块），脱脂奶，热茶或冰茶（如果你容易失眠最好喝不含咖啡因的饮品），节食苏打糕点（一天一到两块）

早餐你可以喝一杯 240 毫升的水果汁或蔬菜汁，比如番茄汁或 100% 纯度的带果肉的柚子汁或橙子汁，里面富含钙和维生素 D

晚餐你可以喝一杯酒，我们建议你在晚餐结束前喝，这样可以有效阻止你贪婪的食欲。如果你不喝酒，喝点儿由低糖葡萄汁、苏打水和酸橙汁制成的"鸡尾酒"也不错

食品标签

当今社会食品的商标比衣服的品牌还多，食品中许多含量的名字听起来就像是希腊女神的名字。狡猾的商家会把含糖的谷类食品说成比洋李干更健康。有些食物乍看起来相当不错，但是读过标签后你就会发现这种食物中除了糖和饱和脂肪之外，根本不含任何营养成分。你在购物时不仅要看食品的价钱，还要看食品的营养含量。这并不是什么难题。我们在下文将给你一些检查食品成分的建议和指导。

找食品标签上标注成分少的食品　通常，标签越少，成份越少的食品就是越不错的食品。直接来自大地的天然食品根本不需要标签。（给你一个忠告：你必须确保食物摸起来很好，闻起来也不错。但切记不要买用蜡上光的食物。这种上光的食物就像芭比娃娃一样——看起来不错，但是没有任何实质性的内容。这种食品通常既不好吃又没有营养。）

绕过包装　不用看包装上写了什么，直接看食品标签和成分表。"无脂"或"不含反式脂肪酸"对节食者来说听起来不错，但是无脂食品（尤其是色拉调味品）很可能含有相当多的糖分。给你的另一个忠告：有些东西虽然"含全谷物"，但这并不意味着这种食品是用全谷物制作的。（有关"全谷物"的奥秘见第257页）。现在食品的实际性问题是：食品的外包装就像一辆新车的外观装饰一样具有诱惑性，但是你必须打开引擎盖仔细看里面的东西。成分表就是所有问题的答案。

警惕那些具有欺骗性的食品　许多食品的成分表中都含有欺骗性的语言——它们不会清楚地写上"会马上诱发心脏病！"以及其他诸如此类的话，但实际上它们确实隐含了这种危险。你需要注意以下线索：

糖分：右旋糖、蔗糖或其他含有"糖"字的食品。甘露醇，或其他含有"醇"字的食品。酒精（主要成分乙醇）就会迅速转化成糖分。远离那些含糖超过4克的食品。诸如枫糖汁和糖蜜这样的天然糖都属于糖类，所以在你的每一份食品中不要超过4克，除了水果（我们将它排除在外，因为水果中含有许多有营养的成分）。

脂肪：除了饱和脂肪（每一份中要少于4克）和反式脂肪（完全避免）之外，你还应该避免食用其他含脂肪的食品，如部分氢化食品、棕榈和椰子油。

放松　我们不想你把大量的时间花在购买食品上。如果你以前从不检查食品标签的话，那的确会让你在鉴别健康食品和不健康食品上花点儿工夫。我们也不想让你成为对饮食吹毛求疵的偏执狂，其实有时你适度吃些胡桃或花生酱，甚至是蜂蜜（每一份要少于4克）也不错。

14 天的 YOU 节食计划

在这两个星期内,我们会给你饮食指南、策略、技巧和计划,并且帮助你改变饮食习惯。第 14 天结束时,你会养成好的饮食习惯和活动习惯,这些都将有助于你从体内开始改变你的体形。我们在这儿列出了 7 天瘦身计划,对饮食提出明智的建议。在第二个星期,你将重复前 7 天的计划,有些食物可以换成你喜欢的。

第 1 天:星期六

1. **散步:30 分钟**。散步——不管你是独自一人,或是和朋友一起,还是和你的狗一起(只计算实际行走的时间,不算宠物狗到处嗅的时间),再或者绕着餐桌散步,都是迈出了你成功的第一步。每天散步 30 分钟,你会为自己的"YOU 节食"打下良好的基础。

2. **伸展运动**:散步后做 3 到 5 分钟的舒展运动,见第 11 章。做舒展运动时,保持身体的弹性和柔韧性,以防拉伤。舒展过程中进行冥想,就像第 199 页上我们讲过的,这样可以帮助你重新集中精力。"没有付出,就没有所得"的那一套在这里并不适用。

3. **收拾你的冰箱**:为你要买的健康食品腾一个地方,是把厨房里的"垃圾食品"扔掉的时候了。仔细检查碗橱、冰箱、你藏零食的盒子以及其他任何放食品的地方里的食品上的标签,如果食物所列成分中的前 5 名中含有以下成分,就把它扔了:

※ 单糖。其中包括红糖、葡萄糖、玉米代糖、果糖(果糖玉米糖浆)、右旋糖、玉米糖浆、蜂蜜、转化糖、麦芽糖、乳糖、糖蜜、原蔗糖和蔗糖。留一小点儿食糖、蜂蜜和枫糖,因为有时你的食谱中会用到。(参见第 98 页的表栏)

※ 饱和脂肪。包括大多数四足动物的脂肪,牛奶脂肪,黄油或猪油,热带植物油(比如棕榈油或椰子油)。

※ 反式脂肪酸。包括部分氢化油脂、蔬菜混合氢化油、人造奶油和烹饪油。

※ 强化(营养素的)面粉和其他一切不是 100%全麦或 100%全谷物的面粉。这些面粉包括
　强化精白面粉、粗粒小麦粉、硬质小麦,这些都不应该出现在你的厨房里。

4. **购买食品**:你现在的厨房更像一个监狱——那里塞满了各种不健康食品。我们想把你的
   厨房变成一个营养丰富的地方,里面装满使腰部纤瘦的食品。第一个星期,你会有一个
   很长的购物名单,因为你需要用来准备这个星期的食物。要准备我们 7 天计划的食物,
   请参见第 252 页。
5. **制作你一周的主食**:你可选择蔬菜或汤。请参见上文。

食用!

效仿早餐、午餐和零食的食谱。晚餐吃……
亚洲鲑鱼加糙米饭

第 2 天:星期日

1. **散步**:30 分钟。
2. **伸展运动**:做 5 分钟伸展运动。
3. **结伴**:如果你想一个人进行这项计划,那么你很可能会半途而废。找一个人做你的同
   伴——可以是你的配偶、朋友、同事——任何一个你可以与他(她)分享你的目标和节食
   计划的人。每天与对方谈(或写电邮)5 分钟——告诉他(她)你散过步以及你当天的饮食
   状况。如果你喜欢与网友分享你的节食计划,请登陆 www.realage.com 找一个合适你的
   人选。

　　最好能找一个和你一起节食瘦身的朋友。你可以与他(她)分享这本书,分享你学到
的内容,和同伴一起开始这个简单易学的瘦身旅程。

食用!

效仿早餐、午餐和零食的食谱。晚餐吃……
风味墨西哥辣味牛肉末或夹馅全麦比萨

第3天:星期一

1. **散步**:30 分钟。

2. **YOU 锻炼**:进行 20 分钟无负重 YOU 锻炼,其中包括力量练习和伸展运动,参见第 209 页。力量练习可以使你增强肌肉,这能够使你加快新陈代谢的速度,燃烧更多的脂肪。散步的速度必须能使你的心跳加快,还可以额外进行 20 分钟的心血管运动。

3. **将它记录下来(或打出来)**:有助你重塑自己体形的一个方法就是记下(录下)你每天吃的东西。这是对你负责的方法,会时刻提醒你不要吃不健康的食品。在这重建你的饮食习惯的两个星期中,记录你吃过的每一样东西。(对于那些精通计算机的人来说,有的小仪器可以扫描你所吃食物的条形码。你只要输入食用的数量,仪器的程序就会跟踪记录你所摄取的热量——参见 www.realage.com 或者 www.mychoicescount.com。)

4. **购物**:进行了 3 天的散步之后,现在是进行另一次购物的时间了。这一次我们将去体育用品商店——买一双跑鞋,只用来散步用。跑鞋很轻,而且鞋跟上有减震垫儿(这是特意为脚上要承受很大重量的人设计的)。你最好去专门的体育用品商店,那里的工作人员会给你量脚的尺码和步幅,为你选择适合你的跑鞋。(注意:最好在傍晚去商店,这时你的脚是最胀的时候。这时买鞋最合脚。)如果你喜欢,你还可以将以下东西加入购物单:

※ 袜底加厚的袜子。(不要棉线的,你需要能从你脚上吸收汗水的袜子。)

※ 一条瑜珈毯。这样你做一些难的动作(或你已经开始做哑铃等高难度动作,参见第 223 页)时不会滑倒或歪倒。

食用!

仿效早餐、午餐和零食的食谱。晚餐吃……
加番茄、橄榄和白豆的地中海鸡肉

第4天：星期二

1. **散步**：30分钟。

2. **伸展运动**：做5分钟伸展运动。

3. **将错误YOU纠正**：这时你随便吃一块邻居送的蛋糕，或者拿一块孩子们吃的糖果都是可以理解的。你只要及时改正就行。

   下一次你只要自动执行YOU纠正就行。

※ **舔嘴唇** 吸气，舔你的嘴唇，咽口唾沫。然后慢慢地一边吐气，一边发出"欧姆"的音。这个动作——全过程只花3秒钟——会帮助你重振精神，冷静下来并且重新将注意力集中到节食计划上。

※ **弯腰运动** 站直，弯腰，使你的下背部放松。双手触地，弯曲双臂，抱住两膝。最重要的事情是将你背部和臀部堆积的压力都释放出来。完全放松你的颈部。如果觉得腿部过分绷紧，可以不必伸直双膝。

食用！

仿效早餐、午餐和零食的食谱。晚餐吃……

皇家普罗旺斯菜团子

第5天：星期三

1. **散步**：30分钟。

2. **进行YOU锻炼**：进行20分钟无负重YOU锻炼，包括力量和伸展运动，见第209页。

3. **打电话给你的医生**：一定要记住，腰部减肥是一项团队工作，你的医生也是其中一员。所以你应该从现在起跟你的医生进行为期30天的预约。你可以在许多方面获得他（或她）的帮助。

※ 及时更新你的医疗信息，比如血压、腰围和心跳次数。如果你需要了解有关高密度脂蛋白（HDL）和低密度脂蛋白（LDL）指数的信息，那么就进行一次体格检查，进行一些血液测试。你还可以把你的节食新计划告诉你的医生。

※ 当你的减肥达到稳定水平（你的腰围和体重会停滞不前）时，进行一次体格检查是十分有益的。你的医生可能会给你开处方药，它会帮你度过这段艰难的时期，见附录A。

食用!

效仿早餐、午餐和零食的食谱。晚餐吃……

黄梅鸡、青豆加杏仁片

第 6 天：星期四

1. **散步**：30 分钟。

2. **伸展运动**：做 5 分钟伸展运动。

3. **可以稍微夸耀一下**：告诉你的朋友或一起瘦身的同伴,告诉他们你取得的成绩以及你所注意到的自己身上的变化。

食用!

效仿早餐、午餐和零食的食谱。晚餐吃……

火鸡玉米饼加烤红薯

第 7 天：星期五

1. **散步**：30 分钟。

2. **进行 YOU 锻炼**：做 20 分钟无负重 **YOU** 锻炼,包括力量和伸展运动。参见第 209 页。

3. **重新将你的厨房填满**：检查你的厨房,将已经用完的食品列入下周的购物名单。

4. **给你自己打分**：现在是时候测量一下你的腰围和体重了,只是为了看看你都发生了什么变化。在你节食的第一个星期,你腰围可能会减少 2—3 厘米,体重减少 1—2 公斤。你甚至有可能会瘦到减小一个服装尺码。

食用!

效仿早餐、午餐和零食的食谱。晚餐吃……

加迷迭香和柠檬的烤鲑鱼和鲷鱼

第 8 天直到永远：你重塑的体形

现在我们已经把所有的方法都教给你了。你可以使自己的身体回复到最初的状态,使你拥有完美而健康的腰围和体重。现在只要重复上一周的减肥计划,可以用你喜欢的食品代替(参见从第 264 页开始的食谱)。

第一周你会进入状态,使自己的身体开始适应。第二周你可以实践整个计划。研究表明两周一直重复一项工作就能使其变成一个习惯。一直坚持下来,所以现在你应该调整自己的计划并适应它。要么一直重复这项计划,要么你还可以尝试新的晚餐食谱,可以在我们的网站 www.realage.com 上找到更多。可以根据我们为你提供的营养信息和你个人的口味调整食谱。这不是你腰部管理的结束,而只是一个开始。

数据表明,在瘦身的第二周和第三周之间的某个时间里,对瘦身至关重要的行为变化开始在你的体内扎根。而与此同时,你的身体会变得对质量不好的食物十分敏感。而如果你采用了本书中介绍的方法,你可以吃与我们给出的食谱相近的食品,身体不会有不适的反应。所有我们研究人群的数据表明,那些成功减重并且一直保持的人都使用一种稳定而有弹性的瘦身计划。你可能会犯一点小错误,但是只要你一直坚持,冷静地执行 YOU 纠正,你仍然可以回到计划中来。

当你进入一定的稳定水平后——你总会进入这样的阶段——你将有三个选择:从你每日的膳食中再减少一些热量,增加你每日的运动量,或者找医生获得其他帮助。但是你要记住,我们瘦身的目的是使你的身体更健康。所以当你达到理想的体重,而且你的身体也很喜欢这种感觉时,请一直保持这种状态。

饮食计划范例

上文我们已经告诉你所有有关重塑你的身体以及体内化学反应的事情,它们会帮助你消除饥饿感,不会储存多余的脂肪。下面我们要给你一个一周饮食范例,告诉你 YOU 节食计划是怎样进行的。接下来是饮食计划和第 252 页的购物清单。

注意:因为每个人对热量摄取有不同的需求(这取决于基因、新陈代谢率以及其他因素),所以我们不在这里规定每份饮食量。你的目的是食用你自己认为满意的食物量——大约是第 179 页图表的第三或第四个水平。

星期天
早餐:蛋清煎蛋卷、橙汁、咖啡或茶
上午的零食:蔬菜
午餐:健康汉堡
下午的零食:加水果的酸奶
晚餐:亚洲鲑鱼加糙米饭
甜品:30 克黑巧克力加橙子片
饮品:水、咖啡、茶等等,也可以饮用你喜欢的饮料(参见我们提供的名单)

星期一

早餐:神奇的早餐饮品

上午的零食:15 克野生坚果

午餐:胡桃、蔬菜和鲑鱼/火鸡/鸡肉制成的色拉

下午的零食:加水果的酸奶

晚餐:夹馅全麦比萨

晚上的零食:爆米花

饮品:水、咖啡、茶等等,也可以饮用你喜欢的饮料

星期二

早餐:脱脂牛奶、橙汁、咖啡或茶

上午的零食:苹果

午餐:一杯花园丰收汤;越橘,胡桃,嫩圆白菜叶和干酪色拉

下午的零食:加水果的酸奶

晚餐:加番茄、橄榄和白豆的地中海鸡肉

晚上的零食:肉桂苹果酱

饮品:水、咖啡、茶等等,也可以饮用你喜欢的饮料

星期三

早餐:神奇的早餐饮品

上午的零食:30 克野生坚果

午餐:胡桃、蔬菜和鲑鱼/火鸡/鸡肉制成的色拉

下午的零食:加水果的酸奶

晚餐:皇家普罗旺斯菜团子

晚上的零食:番茄—鳄梨餐和烤皮塔饼

饮品:水、咖啡、茶等等,也可以饮用你喜欢的饮料

星期四

早餐:脱脂牛奶、橙汁、咖啡或茶

上午的零食:李子

午餐:一杯花园丰收汤;越橘,胡桃,嫩圆白菜叶和干酪色拉

下午的零食:夹蔬菜的 1/2 个全麦皮塔饼

晚餐:黄梅鸡、青豆加杏仁片

晚上的零食:30 克黑巧克力加橙片

饮品:水、咖啡、茶等等,也可以饮用你喜欢的饮料

星期五

早餐:神奇的早餐饮品

上午的零食:30 克野生坚果

午餐:胡桃、蔬菜和鲑鱼/火鸡/鸡肉制成的色拉

下午的零食:加水果的酸奶

晚餐:火鸡玉米饼加烤红薯

晚上的零食:爆米花

饮品:水、咖啡、茶等等,也可以饮用你喜欢的饮料

星期六

早餐:脱脂牛奶、橙汁、咖啡或茶

上午的零食:加水果的酸奶

午餐:一杯花园丰收汤;越橘,胡桃,嫩圆白菜叶和干酪色拉

下午的零食:蔬菜

晚餐:加迷迭香和柠檬的烤鲑鱼和鲷鱼

晚上的零食:肉桂苹果酱

饮品:水、咖啡、茶等等,也可以饮用你喜欢的饮料

你 的 购 物 清 单

第一个星期你会买许多东西来塞满自己的冰箱和餐室(包括调味品,食用油以及其他调料)。这个清单包括你未来一周的主食和调味品,见第 250 页的饮食计划范例(两人份)。你可以自己制订一个每周或每两周的购物清单。

基 本 的 购 物 清 单

食品是两个人食用一周的数量:

※ 购物清单中的食物已经按照不同种类分类,这样可以使购物更容易(谷类、冷冻物品、蛋白质、干果或坚果,新鲜的蔬菜等等)。

※ 调味品清单包括辣椒粉、油等食谱中需要的调味品。其中有一些你的餐室中可能已经有了。

※ 番茄汁或越橘汁可以用其他橙汁代替。

谷类

一盒燕麦

一包 100%全麦或 100%全谷物英国松饼(没有添加糖、蜂蜜或高果糖玉米糖浆的)

一个 12 英寸或 300 克的 100%全谷物比萨饼坯

一盒糙米

一盒 100%全麦波纹贝壳状通心粉或意大利面条

一盒麦片粥

一包 100%全麦皮塔饼

一包 100%玉米粉圆饼

罐装食品

2000 毫升(8 杯)低盐蔬菜汤或鸡汤或肉汤

1 罐(450 克至 500 克)白豆

2 罐(每罐 250 毫升)炖番茄肉

1 罐榨番茄汁或番茄块儿

500 毫升番茄汁(加橄榄油,每二分之一杯含糖量要少于 4 克)

1 罐希腊橄榄

1 罐橄榄菜

一罐晒干的番茄干儿(非油炸)

两罐无糖桃子罐头

一小罐胡椒

一罐爆米花(足够制作 8 杯量)

一罐无糖苹果汁或苹果醋(最好不含化学物质)

一罐苹果酱(储存在冰箱)

一罐全天然花生酱(不含反式脂肪酸、不添加糖和果糖)

干果和坚果

一包野生胡桃(至少 240 克)

一包野生榛子(至少 120 克)

一包野生杏仁(至少 120 克)

一包越橘干(至少 3/4 杯)

一包杏干

一包开心果(1.5 汤匙)

主要调味品 / 香料:买到这些东西或者确保你的厨房有这些东西

橄榄油

盐

胡椒

新鲜的大蒜

低钠大豆酱

香醋

红酒醋

枫糖(找一种前四项成分中不含高果糖玉米糖浆的枫糖品牌)

海贝式沙司酱或其他番茄酱

第戎芥末

辣椒酱

肉豆蔻

肉桂

你喜欢的咖啡或茶

含至少 70% 可可粉的黑巧克力,或者一小包迷你微甜的全可可粉巧克力(不要牛奶巧克力)

需冷冻保存的食品

半加仑脱脂牛奶或富含钙和维生素 D 的低脂豆奶

1000 毫升 100% 含果肉,钙,镁和维生素 D 的橙汁或柚子汁

1.5 杯(180 克)碎农场干酪

6 枚鸡蛋

一包意大利干酪(60 克)

8 份 120 克的低脂酸奶

鸡肉/火鸡/鱼类

2 个无皮、带骨的鸡大腿

2 块去皮、无骨的鸡胸肉(每一块大约 120 克)

360 克鲑鱼(或火鸡、鸡肉)

240 克无皮鲑鱼片(或无骨鸡胸肉、火鸡肉)

一整条鱼(鲑鱼、鲷鱼,每一份 120 克)

冷冻食品

一盒风味肉饼

一包冷冻的无糖蓝莓

一包冷冻的无糖覆盆子

一小盒无脂或低脂香草酸奶

健康食品

大豆蛋白质

亚麻籽仁

其他

一瓶白葡萄酒

农产品区

如果你十分喜欢某种水果或蔬菜,你买多少都可以。

3 袋 300 克的色拉蔬菜(莴苣或其他绿色蔬菜)

450 克切碎的油煎蔬菜(芦笋、花椰菜、蘑菇、各种颜色的柿子椒、红色或白色洋葱、西葫芦)

切碎的胡萝卜、苹果、花菜和/或袋装西芹

900 克其他蔬菜(你自己选择)炒熟,切碎和煎蛋卷混合,加进色拉

5 个小苹果

2 个李子

3 个番茄

一捆胡萝卜

香蕉

两个红柿子椒

一个黄色或橙色柿子椒

一小颗卷心菜

一杯青豆

450 克芦笋

一个小茄子

三根细葱

两头大蒜

三个中等大小的黄洋葱

一个红洋葱

一个小的绿洋葱

一个红薯

欧芹、紫苏、迷迭香、百里香、细香葱各一束

姜根

一个鳄梨

一个酸橙

一小篮蓝莓(冷冻的也可以)

一小篮覆盆子(冷冻的也可以)

"全"的真相

现在什么食品都被吹捧为"全这个"或"全那个"。全谷类、全麦……这些都是最近食品的营销策略。为什么？因为食品加工商们知道：实际上，全谷物食品是顾客爱吃的且最健康食品。越来越多的食品都写着含有全谷类、全麦成分，但是这并不意味着这些食品都是健康的。那些市场营销词汇不会告诉顾客食品里到底含了些什么东西。

要想真正了解这些骗局，你首先需要明白什么是真正的全谷物食品，它们能起到什么作用。"全谷物食品"指仍然含有三种原始成分的谷物：麦子等谷类植物种子的外壳(糠)，其中含有纤维和维生素B；富含维生素B的微生物和富含碳水化合物和蛋白质的胚乳。这种食品的关键在于"全"而不在于"精制"。真正的全谷物食品能够为你提供更多的纤维和微量营养素，这些东西可以使你抵御疾病。更重要的是，这些食品比强化营养素的面粉吸收得慢，这样

确定你买到的都是全谷物和全麦食品，标签上应该写着："100%全谷物"或"100%全麦"。除此之外，一切都意味着食品是由没有营养的强化面粉制成的。记住避免所有含高果糖玉米糖浆或蜂蜜的食物。

可以使你体内的葡萄糖和胰岛素水平降低——使你减缓消化速度。但并不是所有称自己全谷物或全麦的食物都是健康食品。你需要提防以下虚假的语言：

"原料有"：有的食品可能只是用了一点儿全谷物，但是只要不是全部由全谷物制成的食品，对你的健康都没有好处。

100%麦：这意味着这种食品可能只含有一些或许多麦子，但总归不是"全麦"。

"多种谷类"：这个词汇并不能告诉你这是全谷物还是精制谷物食品。即使你摄取了多达 38 种谷物，但如果它们都是精制谷物，那么对你的身体也没有好处。

"全谷物"：如果标签上不是写着"100%全谷物"，那么它可能含有其他混合物。参见这些不好的词汇：强化营养素的，漂白的，非漂白的以及粗粒小麦粉。

"混合物"："全谷物混合物"意味着不是 100%全谷物。

"好的原料来源"：这意味着每一份该食品中含有 8 克全谷物或至少含有 13.5%。8 克全谷物可能仅仅含有不到 1 克纤维。

"使心脏更健康"：任何一种食品都说会对某种身体器官有益。你想在标签上看到的是："可以降低对某器官的得病风险……"这表明这种食品中含有可以减低得病风险的成分。

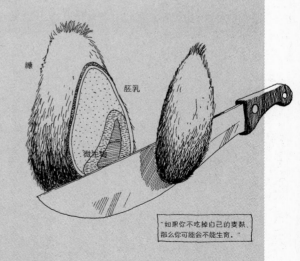

糠　胚乳　微生物

"如果你不吃掉自己的麦麸，那么你可能会不能生育。"

完美的就餐环境

研究表明,就餐环境可以决定你的食欲。你所处的环境越舒适,越放松,你就越想吃东西。如果你想一直保持一种使你有饱足感的环境,请按照以下方式调整你餐室的风格:

※ 选用明亮的灯光而不选柔和的灯光。

※ 选择温暖的室温而不是偏冷的餐室。

※ 选择有谈话的饮食环境,而不是有音乐或电视的环境,那些东西会使你分心,吃更多东西。

当你需要吃快餐时

我们知道有的时候你需要赶时间,不得不吃快餐。大多数快餐都对身体无益,但是你仍然可以进行明智的选择。你需要记住以下几件事情:

※ 有几道食品对你有益,但是你必须小心谨慎。有一些在名称上有细微差别的食品却可能会使你的身体发胖或者使你的身体保持纤瘦。

※ 除了下面提到的配菜或甜食之外,不要点其他的。那些食品中总是含有饱和脂肪和单糖,而且那些食品所含的热量远比主食所含的多。

※ 选择低热量而非低脂的调味品。低脂调味品中含有大量热量,里面的果糖会使你一直感到饥饿。

※ 不要在快餐店吃早餐。在那里我们找不到任何有营养的早餐。

如果你需要在外就餐,那么你最好在以下地方吃饭,这些地方可以给你提供足够的选择:

	主食*	最佳色拉调味品	最佳的配菜
温迪餐厅	柑橘鸡肉和烤杏仁色拉（不要面条）	降脂奶油	原味烤红薯(上面涂海员式沙司),一杯柑橘汁,不加面包圈的色拉
麦当劳	水果和胡桃色拉烤鸡肉色拉	纽曼的调味品	水果和酸奶冰淇淋水果冻
汉堡王	金伯格蔬菜汉堡（不加干酪）,嫩鸡三明治(不带酱)	淡味意大利调味品	蔬菜色拉
塔可钟墨西哥连锁餐厅	风味鸡玉米面豆卷	你自己带调味品	目前没有合适的
阿比饭店	阿比鸡胸肉片	覆盆子调味品	目前没有合适的
多米诺比萨店	面包夹绿辣椒,洋葱,蘑菇	你自己带调味品	目前没有合适的

*一定要全麦的小圆面包。如果没有的话,就用刀叉慢慢吃肉。

餐厅的诡计

　　除了你的消化道之外,外出就餐对每一个人都是一次很棒的经历。你应该坚持食用我们为你提供的健康食品。你还应该了解,在外出就餐刚开始的十分钟和用餐结束前十分钟是最容易犯饮食错误的。以下是给你的正确饮食建议:

※ 退掉免费面包,询问是否可以换成切碎的蔬菜。(在三周内这样坚持四次,我们就会发现大部分好的餐馆会记住这件事,每次他们看到你的时候都会主动为你上蔬菜——如果你每周至少去这家餐馆一次的话。)

※ 让服务员把橄榄油和醋分装在两个容器内,放在色拉边上。每次只放一点点。(你一定要这样做,如果你指望服务员或大厨为你做,那么你每食用一份色拉至少要多摄入400大卡热量。)

※ 要求将红薯或米饭换成炒蔬菜。

※ 如果你想吃甜品的话,那么每一桌就点一份,而且只能吃几口。

※ 请使用以下的图表指导你进行明智的外出就餐:

菜单	可以点的菜	一定要避免点的菜
美式菜	橄榄油和醋拌的色拉,蔬菜色拉,烤鸡,任何蔬菜,用西红柿、大蒜、洋葱等调制成的海员式沙司	汉堡包,烤干酪
意大利菜	炒蔬菜,色拉,海鲜色拉,橄榄油煎鱼,加海员式沙司的全麦意大利面	炒西葫芦,烤意大利通心面,加肉末和大量干酪的比萨饼、夹心面包

菜单	可以点的菜	一定要避免点的菜
地中海东部菜	鹰嘴豆泥(一种由捣碎的鹰嘴豆、芝麻酱、油、柠檬汁和蒜组成的调匀的、黏稠的混合物),芝麻酱,塔博勒色拉(一种捣得很碎的黎巴嫩色拉,由碾碎的干小麦、韭葱、西红柿、薄荷和欧芹制成),豆汤,小扁豆	擀成极薄层的生面(用来做酥饼的非常薄的糕点面粉层),肉丸子,沾面包屑炸的食品
亚洲菜	海藻色拉,海菜,豆酱汤,生鱼片,没有炒过的蔬菜,比如竹笋、豌豆、栗子,烤鸡,春卷,苜蓿菜,烧茄子,(非炸)豆腐,蒸鱼,鸡汤,醉鸡	面条(大部分都含饱和脂肪),白米饭,熏食,任何"炒"的或"炸"的食品包括炒饭、炒面、炸蛋卷,盐渍食品,含太多面酱的食品,蛋类食品比如芙蓉鸡蛋
墨西哥菜	黑豆,不含猪油烹制的豆类,黑米,豆薯,烤鸡或烤鱼,酸橘汁腌鱼,鳄梨	油炸面或玉米,玉米面豆卷,干酪,酸奶油,碎牛肉或猪肉

现成的食品

我们在这里向你介绍许多现成食品的选择,它们可以成为你的某一顿午餐或晚餐的代替品,只要这个对你而言是最容易准备的。你应该按照我们给的计划执行(查看食品的标签,避免能使腰围变粗的成分,比如每份多于 4 克的糖或饱和脂肪和任何反式脂肪酸)。我们将向你提供以下食品:

汤:

检查钠的含量,确保每份要少于 400 毫克。不要喝面条汤,因为里面含有饱和脂肪酸或反式脂肪酸。

零食:

低热量干酪。

膳食:

检查以确保这种食品中的反式脂肪酸和不饱和脂肪酸含量很低。

YOU 节食检修指南

如果你……	那么你……
吃了你不应该吃的东西	不要担心,但也不要一直吃下去。进行我们提供的 YOU 纠正中的一项(伸展运动,冥想或舔嘴唇)来重新坚定信念
体重/腰部减肥出现停滞	跟你的医生交谈,可以用药物帮助你度过这段稳定期,继续减重(参见第 313 页,附录 A)

如果你……	那么你……
找不到一位支持你的同伴	如果你想尽办法也不能让朋友陪你一起瘦身，那么请你在 www.realage.com 上找到一位志同道合的同伴
一家人决定晚上要去吃自助餐	你出发前，先喝一杯汤，一玻璃杯水，吃一把坚果。这样在你开始自助餐前就已经有饱足感了，这会使你合理饮食，在吃自助餐时只用 7 英寸或 9 英寸的盘子
旅途很多，许多饮食需要在路上进行	请多吃零食，少吃大餐。途中带着诸如坚果、苹果块儿、胡萝卜块儿等零食来减轻你的饥饿感
被确诊患有严重疾病	你生病的时候并不是减肥的最佳时间
可能对某种食品反感、厌恶（比如，无法解释的无精打采）	进行第 96 页提到的排除法计划

YOU : 健康饮食谱

你的饮品

菠萝—香蕉蛋白质饮品

2份,每份207大卡热量

1 只大的熟香蕉

1/2 杯低脂(1%)豆奶

1 罐(120毫升)榨菠萝汁,不过滤的

1/2 杯"激情菠萝"牌果汁冰糕,或者其他牌子的安全饮品

1 大汤匙大豆蛋白粉(8克蛋白质)

将香蕉剥皮,切成几段。将所有材料放入搅拌机后,盖上盖子。将其搅拌至均匀。

该饮品所提供的物质含量

脂肪总量	2 克
饱和脂肪含量	0.8 克
健康脂肪含量	1.1 克
纤维	2.1 克
碳水化合物	38 克
糖	17 克
蛋白质	11 克
钠	31 毫克
钙	39 毫克
镁	40 毫克
硒	1 微克
钾	428 毫克

神奇的早餐饮品

2 份,每份 207 大卡热量

1/2 只大香蕉(或者其他你喜欢的水果)

1 勺(1/3 杯)大豆蛋白粉

1/2 汤匙亚麻籽油

1/4 杯冷冻蓝莓

1/2 汤匙浓缩苹果汁或蜂蜜

1 茶匙亚麻籽外皮

240 毫升水

将香蕉剥皮,切成几段。将所有材料放入搅拌机。

或者:加几块冰及维生素粉,盖上搅拌机盖子。将其搅拌至均匀。

该饮品所含的营养成分	
脂肪总量	2.6 克
饱和脂肪含量	0.3 克
健康脂肪含量	2.4 克
纤维	6.3 克
碳水化合物	16.8 克
糖	11.1 克
蛋白质	29 克
钠	380 毫克
钙	93.5 毫克
镁	33.1 毫克
硒	1.8 微克
钾	195 毫克

你的汤食

花园丰收汤

10 份(每份 1 杯量),每份 176 大卡热量

1 大汤匙橄榄油

1 只中等大小的洋葱,切碎

1 根胡萝卜,切碎

4 粒蒜瓣,切片儿

1 只红色柿子椒,切碎

2000 毫升(8 杯)低盐蔬菜汁或鸡汁或肉汤

1 罐(900 克)纯的番茄肉或切碎的蕃茄块

2 杯水

1 小颗卷心菜,切碎

1/2 茶匙辣椒汁(根据个人喜好,可加可不加)

刚磨好的黑胡椒盐(根据个人喜好,可加可不加)

可选的装饰菜料:切碎的新鲜欧芹或芫荽叶

用中火将炖锅加热。放油,加入洋葱,翻炒 5 分钟。加入胡萝卜、蒜瓣和柿子椒,翻炒直到变软。加入汤汁、番茄、水和卷心菜。不加盖炖 20 分钟。可根据个人喜好加入酱汁、盐和胡椒,也可放入欧芹或芫荽叶等装饰菜。

该食品所含的营养成分	
脂肪总量	4 克
饱和脂肪含量	0.8 克
健康脂肪含量	2.85 克
纤维	3.6 克
碳水化合物	15.9 克
糖	4.6 克
蛋白质	7.1 克
钠	374 毫克
钙	73 毫克
镁	35 毫克
硒	5.6 微克
钾	631 毫克

西班牙凉菜汤

4 份(每份大约一杯量),每份 120 大卡热量

1 罐(900 克)番茄肉或番茄块

1 杯番茄汁

1 杯红柿子椒丁或黄柿子椒丁,削皮的黄瓜

1/4 杯切成小块的红洋葱

2 只绿洋葱,切成小块

1 束芫荽叶子,切碎

3 汤匙红酒醋或苹果酒醋少许(根据个人口味)辣椒汁

2 粒蒜瓣,切碎

刚磨好的黑胡椒盐(根据个人喜好,可加可不加)

可选的装饰菜料:切碎的新鲜欧芹或鳄梨

　　除了盐、胡椒和装饰菜之外,将其他所有原料放入大碗中混合。取出其中的一半放入搅拌机或食品加工机搅成浓汤,然后倒入大碗中,搅拌均匀。如需要可放入盐和胡椒调味。食用前请放入冰箱 2 到 8 小时。可放入装饰菜。

该食品为你提供的营养含量	
脂肪总量	12.1 克
饱和脂肪含量	1.8 克
健康脂肪含量	10.2 克
纤维	4.6 克
碳水化合物	19.2 克
糖	5.2 克
蛋白质	4.4 克
钠	207 毫克
钙	74 毫克
镁	53 毫克
硒	0.9 微克
钾	780 毫克

辣味蔬菜汤

10 份(每份大约 1 杯量),每份 94 大卡热量

1 汤匙橄榄油

1 只中等大小的洋葱,切碎

1 根胡萝卜,切碎

1 只红色柿子椒,切碎

5 粒蒜瓣,切成片

2000 毫升(8 杯)水

1 杯干扁豆

1 罐(900 克)番茄肉

2 片月桂树叶

2 汤匙香醋

刚磨好的黑胡椒盐(根据个人喜好,可加可不加)

用中火把炖锅中的油烧热。加入洋葱,翻炒 5 分钟。加入胡萝卜、蒜瓣和柿子椒,翻炒 3 分钟。将除了盐和胡椒之外的剩下的原料放入锅中,高温煮沸。等热度减退后,不加盖儿,再煨 18 到 20 分钟,或者直到扁豆和蔬菜变软。可根据个人喜好加入适量的盐和胡椒。食用前将月桂树叶取出。

该食品为你提供的营养含量

脂肪总量	1.6 克
饱和脂肪含量	0.2 克
健康脂肪含量	1.4 克
纤维	2.8 克
碳水化合物	8 克
糖	1.6 克
蛋白质	1.9 克
钠	82 毫克
钙	26 毫克
镁	16 毫克
硒	0.6 微克
钾	228 毫克

洋葱汤

8 份(每份大约 1 杯量),每份 129 大卡热量

1 汤匙橄榄油

2 只洋葱,切碎

2 根青葱,切碎

1 根韭葱,只要白色和淡绿色的一段,切碎

2000 毫升(8 杯)低盐鸡汁或肉汤

刚磨好的黑胡椒盐(根据个人喜好,可加可不加)

1/2 杯(120 克)搓碎的低脂瑞士干酪

1 束细香葱,切成小段

用中火把炖锅中的油烧热。加入洋葱,翻炒 5 分钟。加入青葱和韭葱,翻炒 5 分钟,直至成为金褐色。加入鸡汁或肉汤。不加盖,煨 15 分钟。可根据个人喜好加入适量的盐和胡椒。将汤盛入浅碗,放入干酪和细香葱做装饰。

该食品为你提供的营养含量	
脂肪总量	5 克
饱和脂肪含量	1.2 克
健康脂肪含量	3.4 克
纤维	0.3 克
碳水化合物	12.3 克
糖	5.7 克
蛋白质	8.5 克
钠	385 毫克
钙	84 毫克
镁	16 毫克
硒	6.4 微克
钾	21 毫克

咖喱豌豆汤

8 份(每份大约 1 杯量),每份 155 大卡热量

1 汤匙橄榄油

1 只洋葱,切碎

1 根胡萝卜,切碎

4 粒蒜瓣,切片儿

1000 毫升(4 杯)低盐蔬菜汁或肉汤

1000 毫升(4 杯)水

1 杯黄色的干裂成两瓣儿的豌豆

1 茶匙咖喱粉

1 茶匙枯茗

1/2 束芫荽,切碎

用中火把炖锅中的油烧热。加入洋葱,翻炒 5 分钟。加入胡萝卜和蒜瓣,翻炒 5 分钟,直至变软。加入剩下的原料,煮沸。等热度减退,不加盖,煨 30 分钟,或直至豌豆煮烂。将汤盛入浅碗,放入芫荽做装饰。

该食品为你提供的营养含量	
脂肪总量	3.6 克
饱和脂肪含量	0.7 克
健康脂肪含量	2.7 克
纤维	6.8 克
碳水化合物	22 克
糖	5.1 克
蛋白质	9.5 克
钠	183 毫克
钙	30.8 毫克
镁	38 毫克
硒	3.4 微克
钾	432 毫克

黑豆速食汤

8份(每份大约 1.25 杯量),每份 445 大卡热量

1 汤匙橄榄油

1 只洋葱,切碎

3 粒蒜瓣,切片

1 根胡萝卜,切碎

2 根旱芹,切碎

2000 毫升(8 杯)低盐蔬菜汁或肉汤

2 罐(每罐 500 克)黑豆,洗净,沥干

1 茶匙胡荽粉

1/4 茶匙辣椒粉

1 汤匙香醋

1 束芫荽叶,切碎

用中火把炖锅中的油烧热。加入洋葱,翻炒 5 分钟。加入蒜瓣、胡萝卜和旱芹,翻炒大约 5 分钟,直至烧熟。加入鸡汁或肉汤、黑豆、胡荽和辣椒粉。不加盖,煨 10 分钟。加入香醋。将煮好的汤放入搅拌机或食品加工机,搅拌至自己喜欢的浓度即可。可以根据个人喜好加热。将汤盛入浅碗,放入芫荽叶做装饰。

该食品为你提供的营养含量	
脂肪总量	6 克
饱和脂肪含量	1.4 克
健康脂肪含量	2.8 克
纤维	15.3 克
碳水化合物	71.8 克
糖	7.4 克
蛋白质	27.4 克
钠	360 毫克
钙	139 毫克
镁	180 毫克
硒	1 微克
钾	1771 毫克

鲜豌豆薄荷汤

8份(每份大约1杯量),每份157大卡热量

1汤匙橄榄油

1只洋葱,切碎

2粒蒜瓣,切片

1根胡萝卜,切碎

2杯冷冻或鲜豌豆

2000毫升(8杯)低盐蔬菜汁或肉汤

1杯低脂原味酸奶

刚磨好的黑胡椒盐(根据个人喜好,可加可不加)

1小束薄荷叶,切碎

用中火把炖锅中的油烧热。加入洋葱,翻炒5分钟。加入蒜瓣、胡萝卜,翻炒大约5分钟,直至变软。加入鸡汁或肉汤、豌豆。不加盖,煨20分钟。分批将煮好的汤放入搅拌机或食品加工机,加入酸奶。搅拌成浓汤。最后,将汤盛入浅碗,放入薄荷叶。

该食品为你提供的营养含量	
脂肪总量	4.8克
饱和脂肪含量	1.1克
健康脂肪含量	3.5克
纤维	2.3克
碳水化合物	18.2克
糖	9.5克
蛋白质	10克
钠	376毫克
钙	84毫克
镁	0.3毫克
硒	7.3微克
钾	466毫克

你的色拉

南瓜籽、豆芽和日本姜色拉

8份,每份230大卡热量

调味品原料

1/2 杯橄榄油

1/2 杯米醋

1 只小的甜洋葱,切成 4 份

1 根大胡萝卜,切碎

1 汤匙橙汁

1 汤匙搓碎的新鲜姜

1/4 茶匙大豆汁

刚磨好的黑胡椒盐(根据各人喜好,可加可不加)

色拉原料

2 大棵生菜,撕碎

1/2 杯新鲜豆芽

1/4 杯南瓜籽

除了盐和胡椒之外,将所有调味品放入搅拌器或食品加工机中,搅拌至糊状。如需要可加入适量盐和胡椒。将调味品加入生菜,轻轻搅拌,上面放上豆芽和南瓜籽。

该食品为你提供的营养含量	
脂肪总量	22 克
健康脂肪含量	12.1 克
纤维	6 克
碳水化合物	16.8 克
糖	4 克
蛋白质	6.4 克
钠	53 毫克
钙	79 毫克
镁	74 毫克
硒	2 微克
钾	499 毫克

"我的上衣 "我的上衣 "我正喜欢一
不见了。" 被吹掉了。" 丝不挂呢。"

这些不知羞耻的胡萝卜。

菠菜—胡桃—柑橘色拉

2份,每份246大卡热量

调味品原料

1 汤匙橄榄油

1 汤匙白葡萄酒醋

1 茶匙蜂蜜

少许辣椒粉

刚磨好的黑胡椒盐(根据个人喜好,可加可不加)

色拉原料

1 大束菠菜,洗净,择好

1/4 杯胡桃,分成两半,生的或者用平底锅烘烤过的

1/2 只柑橘,去皮切成几瓣

1/2 只柚子,去皮切成几瓣

2 只绿洋葱,切碎

将橄榄油、蜂蜜和辣椒粉混合搅拌。可以加入适量的盐和胡椒。将调味品加入菠菜和胡桃中,轻轻搅拌。将柑橘和柚子瓣儿放到色拉上,最后装饰上绿洋葱。

该食品为你提供的营养含量

脂肪总量	17 克
饱和脂肪含量	1.9 克
健康脂肪含量	14.4 克
纤维	6.8 克
碳水化合物	21 克
糖	7.6 克
蛋白质	8 克
钠	138 毫克
钙	218 毫克
镁	169 毫克
硒	3.6 微克
钾	1203 毫克

越橘、胡桃、嫩圆白菜叶和干酪色拉

2 份,每份 304 大卡热量

调味品原料

1 汤匙橄榄油

1 汤匙香醋

1/2 茶匙第戎芥末

1 粒蒜瓣,切成片

1/4 茶匙大豆沙司

刚磨好的黑胡椒盐(根据个人喜好,可加可不加)

色拉原料

3 杯绿叶菜或嫩圆白菜叶

1/4 杯越橘干

1/4 杯胡桃,分成两半,生果或者用平底锅烘烤过的胡桃皆可

1/2 杯(60 克)碎干酪

将橄榄油、香醋、芥末、大蒜和大豆沙司混合搅拌。可以加入适量的盐和胡椒。将色拉菜与调味品、越橘和胡桃一起搅拌。最后装盘,放上干酪。

"我要去纽约."

该食品为你提供的营养含量	
脂肪总量	22.7 克
饱和脂肪含量	6 克
健康脂肪含量	15.6 克
纤维	4.7 克
碳水化合物	19.6 克
糖	11.9 克
蛋白质	10 克
钠	183 毫克
钙	146 毫克
镁	57 毫克
硒	3 微克
钾	391 毫克

加利福尼亚带壳胡桃芝麻菜、西瓜和羊乳酪色拉

2 份,每份 190 大卡热量

调味品原料

1 汤匙橄榄油

1 汤匙香醋

1 根小青葱,切碎

1 粒蒜瓣,切成片

刚磨好的黑胡椒盐(根据个人喜好,可加可不加)

色拉原料

1 大捆芝麻菜(3 杯的量),洗净,沥干

1 杯无籽西瓜肉

1/2 杯(60 克)低脂的碎羊乳酪

将橄榄油、香醋、青葱混合搅拌。可以加入适量的盐和胡椒。等 5 分钟。将芝麻菜放入两个盘子。西瓜和羊乳酪放在芝麻菜上,撒上调味品。

这是生菜!

该食品为你提供的营养含量	
脂肪总量	13.3 克
饱和脂肪含量	5.3 克
健康脂肪含量	7.3 克
纤维	1.1 克
碳水化合物	13 克
糖	6.9 克
蛋白质	6.4 克
钠	334 毫克
钙	235 毫克
镁	41.8 毫克
硒	5 微克
钾	377 毫克

加胡椒的希腊羊乳酪、橄榄色拉

2 份,每份 305 大卡热量

调味品原料

1 汤匙橄榄油

1 汤匙红酒醋

1 汤匙柠檬汁

1/2 茶匙牛至

1 粒蒜瓣,切片

1 茶匙蜂蜜

刚磨好的黑胡椒盐(根据个人喜好,可加可不加)

色拉原料

1 棵生菜,撕碎

1 只番茄,切成 4 份

4 只泡菜辣椒

1 根小黄瓜,切成段儿

1/2 杯(60 克)低脂羊乳酪

几把莳萝,切碎

1/2 只绿色柿子椒,切成圈儿

8 枚希腊橄榄

除了盐和胡椒之外,将所有调味品放到一起搅拌。如果需要,可以加入适量的盐和胡椒,等 5 分钟。将所有色拉原料放入一个大碗,加调味品搅拌。

该食品为你提供的营养含量	
脂肪总量	16 克
饱和脂肪含量	5.7 克
健康脂肪含量	9.6 克
纤维	10.9 克
碳水化合物	35.8 克
糖	17.9 克
蛋白质	12 克
钠	510 毫克
钙	324 毫克
镁	108 毫克
硒	619 微克
钾	1593 毫克

土耳其牧羊人色拉

2份,每份153大卡热量

1 根小黄瓜

1 只番茄

1 只小的甜洋葱

1 茶匙橄榄油

1 汤匙红酒醋

刚磨好的黑胡椒盐(根据个人喜好,可加可不加)

1/2 杯(60 克)低脂羊乳酪

将黄瓜、番茄和洋葱大致切成块状,盛入大碗。加入干酪和酒醋,充分搅拌。可根据个人口味添加适量的盐和胡椒。将色拉装入盘中,上面放上奶酪。

该食品为你提供的营养含量

脂肪总量	8.6 克
饱和脂肪含量	4.6 克
健康脂肪含量	3.6 克
纤维	2.2 克
碳水化合物	14.7 克
糖	9 克
蛋白质	6.1 克
钠	329 毫克
钙	186 毫克
镁	39 毫克
硒	5.1 微克
钾	479 毫克

加碎花生的东方快车色拉

2 份,每份 200 大卡热量

调味品原料

1 汤匙橄榄油

1 汤匙米醋

2 汤匙橙汁

1 茶匙搓碎的新鲜姜根

1 茶匙酱

1/2 茶匙芝麻油

刚磨好的黑胡椒盐(根据个人喜好,可加可不加)

色拉原料

2 棵小的波士顿生菜,撕碎

1 根小黄瓜,切成段

1 小颗芜菁,切碎

1 根胡萝卜,切成条状

2 汤匙碎花生米

2 只绿洋葱,切碎

将除了盐和胡椒之外的所有调味品放到一起搅拌。如果需要,可以加入适量的盐和胡椒。再将生菜、黄瓜、芜菁和胡萝卜与调味品一起搅拌。最后,将色拉装入盘子,上面撒上碎花生米和绿洋葱。

该食品为你提供的营养含量	
脂肪总量	13.1 克
饱和脂肪含量	1.8 克
健康脂肪含量	10.6 克
纤维	5.1 克
碳水化合物	17.7 克
糖	7.9 克
蛋白质	7.1 克
钠	458 毫克
钙	121 毫克
镁	72 毫克
硒	2.3 微克
钾	936 毫克

地中海花椰菜色拉

4 份,每份 94 大卡热量

1 棵花椰菜,用沸水焯 5 分钟

1 小罐欧洲鳀鱼,沥干,切碎(可依据个人喜好选择使用)

1 汤匙干槟榔

2 汤匙新鲜的柠檬汁

1 汤匙橄榄油

1 粒蒜瓣,拍扁或切碎

1 汤匙新鲜的碎牛至或 1 汤匙干牛至

将花椰菜沥干后,掰成小块儿。把花椰菜、欧洲鳀鱼和槟榔混合放入一个中等大小的碗中。将其他的调味品或原料一起加入,搅拌均匀。

该食品为你提供的营养含量

脂肪总量	4.6 克
饱和脂肪含量	0.7 克
健康脂肪含量	3.7 克
纤维	3.8 克
碳水化合物	8.8 克
糖	3.7 克
蛋白质	6.2 克
钠	519 毫克
钙	63 毫克
镁	31 毫克
硒	8.7 微克
钾	514 毫克

甜菜和戈贡佐拉干酪色拉

4份,每份106大卡热量

6棵中等大小的甜菜,洗干净

1汤匙橄榄油

1汤匙香醋

1茶匙蜂蜜

1粒蒜瓣,拍扁或切碎

1/2茶匙酱

1/2根细香葱,切成细末

2茶匙碎戈贡佐拉干酪

将甜菜放入锅中加盖煮大约30分钟,直到甜菜变软。然后将甜菜沥干,冷却,剥皮。再将橄榄油、香醋、蜂蜜、蒜瓣和酱放入中等碗中。将甜菜切成2.5厘米见方大小的块状,放入碗中。加入香葱和调味品。最后盛入盘中,放上干酪。

该食品为你提供的营养含量

脂肪总量	4.8 克
饱和脂肪含量	1.3 克
健康脂肪含量	3.3 克
纤维	3.5 克
碳水化合物	13.7 克
糖	9.8 克
蛋白质	3.1 克
钠	239 毫克
钙	45 毫克
镁	31 毫克
硒	1.6 微克
钾	424 毫克

棕榈果、番茄和蘑菇色拉

2 份,每份 132 大卡热量

1 罐(500 克)棕榈果,沥干

1 只番茄,切碎

1 根青葱,切碎

6 只未开的蘑菇

1 小根欧芹

2 汤匙红酒醋

1 汤匙橄榄油

刚磨好的黑胡椒盐(根据个人喜好,可加可不加)

将棕榈果一切两半,放入盘中。将其他原料撒上调味品,可根据自己的口味加入适量的盐和胡椒。用汤匙搅拌即可。

该食品为你提供的营养含量

脂肪总量	8 克
饱和脂肪含量	1.2 克
健康脂肪含量	6.2 克
纤维	5 克
碳水化合物	12.2 克
糖	2.6 克
蛋白质	6.2 克
钠	632 毫克
钙	102 毫克
镁	72 毫克
硒	6 微克
钾	632 毫克

加胡萝卜、葡萄干和酸奶的卷心菜色拉

2份,每份 193 大卡热量

4 根胡萝卜,切成丝

1 小根芫荽,切碎

1 杯低脂的希腊式酸奶

1/4 杯黄葡萄干

1 粒蒜瓣,切片

1 茶匙柠檬汁

少许伍斯特郡酱

刚磨好的黑胡椒盐(根据个人喜好,可加可不加)

将所有材料放入碗中搅拌,可根据个人口味添加盐和胡椒。

该食品为你提供的营养含量	
脂肪总量	4.5 克
饱和脂肪含量	2.7 克
健康脂肪含量	1.4 克
纤维	5.1 克
碳水化合物	35 克
糖	23 克
蛋白质	6.5 克
钠	166 毫克
钙	2.5 毫克
镁	41 毫克
硒	3.3 微克
钾	850 毫克

芝麻黄瓜色拉

2 份,每份 187 大卡热量

1 汤匙米醋

1 茶匙橄榄油

1/2 茶匙熟芝麻油

1/2 茶匙豆酱

少许辣椒粉

2 根黄瓜,切成 0.6 厘米的块状

1/2 根细香葱,切碎

1 茶匙芝麻

将米醋、橄榄油、芝麻油、豆酱和辣椒粉放入一个
中等大小的碗中混合搅拌。再将黄瓜、细香葱和芝麻
放进去拌匀即可。

该食品为你提供的营养含量	
脂肪总量	6.8 克
饱和脂肪含量	1 克
健康脂肪含量	5.3 克
纤维	3.2 克
碳水化合物	29 克
糖	8.2 克
蛋白质	6.2 克
钠	180 毫克
钙	90 毫克
镁	85 毫克
硒	18.1 微克
钾	750 毫克

亚洲鲑鱼加糙米饭

4 份,每份 674 大卡热量

糙米准备原料

1 汤匙橄榄油

1/2 只洋葱,切碎

1/2 只红柿子椒,切碎

2 杯水

1 杯生糙米

1/4 杯切成小块的欧芹

刚磨好的黑胡椒盐(根据个人喜好,可加可不加)

鲑鱼原料

4 块无皮鲑鱼片(每块大约 120 克)

1 汤匙橄榄油

1 粒蒜瓣,拍扁或切碎

1 汤匙搓碎的新鲜姜根

1 茶匙豆酱

1 茶匙糖槭汁

2 只绿洋葱,切碎

煮饭:将锅中的油烧热。加入洋葱和柿子椒,煮 3 分钟。然后加水和米,煮沸片刻后,加盖煨 50 分钟,或等到米变软,水分烧干。煮好后,用餐叉把米抖松,加入欧芹搅拌。如果需要,可以加入适量的盐和胡椒。

做鲑鱼:将鲑鱼放入盘中,将做鲑鱼剩下的原料混合搅拌。浇上腌泡汁(一种液体混合物,通常将醋或葡萄酒与油混合并掺加各种香料和香草,其中的肉、禽、鱼和蔬菜在烹调前都要在里面浸透),等 15 到 20 分钟。将烤盘在中火上加热,放上沥干的鲑鱼,每一面烘烤 3 到 4 分钟,或者等到鲑鱼变成透明状,肉质变硬。最后和米饭放到一起即可。

该食品为你提供的营养含量

脂肪总量	20.5 克
饱和脂肪含量	3.4 克
健康脂肪含量	15 克
纤维	2.6 克
碳水化合物	45.9 克
糖	4.9 克
蛋白质	71 克
钠	411 毫克
钙	81 毫克
镁	165 毫克
硒	145 微克
钾	1421 毫克

风味墨西哥辣味牛肉末

4 份,每份 390 大卡热量

1 汤匙橄榄油

220 克火鸡肉,或用其他肉类代替

1/2 只洋葱,切碎

2 粒蒜瓣,切片

1 罐(900 毫升)番茄汁

1 罐(500 克)干的芸豆

1/2 茶匙墨西哥辣味牛肉末

1 撮辣椒粉

1 茶匙糖槭汁

1/2 茶匙碎胡荽

1/2 茶匙姜黄

糙米肉饭(做法参见第 285 页)

将大锅中的油烧热,加入火鸡肉、洋葱和蒜瓣,翻炒 5 分钟。放入其他原料,不加盖煨 25 分钟。最后与糙米肉饭一起装盘即可。

该食品为你提供的营养含量	
脂肪总量	8.9 克
饱和脂肪含量	1.9 克
健康脂肪含量	6.2 克
纤维	10.7 克
碳水化合物	31.5 克
糖	2.2 克
蛋白质	18.8 克
钠	646 毫克
钙	86 毫克
镁	73 毫克
硒	13.3 微克
钾	838 毫克

制作馅饼

先制作你自己的全麦比萨馅饼坯。整个制作过程,包括用酵母发酵的时间,需要25到70分钟。将一茶匙干酵母和1/8茶匙糖放入小碗中,倒入一杯半的温水。等待10分钟。在另一个大碗里,放入一杯半全麦面粉和一杯半通用面粉混合搅拌,然后加入1茶匙食盐,混合。把酵母加入面粉,用手搅拌。加入一汤匙橄榄油。揉两分钟,直到面团表面变得光滑。将碗盖好,放到暖和的地方直到面团发到原来的两倍大小,整个过程大约需要20到60分钟。然后揉1到2分钟,将其分为4等份(其余的部分可以储存到冰箱中)。将面团揉成圆形,预先加热到230摄氏度。将橄榄油涂到平底焙锅上,用擀面杖在面板或平底焙锅上将面团擀成25到30厘米大小的比萨面饼。用叉子在面饼上刺4到6次。最后,放入烤炉烘烤5分钟。取出,添加调料。

夹馅儿全麦比萨

4份,每份2片

刚开始的两周,你至多只能吃一半比萨

但是大多数人并不需要吃那么多

每一份含322大卡热量

烹饪油

450克新鲜的炒蔬菜,如芦笋、椰菜、花椰菜、蘑菇、各种颜色的柿子椒,红色和白色洋葱及西葫芦,切开

2粒蒜瓣,切片

刚磨好的黑胡椒盐(根据个人喜好,可加可不加)

1杯比萨酱或番茄酱

2汤匙橄榄泡菜调味品或橄榄酱

2汤匙脱水番茄

事先准备好的一个30厘米或300克大小的全麦比萨面饼

1/2杯(60克)切好的意大利莫泽雷勒干酪丝

加热到 220 摄氏度。用中火将不粘锅加热,涂上烹饪油。加入蔬菜和蒜瓣,爆炒 2 到 5 分钟,直到蔬菜变得脆软。如果需要可以加入适量的盐和胡椒。将比萨酱、橄榄泡菜和脱水番茄混合。将其撒到比萨面饼上,顶上放上做好的蔬菜和奶酪。直接将比萨放入烤炉架烘烤 10 到 15 分钟,或者直到面饼变成金黄色并且奶酪融化。最后将比萨分成 8 份。

该食品为你提供的营养含量

脂肪总量	11.5 克
饱和脂肪含量	3.5 克
健康脂肪含量	7.9 克
纤维	5.7 克
碳水化合物	44.2 克
糖	3.5 克
蛋白质	12.2 克
钠	682 毫克
钙	151 毫克
镁	44 毫克
硒	2.9 微克
钾	481 毫克

大蒜说:"咬我。"

加番茄、橄榄和白豆的地中海鸡肉

2 份,每份567 大卡热量

鸡腿原料

2 只去掉鸡皮的带骨鸡大腿

1 只番茄,切碎

1/2 只洋葱,切碎

8 枚去壳的希腊式橄榄,分成两半

1 汤匙橄榄油

1 茶匙酒醋或香醋

1 小棵紫苏,切碎

白豆原料

1 茶匙橄榄油

2 粒蒜瓣,切片

1 罐(450 到 500 克)白豆,洗净,沥干

1 只番茄,切碎

1/4 杯切碎的新鲜香草

1 茶匙红酒醋或香醋

刚磨好的黑胡椒盐(根据个人喜好,可加可不加)

将烤炉加热到 200 摄氏度做鸡腿。将每一只鸡腿放在铝箔上,然后将剩下的鸡腿原料混合搅拌,浇到鸡腿上。包好铝箔,封好边,烤 25 分钟,直到鸡腿烤熟。现在开始准备白豆。先用中火将锅里的油加热,加入大蒜,煮 2 分钟。然后将剩下的白豆原料加入锅里,煮 5 分钟直到煮透。慢慢打开包鸡腿的铝箔,分装在两只盘子中,旁边摆上白豆。

该食品为你提供的营养含量	
脂肪总量	11.5 克
饱和脂肪含量	3.5 克
健康脂肪含量	7.9 克
纤维	5.7 克
碳水化合物	44.2 克
糖	3.5 克
蛋白质	12.2 克
钠	682 毫克
钙	151 毫克
镁	44 毫克
硒	2.9 微克
钾	481 毫克

皇家普罗旺斯菜团子

2 份,每份 451 大卡热量

180 克全麦波纹贝壳状通心粉或意大利面条

1 只小胡椒或辣椒粉

1 杯(120 克)切成块的削过皮的茄子(2 厘米大小)

1 茶匙橄榄油

1 只小的黄洋葱,切碎

1 只黄色柿子椒,切碎

3 粒蒜瓣,切片

2 罐(每罐 450 克)炖番茄,切碎

1 杯压缩生菜或嫩圆白菜叶

1 茶匙切碎的新鲜麝香草干碎叶或柠檬百丽香

刚磨好的黑胡椒盐(根据个人好,可加可不加)

根据包装说明煮意大利面。同时将煮锅中的油加热。放入辣椒翻炒 2 分钟,直到炒出香味。等辣椒凉透后,把辣椒杆儿除掉,留着种子做装饰。然后把剩下的辣椒切碎。将茄子放进烧热的煮锅,翻炒 4 分钟直到出现金黄色。倒上油,放入切碎的洋葱、柿子椒和蒜瓣,翻炒 3 分钟。然后再加上番茄和切碎的辣椒。等热量减退后再不加盖煨 10 分钟,或等到蔬菜变软,汤汁变浓。等热量减退后,加色拉菜和新鲜麝香草干碎叶。可以根据个人口味加入适量的盐和胡椒。最后,将意大利面沥干,分别装入两个盘子,上面浇上汤汁。

该食品为你提供的营养含量	
脂肪总量	4.3 克
饱和脂肪含量	0.6 克
健康脂肪含量	2.9 克
纤维	6.3 克
碳水化合物	95.2 克
糖	15.4 克
蛋白质	17.6 克
钠	533 毫克
钙	179 毫克
镁	183 毫克
硒	65.5 微克
钾	1163 毫克

黄梅鸡、青豆加杏仁片

2份,每份430大卡热量

鸡肉原料

2 块去皮、无骨鸡胸肉(大约每块120克),或者使用猪肉代替

4 粒干杏,切碎

2 茶匙白酒

2 根青葱,切碎

1 汤匙橄榄油

1/8 茶匙桂皮

青豆原料

1 杯青豆

3 根青葱,切丝

1 汤匙橄榄油

1 茶匙酒醋

1 茶匙枫糖汁

1/4 杯杏仁片

刚磨好的黑胡椒盐(根据个人喜好,可加可不加)

将鸡胸肉放入200摄氏度烤炉。将鸡肉放入玻璃制烤盘。将其他剩下的鸡肉原料放在一起炒,直到变软。然后将其放入搅拌机或食品加工机。将汤汁浇在鸡肉上烤到入味,大约需要15到20分钟。现在准备青豆,煮或者蒸直到豆子变软,变成青绿色。将青葱和橄榄油、醋以及枫糖汁一起煮,加上杏仁片和青豆。可根据个人口味加入适量盐和胡椒。将青豆放到鸡肉旁边。

该食品为你提供的营养含量	
脂肪总量	22 克
饱和脂肪含量	2.8 克
健康脂肪含量	18.1 克
纤维	4.6 克
碳水化合物	25 克
糖	3.5 克
蛋白质	32.7 克
钠	89 毫克
钙	95 毫克
镁	100 毫克
硒	22.4 微克
钾	813 毫克

火鸡玉米饼加烤红薯

2 份,每份 497 大卡热量

红薯原料

1 只大的烤红薯,洗干净,用刀尖戳孔

2 汤匙马瑞那拉调味汁(用番茄、洋葱、大蒜和香料制成的调味汁)或其他番茄汁

火鸡玉米饼原料

2 块 15 厘米大的全麦面粉玉米饼

4 块烤熟的火鸡胸肉

4 片生菜叶

4 块切碎的番茄

2 片红色或黄色洋葱薄片

芥末或红辣椒(根据个人喜好,可加可不加)

用微波炉加热红薯 8 到 9 分钟。将红薯切成两半,浇上一汤匙汤汁。与此同时,准备好火鸡玉米饼,放上所有调料品,卷起来。

该食品为你提供的营养含量	
脂肪总量	14.5 克
饱和脂肪含量	4.5 克
健康脂肪含量	10 克
纤维	7 克
碳水化合物	64 克
糖	6.5 克
蛋白质	28.5 克
钠	1654 毫克
钙	180 毫克
镁	71 毫克
硒	11.3 微克
钾	1596 毫克

加迷迭香和柠檬的烤鲑鱼和鲷鱼

2 份,每份 182 大卡热量

250 克的整鱼(鲑鱼或鲷鱼)

刚磨好的黑胡椒盐(根据个人喜好,可加可不加)

2 粒蒜瓣,切片

4 枝迷迭香

1 只柠檬,切片

将烤炉预热。把鱼像书一样打开,如果需要可以加适量的盐和胡椒。把蒜瓣、迷迭香和柠檬片摆在鱼上,将鱼合起放在涂过油脂的烤炉架上烘烤 5 分钟,然后将鱼翻过一面,继续烤 4 到 5 分钟,直到把鱼烤熟。

该食品为你提供的营养含量	
脂肪总量	7.3 克
饱和脂肪含量	1 克
健康脂肪含量	4.9 克
纤维	2.7 克
碳水化合物	10.3 克
糖	4.9 克
蛋白质	15.8 克
钠	126 毫克
钙	76 毫克
镁	43 毫克
硒	10.7 微克
钾	688 毫克

鸡肉串塔博勒色拉

2 份,每份 397 大卡热量

鸡肉原料

2 块去皮、无骨的鸡胸肉(每块大约 120 克),切成 2.5 厘米大小的鸡块

1 茶匙干牛至

1/2 茶匙鼠尾草

1 只红辣椒,切碎(可供选择)

1 只洋葱,切成 4 份

1 只番茄,切成 4 份

1 只柿子椒,去籽,去梗,切成 4 份

4 只未张开的蘑菇

塔博勒色拉原料

3/4 杯碎小麦

1 杯半开水

1 只番茄,切碎

1 只绿洋葱,切碎

1 大根欧芹,切成小块儿

1 小片薄荷叶,切成小片

2 汤匙柠檬汁

1 汤匙橄榄油

刚磨好的黑胡椒盐(根据个人喜好,可加可不加)

将烤架准备好做鸡肉串。将牛至、鼠尾草,如果需要,再加上辣椒,和鸡肉一起搅拌。然后把鸡肉、洋葱、番茄、柿子椒和蘑菇一个隔一个地串到金属串肉扦上。在烤架上每一面都烤 3 到 4 分

钟,或直到鸡肉烤透,蔬菜变软。与此同时,开始准备塔博勒色拉。将碎小麦放入碗中,加入开水搅拌大约 30 分钟,直到所有的水被小麦吸收。将多余的水倒掉。然后加入剩下的原料搅拌,加入适量的盐和胡椒。最后将鸡肉串和蔬菜一起装盘即可。

该食品为你提供的营养含量	
脂肪总量	9.4 克
饱和脂肪含量	1.5 克
健康脂肪含量	7.1 克
纤维	5.6 克
碳水化合物	72.1 克
糖	12.1 克
蛋白质	14.2 克
钠	22.4 毫克
钙	93 毫克
镁	148 毫克
硒	68 微克
钾	1121 毫克

有点儿
喝醉了

柠檬、刺山柑鸡肉和红薯泥

2份,每份273大卡热量

鸡肉原料

2 只去皮、无骨的鸡大腿(每只大约120克)

1 只柠檬,挤成汁

1 汤匙橄榄油

2 根青葱,切碎

1 汤匙刺山柑

1 茶匙第戎芥末

红薯原料

2 只红薯,用微波炉烹调或烘焙

2 汤匙橙汁

1/4 杯葡萄干

1/2 茶匙桂皮

刚磨好的黑胡椒盐(根据个人喜好,可加可不加)

将烤炉准备好,将鸡大腿放进烘烤盘,把鸡肉原料撒到鸡大腿上。烤12到15分钟,或直到鸡大腿烤透。现在开始准备红薯。用勺子将热红薯瓤挖到碗中,加入除了黑胡椒盐之外的所有调料,搅拌均匀。可根据个人口味加入适量的胡椒盐。将红薯泥与鸡腿装盘。

该食品为你提供的营养含量	
脂肪总量	10.9 克
饱和脂肪含量	2 克
健康脂肪含量	7.9 克
纤维	1.4 克
碳水化合物	20.6 克
糖	12.7 克
蛋白质	24.7 克
钠	336 毫克
钙	39.5 毫克
镁	41 毫克
硒	16.5 微克
钾	494 毫克

热野生鲑鱼

2 份，每份 384 大卡热量

2 块带皮鲑鱼(每块大约 120 克)，或鲑鱼排(横切最好)

2 汤匙切好的新鲜姜末

1 汤匙哇沙比(一种芥末调味料)

1/4 茶匙姜黄

石笋(做法参见第 301 页)

准备好烤架或烤炉，将姜末、哇沙比和姜黄混合，刷到鲑鱼上。在烤架或烤炉上烤 10 到 12 分钟。最后与石笋一起装盘。

该食品为你提供的营养含量

脂肪总量	14.5 克
饱和脂肪含量	2.3 克
健康脂肪含量	10.6 克
纤维	0.4 克
碳水化合物	2.7 克
糖	0.2 克
蛋白质	45.2 克
钠	11 毫克
钙	31 毫克
镁	73 毫克
硒	82.5 微克
钾	1176 毫克

芝麻雪豆和烤花生虾

2 份, 每份 273 大卡热量

花生酱的原料

1 汤匙天然花生酱

1 汤匙罐装椰子奶

1 茶匙新鲜酸橙汁

少许辣椒粉

1 茶匙蜂蜜

1/4 茶匙豆酱

1/4 杯水

1 粒蒜瓣, 剥皮

10 只中等大小的虾, 洗净, 处理干净

雪豆原料

1 罐新鲜雪豆

1 粒蒜瓣, 切碎

1 茶匙芝麻

1 茶匙橄榄油

1/2 茶匙熟芝麻油

准备好烤架。将除了虾之外的所有制作花生酱的原料放进搅拌机或食品加工机搅拌。然后浇到虾上, 等 15 分钟, 充分入味。把多余的调料倒掉后, 将虾串到串肉扦上。每面烤 2 到 3 分钟, 直到烤熟。将雪豆放入开水煮 2 分钟, 沥干, 再用凉开水冲洗。将橄榄油和芝麻油烧热后倒入蒜瓣和芝麻, 翻炒 2 分钟。再倒入沥干的雪豆, 翻炒至熟透。最后与虾一起装盘即可。

该食品为你提供的营养含量

脂肪总量	10.5 克
饱和脂肪含量	2.9 克
健康脂肪含量	7 克
纤维	1.9 克
碳水化合物	8.8 克
糖	5.1 克
蛋白质	9.5 克
钠	128 毫克
钙	51.5 毫克
镁	40.6 毫克
硒	13.1 微克
钾	220 毫克

爆炒豆腐蔬菜

2 份,每份 602 大卡热量

1 汤匙橄榄油

1/2 茶匙熟芝麻油

1/4 茶匙红辣椒块

1/2 只洋葱,切碎

2 粒蒜瓣,切碎

1 杯花椰菜

1/2 只红柿子椒,切碎

6 只未张开的蘑菇,切成两半

4 块小豆腐,每块 60 克

2 只绿洋葱,切碎

1 小根芫荽,切碎

1 茶匙芝麻

中火加热炒锅里的橄榄油、芝麻油和辣椒块,然后加入洋葱和大蒜,爆炒 2 分钟。加入椰菜花、柿子椒、蘑菇和豆酱,爆炒 2 到 3 分钟,直到蔬菜脆软。最后,放入豆腐、绿洋葱、芫荽和芝麻,爆炒。

该食品为你提供的营养含量	
脂肪总量	23 克
饱和脂肪含量	3.3 克
健康脂肪含量	18.9 克
纤维	11.1 克
碳水化合物	43 克
糖	16.4 克
蛋白质	62.2 克
钠	873 毫克
钙	400 毫克
镁	273 毫克
硒	13.5 微克
钾	2403 毫克

豆腐或土耳其香肠加美式泡白菜

2 份，每份 298 大卡热量

4 块豆腐或土耳其香肠

1 杯美式泡白菜

全麦小圆面包(可供选择)

2 汤匙你喜欢的芥末

将香肠或豆腐和美式泡白菜放入水中煮 5 分钟，直到热透。沥干，加上芥末。可选用全麦圆面包。

该食品为你提供的营养含量	
脂肪总量	26 克
饱和脂肪含量	9 克
健康脂肪含量	15.4 克
纤维	0.7 克
碳水化合物	3.8 克
糖	2.1 克
蛋白质	11.2 克
钠	1219 毫克
钙	158 毫克
镁	27 毫克
硒	1.9 微克
钾	160 毫克

石笋

4 份, 每份 38 大卡热量

450 克笋芽, 洗净, 沥干, 切好

1 茶匙天然橄榄油

按口味准备少许食盐(可供选择)

干百里香、牛至、紫苏和黑胡椒各 1/4 茶匙

可选择的装饰菜:番茄块

将烤箱加热到 180 摄氏度, 把笋放入
13×9 英寸的烤盘或容积为 3 升的蒸锅中,
倒入橄榄油。根据个人喜好放入适量的百里
香、牛至、胡椒和食盐。将装笋的烤盘放入烤
箱,不关烤箱门烘烤。一般薄的笋片需要 12
到 13 分钟,厚一点儿的需要 15 到 18 分
钟。最后撒上装饰菜即可。

该食品为你提供的营养含量	
脂肪总量	1.5 克
饱和脂肪含量	0.2 克
健康脂肪含量	1.1 克
纤维	1.4 克
碳水化合物	5 克
糖	1.8 克
蛋白质	2.9 克
钠	5 毫克
钙	27 毫克
镁	22 毫克
硒	4 微克
钾	352 毫克

番茄—鳄梨餐

2份,每份90大卡热量

1/4 杯切好的红洋葱

1 茶匙墨西哥胡椒,或根据口味多准备一些

1 汤匙酸橙汁

1 汤匙苹果酒醋

1 茶匙切碎的蒜瓣

1/4 茶匙盐

1 只熟透的鳄梨,剥皮,去核,捣碎

1 只中等大小的番茄,切碎

1/4 根切碎的芫荽

将洋葱、墨西哥胡椒、酸橙汁、苹果酒醋、大蒜和盐放入大碗中。再加入鳄梨、番茄和芫荽一起搅拌。立即装盘食用或放进冰箱储存皆可。放入冰箱前,请蒙上保鲜膜。可以与烤好的全麦比萨饼一起食用。

该食品为你提供的营养含量	
脂肪总量	8 克
饱和脂肪含量	2.1 克
健康脂肪含量	5.3 克
纤维	3.1 克
碳水化合物	8 克
糖	2 克
蛋白质	2 克
钠	25 毫克
钙	20 毫克
镁	54 毫克
硒	0 微克
钾	805 毫克

你的甜品

用肉桂烤制的苹果和橘子、越橘

4 份,每份 146 大卡热量

2 只大的烤苹果(或者用梨代替)

1 又 1/4 杯不甜的苹果汁,最好是不过滤的带果肉的苹果汁

1/2 杯(60 克)干越橘(或者用樱桃代替)

1/4 茶匙桂皮粉

1/4 茶匙蒜末

2 只无籽的小柑橘或橘子,剥皮,掰成几瓣。

将烤炉加热到 210 摄氏度。将苹果分成两半,去壳,去籽。将 1/4 杯苹果汁放入 8 英寸的烤盘或蒸锅中。然后把苹果放到苹果汁上,烤 15 到 18 分钟,直到苹果变软。同时,将剩下的一杯苹果汁放入小锅里,用中火加热 5 分钟。把越橘、桂皮和蒜末加入锅中。等热量减退后,不加盖煨 10 分钟,直到越橘熟透。再加入小柑橘瓣。将两半苹果摆在碟子上,浇上煮好的果汁。

该食品为你提供的营养含量	
脂肪总量	0.6 克
饱和脂肪含量	0.1 克
健康脂肪含量	0.3 克
纤维	4.1 克
碳水化合物	37.7 克
糖	30.4 克
蛋白质	0.7 克
钠	15 毫克
钙	30 毫克
镁	13 毫克
锌	0.1 毫克
硒	0.2 微克
钾	281 毫克

肉桂苹果酱

2份,每份220大卡热量

2 只小苹果,或者其他水果

1 茶匙苹果油

1 茶匙不甜的苹果汁或苹果酒,最好带果肉

1/2 茶匙碎肉桂

6 只胡桃,分成 2 份,烤熟

1/2 杯无脂肪或低脂冷冻香草酸奶

将苹果分成 4 份,去核,去籽。再将苹果切成薄片。用中火将锅烧热,加入苹果,煮 4 分钟。此时再加入苹果油、苹果汁和肉桂,继续煮 5 到 8 分钟,直到苹果变软,汁变浓。最后将苹果酱装盘,上面摆上坚果。和冷冻酸奶一起食用。

该食品为你提供的营养含量	
脂肪总量	8.4 克
饱和脂肪含量	0.8 克
健康脂肪含量	7.0 克
纤维	6.7 克
碳水化合物	38 克
糖	27.6 克
蛋白质	3.6 克
钠	23 毫克
钙	83 毫克
镁	35 毫克
硒	2 微克
钾	346 毫克

加覆盆子、巧克力和开心果的烤梨

2 份，每份 184 大卡热量

1 只大梨

1/2 杯质量上乘的白葡萄酒

180 克冷冻的无糖覆盆子，解冻；或者 1 杯新鲜的覆盆子

1 汤匙迷你型巧克力块

1 杯半汤匙烤开心果

将烤炉加热到 210 摄氏度。将梨切成两半，挖出梨核，放到浅烤盘中。将白葡萄酒倒在梨上，烤 18 到 20 分钟，直到梨变软。此时，将覆盆子放到食品加工机搅拌，滤出种子。将梨放在盘中，撒上巧克力块（梨的热度可使巧克力块融化）。把覆盆子浆和烤盘中剩下的汤汁混合，高温加热直到汤汁变稠。舀出汤汁浇在梨的四周，撒上覆盆子。趁热食用。

该食品为你提供的营养含量	
脂肪总量	5.2 克
饱和脂肪含量	1.4 克
健康脂肪含量	3.3 克
纤维	4.9 克
碳水化合物	31.8 克
糖	24 克
蛋白质	2.7 克
钠	7 毫克
钙	45 毫克
镁	32 毫克
硒	2 微克
钾	344 毫克

加覆盆子、蓝莓和巧克力的桃块

2 份,每份 46 大卡热量

2 只小的熟桃子,切块

1/2 茶匙碎肉桂

少许肉豆蔻

1/4 杯(30 克)新鲜覆盆子

1/4 杯(30 克)新鲜蓝莓

1 勺半巧克力块

将桃块与肉桂、肉豆蔻混合搅拌,装入两只盘子。在桃块上面撒上覆盆子、蓝莓和巧克力块。

该食品为你提供的营养含量	
脂肪总量	0.4 克
饱和脂肪含量	0.1 克
健康脂肪含量	0.28 克
纤维	2.6 克
碳水化合物	11.5 克
糖	8.9 克
蛋白质	1 克
钠	0.5 毫克
钙	22 毫克
镁	11.5 毫克
硒	0.1 微克
钾	202 毫克

爆米花

4 份,每份 61 大卡热量,其中 10% 来自脂肪

1/2 杯玉米粒

风味烹饪油(牛油、橄榄油或大蒜)

大蒜盐(大蒜粉、盐、淀粉的混合物)或肉桂

将玉米粒放进一个 2 升半的容器,密封,放入微波炉高温烹饪 4 到 5 分钟。等到玉米膨胀但没有被烧焦。如果微波炉没有转盘,请在烹饪 3 分钟之后,戴隔热手套抖动容器。爆好后立即将爆米花拿出倒到烤盘上,浇上烹饪油。也可以撒上你喜欢的调味品,比如大蒜盐或肉桂。

该食品为你提供的营养含量	
脂肪总量	0.8 克
饱和脂肪含量	0.1 克
健康脂肪含量	0.7 克
纤维	0.4 克
碳水化合物	5 克
糖	0 克
蛋白质	1 克
钠	0 毫克
钙	1 毫克
镁	0 毫克
硒	1 微克
钾	0 毫克

附录：医疗方法

如果你进入减肥稳定期
或者当你无法控制自己的脂肪和健康时
需要考虑的方法

附录简介

　　我们很清楚你的想法。当有人称他使用药物或医疗手段减肥时,你会认为这是一种示弱的行为。但是对一些人而言,这种示弱是现实的选择。当你为了减掉 15 公斤体重而遇到精神或肉体上的莫大阻力,或者体重失去控制,医疗减肥可以给你有效帮助,甚至完全解决肥胖问题。医疗减肥法包括保守疗法(如定期服用药物)和手术疗法(如胃改道手术)。根据具体情况,这些方法可以帮助你减掉几磅到几百磅不等的体重。如果你患有前列腺癌或乳腺癌,你定会寻求医疗手术帮助。而对 50 岁的人而言,超重 18 到 45 公斤的危险不亚于乳腺癌或前列腺癌。也就是说在未来 7 年时间里,肥胖导致死亡或残疾的可能性会增加一倍。尽管我们认为大多数肥胖问题可以通过减肥食谱和瘦身运动计划解决,但是我们还是想使你认识到通过医疗方法也可以取得不错的减肥效果。我们将在以下的附录中详细介绍一下这些方法。这些方法主要分为三种类型:

　　※ 处方药物:用于快速减肥,或者用于正常减肥无明显效果的人。

　　※ 整形手术:适用于减肥成功者进行身体微调。

　　※ 治疗肥胖病的手术:适用于食疗和运动减肥没有效果,身体过度超重以至于威胁到自己生命的人。

即使你只需减掉一点体重，你也可以知道有人受益于这些疗法。我们介绍这些疗法并不是推荐给每个人，而是向你普及一下关于医疗减肥法的生理学知识，使你可以根据自己或者家庭成员的具体需要做出选择。

药物减肥手段

快速的腰部瘦身方式

瘦身误区

- ❖ 你的身体一点脂肪也不需要。
- ❖ 大多数肥胖问题的罪魁祸首是快餐。
- ❖ 节食一定要拼尽全力。

在体育运动中,服用药物是一种欺骗的行为。在学校中,药物被看作是留级的直通车。在乐坛,药物被看作乐队的另一名成员。同样,在减肥中,药物的名声也很坏,

甚至被认为是一种肮脏的减肥方法。然而,使用正确的方法以及在正确的监督下,减肥药物可以改变大脑中的生化物质,从而帮助你实现减肥目标。为什么呢? 因为当你通过食疗和运动方法减肥到一定程度后,减肥出现停滞,药物可以帮助你继续减重。它们会帮你克服减肥的阻碍。

YOU 提醒! 要在医生指导下服用减肥药,不能服用非处方药物,这样才能控制你的大脑生化物质。所以当你需要克服减肥的困难时,食疗不再是你的第一选择。这就像一名教练在帮助一名

运动员跨越状态低迷期一样。但无论怎样,你必须知道它们不是立竿见影的减肥方法。它们不会在 30 秒钟内将腹部的脂肪去除,但是在你服用它们后会减掉 5%到 10%的体重。这对肥胖者而言是很重要的。但是要维持住这一效果必须同时实施前面介绍的腰部瘦身计划。以下数据是关于普通人减肥的效果: 单纯改变生活习惯可以轻而易举地减掉 7%的体重。单纯的药物方法效果也一样。如果两种方法同时进行, 你可以取得双倍的

坏药能起好作用？

　　很快，越来越多的控制饮食量药物将被研发上市，其中一些药物源于非法药物的生化机理。一种叫做大麻类阻滞剂，其中一种叫做选择性Ⅰ型大麻受体拮抗剂的药物被用来作用于人体内源性大麻酯系统，防止你产生饥饿感。你大脑中的受体在吸食大麻时会被激活，让你暴饮暴食。那么这些受体怎样使你产生饥饿感的？通过阻滞胆囊收缩素（CCK）和瘦素分泌，这两种物质刺激食欲。选择性Ⅰ型大麻受体拮抗剂还存在于你的肝脏、肌肉和腹部的

脂肪中，它们影响着你的身体如何使用和储存食物。阻滞这些受体就会使血液中含有更少的脂肪（甘油三脂），含有更多的健康高密度脂蛋白胆固醇，降低得糖尿病的风险。

效果。

　　因为这些药物有副作用，所以处方减肥药只能用于那些肥胖危险大于副作用的减肥者。它们不适用于整容减肥。它们只能用于体重指数（BMI）大于等于 30（见第 317 页的图 A.1），或体重指数超过 27，且患有高血压和糖尿病的人群。我们可以给腰围尺寸超过 90 厘米的女性和超过 100 厘米的男性，或患有糖尿病、沮丧或抑郁、睡眠呼吸暂停综合征、关节炎、高血压、自信心降低或严重的动脉疾病的人群开处方药，但是一个前提是病人已经认真地试过了以饮食和运动改变自己。没有一种药物可以在停止服用后还会有治疗效果，但是在减肥期间服用药物会使效果更加明显。据我

们同事的经验,他们帮助病人取得信心,战胜减肥的困难期,并且帮助他们消除由于肥胖而产生的自卑感。

这些药物是这样起作用的。它们帮助你控制大脑中化学反应平衡,因此你的食欲不会像魔鬼一样毫无控制。(不利作用是当你停止服用药物时会回到原来的旧习惯。)

一般而言,减肥药物根据工作机理进行种类划分。很多药物,比如下面列举的药物通过控制大脑中的神经传导起作用(尤其通过第三篇中谈到的大脑化学物质),然而其他药物对于消化过程有效果,我们将在后面做出解释。

芭比娃娃的腰围 / 身高比

一般认为腰围和身高的比例也是预测肥胖对健康危险的数值。你腰围和身高的比例不应超过 50%,芭比娃娃是 25%。现在男性平均是 58%,而女性是 54%。

图 A.1 BMI 图表

你的体重到底属于哪一类,体重指数(BMI)表让你一目了然。从横轴上找到你的体重,竖轴上是你的身高,两点交叉的地方表明你体重所属的范围。政府和医生追踪我们的体重状况的最常用方法就是使用体重指数。

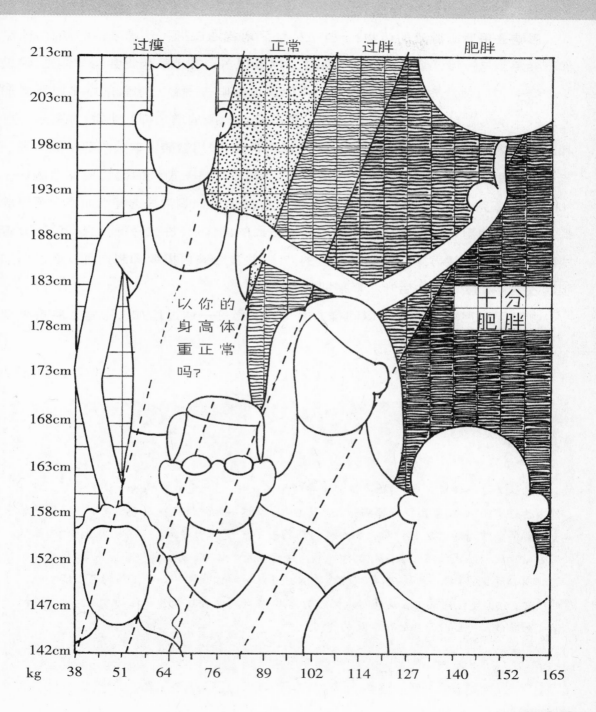

影响去甲肾上腺素的药物：一些抗抑郁病药物通过抑制焦虑来控制饮食，所以你不会感到与过度饮食有关的情绪变化。尽管很多抗抑郁病药物会增加体重，但是至少有一种叫做盐酸安非他酮的药物可以通过影响去甲肾上腺素的水平以及增加寻求快乐的多巴胺而对减肥起到作用。盐酸安非他酮的增加抑制饥饿，并引起心律和血压升高，同时也加速新陈代谢。一项研究表明，服用盐酸安非他酮药物的患者一年可以减重 3 公斤到 9.5 公斤。（研究表明，副作用是一剂量的盐酸安非他酮——300—400 毫克，可以增加癫痫发作的危险。）盐酸安非他酮常与选择性血清素再摄取抑制剂一起使用来控制体重增加和消除性方面的副作用（性欲降低和兴奋延迟），这些副作用是复合胺再摄取抑制剂产生的。（一些复合胺再摄取抑制剂可以通过增加胆囊收缩素和脑下垂体后叶激素来抑制食欲。）

咖啡因和尼古丁也可以以同样方式抑制食欲——通过增加去甲肾上腺素来抑

药物杀手

你认为这样做是正确的：你身体超重导致了高血压，因此采取药物治疗降低血压。或者你因为过重而沮丧，服用抗抑郁病药来赢得自信心。这些做法很可能是个嘲讽——很多药物会使你的体重增加。有一种治疗高血压的药物——β 受体阻滞剂——可以增加体重，降低百分之十的新陈代谢率。有几种抗抑郁病药也可以增加体重，成分中含有胰岛素（用于控制肥胖引起的糖尿病）。教训：不要认为药物治疗可以帮助你减肥——即使药物可以解决一定的问题。我们建议向医生咨询药物减肥的副作用，首先采用合理饮食和运动方法解决肥胖问题。药物方法可能会产生适得其反的作用。

图 A.2 **得到信息了吗？** 神经细胞通过传递各种化学信息彼此获得联系。比如，当你的神经突触接触到 5−羟色胺时，你的感觉会很不错。当你的神经细胞接触不到足够的 5−羟色胺时，就是你情绪低落的时候。能够刺激"感觉不错"方面的药品可能帮助你减肥。

制食欲和加速新陈代谢以及心率。这些药物对瘦身计划起到积极作用(实际上,吸食的烟草除外)。麻黄属植物可以成功地用于减肥,它具有同样的活动机理,但是会造成心脏病。自然的东西不一定是健康的——龙卷风和黑死病也是自然的。

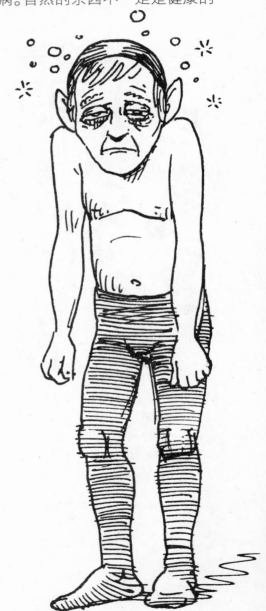

影响 5-羟色胺的药物:西布曲明可以通过温和地作用到大脑化学物质 5-羟色胺来控制食欲,所以你不会感受到刺激胃口的大脑化学物质急剧增加和降低。多数人通过该药物可以减掉大约 7% 的体重。同样,流行的减肥药"芬芬"也具有相同的生理作用,但是由于会导致肺动脉高压而被严禁销售。有趣的是医生已经发现增加 5-羟色胺可以减少人体对碳水化合物的摄取,因此这成为一个"先有鸡,还是先有蛋"的讨论:是舒心的食物可以帮助抑制忧郁,还是由于忧郁而增加了食欲?

影响伽玛氨基丁酸的药物:影响伽玛氨基丁酸的药物是一种麻醉及抗癫痫药物,因为伽玛氨基丁酸可以稳定你的情绪,促进睡

肠部药物的前景

注射胆囊收缩素或者类似缩胺酸化学结构的物质是最有前景的药物疗法之一。胆囊收缩素可以使食物在胃部停留时间更长久，而且会通过迷走神经向大脑传递胃部饱足感的信息。身体的小肠会产生一种降解胆囊收缩素的酶，但是新的研究发现你可以抑制这种作用。血流中摄入或吸入进入血液的胆囊收缩素可以帮助你提高饱足感的水平。

眠。我们不建议使用麻醉药物进行减肥，但是有两种抗癫痫药物——托吡酯和唑尼沙胺经证实可以用于减肥。因为这些药物可以减弱大脑中控制进食的神经活动。（在你斜躺着小憩时，不会嗅到甜面包圈的香味。）实际上，托吡酯是一种遵医嘱服用的药物，但是具有副作用，这些药物可能使你感到六神无主，昏昏欲睡。

影响消化道的药物：有的减肥药物通过改变大脑神经系统达到减肥效果，而有的药物则直接影响消化道功能。药物奥利司他通过抑制脂肪消化——尤其阻止脂肪酶的产生——而达到减肥效果。当脂肪无法分解时，身体就无法吸收，因此你只能吸收很少一部分的热量。奥利司他看起来比其他减肥药更加安全有效，可以帮助你减掉 10% 的体重。因为它能够抑制脂肪的吸收，所以也会减少体内胆固醇的含量。

奥利司他的一项缺点是使你减少对食物中可溶解脂肪的维生素 A、D 和 E 的摄取，所以你需要在晚间服用补充维生素。另外一个副作用是你会遇到排泄问题：频繁的大便和放屁，大便比起以前更加油腻。但是西莲壳形状的天然纤维可以抵消副作用，它可以通过膨胀大便而减少征兆。你也可以通过在每餐中摄取一点脂肪，减少副作用。记住，不是只在正餐时摄入一天所需脂肪。可如果摄取脂肪太多则会让你一整天都待在厕所里了。

这种药物通过抑制脂肪摄取起作用，这可以有效地教导人们哪种食物含有脂肪：它就像病人们的指路灯——告诉人们如何烤火但不被火灼伤。食物包装上说不含有胆固醇并不意味着不含有脂肪。（你要知道事实上脂肪会经过你的身体而被排泄。）很多医生说这种药物有效，它教会你何种食物含有不健康的脂肪，因此你可以避免因隐藏的饱和脂肪酸和反式脂肪酸而引起的衰老，并有效地减肥。很多专家称奥利司他对于那些在减肥计划中进退维谷的人很有效。很多其他消化道减肥药值得探究：

※ 二甲双胍可以增加胰岛素敏感性，似乎能够减少肝脏的炎症，所以可以防治代谢综合征或者使多囊卵巢症的激素串扰得到保护。随着胰岛素将糖分子送入细胞消耗，体内的糖分水平恢复正常。其副作用是放屁和恶心，但不会导致热量摄入。如果你身体脱水，这种药会造成更严重的问题——所以不适合那些喜欢运动两小时以上的人们。

※ 阿卡波糖同奥利司他的作用方式类似，但是直接作用于糖分。奥利司他抑制脂肪的吸收，而阿卡波糖抑制碳水化合物代谢中酶的产生——这意味着它阻止碳水化合物的分解和吸收。（副作用是糖会导致腹泻，并且发酵产生难闻气味。）服用此药应该注意饮食。

※ 一种叫做 5–HT4 受体部分激动剂（泽马可）的新药通过刺激肠部 5–羟色胺受体起作用（记住你的肠子是第二大脑），它也会激发其他神经递质来降低肠部敏感，从而使你感到饱足，因此降低饮食量。（肠部敏感度高的人会时常腹痛及屁多。）同纤维类以及轻泻剂类药物不同，5–HT4 受体部分激动剂可以用于患有肠易激综合征的患者。

YOU 建议！

药物：可能会有效果 以上谈到的药物在你减肥停滞时会帮你突破障碍。当你开始节食时，在第 30 天时会出现减肥停滞，因此要向医生咨询。我们建议你和你的医生使用盐酸安非他酮。这种药物可以减少你的食欲。原因是它可以让我们不会考虑食物以及受到食物困扰。它可以使我们的身体回到一个自然的状态——也就是说再美味的食物也不会引起你的太多兴趣。很快会有更多类似的药物将被用于降低食欲，这值得你和医生进行研究。但是这只是治标不治本的方法。

尝试一下腰部瘦身鸡尾酒 很多人戒烟后会抱怨体重增加。确实会出现这样的问题。香烟吸入肺部时，看起来可以帮助人控制体重——可能部分原因是破坏了味蕾。同时它们也会提高 10% 的新陈代谢率并且减少食欲。我们不排除尼古丁可以在早期帮助你减肥，提高代谢以及降低食欲。研究表明药膏和口香糖形式的尼古丁同咖啡因一同使用可以减肥，香烟形式的尼古丁并非如此。这不是一个适合长期采用的方法，却可以帮助你进行身体调整。我们开 7 毫克的尼古丁和两杯量的咖啡因帮助病人减肥。当然病人不会有任何咖啡因引起的副作用，如偏头疼、胃食管反流、心率加快或者焦虑。咖啡因将提高你的代谢率，燃烧更多卡路里。如果你减肥遇到停滞，那就同时服用这两种物质。它们可以帮助你渡过困难时期。这条方法应该在医生的建议下使用。除此之外你还需要一个处方。

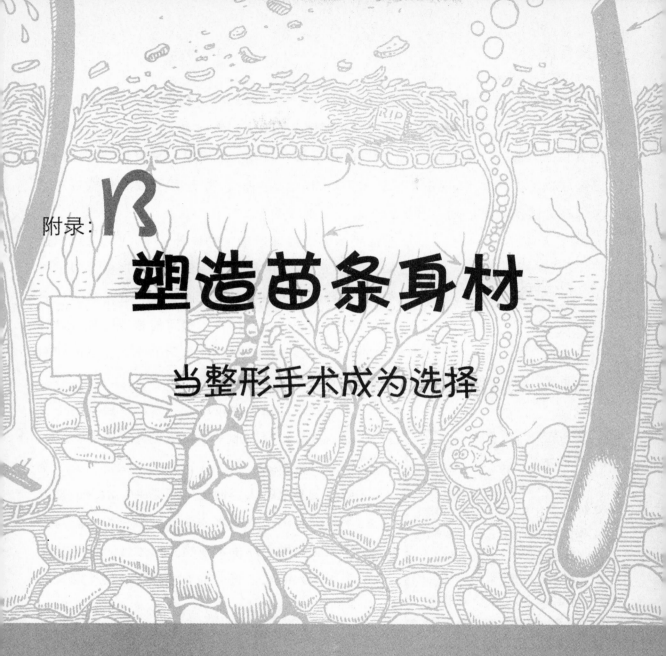

附录：**凡**

塑造苗条身材

当整形手术成为选择

瘦身神话

- ✥ 如果手术成功，整形术会使身体感到舒适。
- ✥ 吸脂术可以帮助你迅速减肥。
- ✥ 一些手术可以消除你身体上的脂肪团。

我们为什么要减肥？其中一个原因是为了可以看起来身材更好些。但有时——即使在减肥之后——身材也不见得好到哪里去。那是因为你身上曾经有的脂肪已经把皮肤撑得像一个热气球，它们现在就像矮脚长耳猎犬的耳朵一样耷拉着。如果你已经成功地重塑体形，现在正经历着下垂、松弛的皮肤的痛苦，那么现在你或许应该考虑在你腰部减肥计划中再加上一条——整形手术。

整形手术就像棒球运动中的替补球手一样，它可以通过造型、塑型和改造你的身体来使你具有新形象。我们开始之前，首先要澄清两件事情：整形手术不是完美的代名词，它也有风险。实际上，这种手术极可能是以一种身体缺陷（松弛的皮肤）换来另一种缺陷（永久的伤疤），然而对有些人而言，这种交换是值得的。

健康提示

任何声称他们可以不开刀就能去掉脂肪细胞的人比盗取信用卡的贼还具有欺骗性。出现在黄页、电线杆以及你信箱中的所谓"中间疗法"，请你敬而远之。他们声称将在10到20个疗程中往你的皮肤下注射一种药物。这些药物不会起到什么作用。当然有些化学物质——比如硫磺酸或许的确能起到作用。但我们更希望你能用这些化学物质来疏通堵塞的水槽。

我们知道有人批评说：只有以自我为中心的人才会选择整形手术以达到外表的完美。（说的是那些减了许多公斤，肚皮上松弛的皮肤都够得到膝盖的人。）但是你不必绝望地通过整形手术向体内植入盐水袋使皮肤恢复弹性。对许多减肥后做整形手术或将整形术作为减肥补充手段的人而言，有些整形术是既改善外形又有利于身体健康的。当然，整形术并不适合所有人。也不是只要你产生了整形的想法，我们就极力提倡的。整形术不能把你变成一个芭比娃娃。如果你觉得这样比喻能使你舒服些，你可以把它看成是给洗过的汽车上光，第一次约会结束后的一次亲吻。整形术可以帮助你的减肥计划更完整——这样你对自己重塑的体形会感到更舒服、更自在。

皮肤失去弹性的秘密

任何曾经增过肥或减过肥的人都知道自己的皮肤发生过什么变化。身体堆积了太多脂肪的话，你的皮肤上就会出现像蚯蚓一样的白纹。如果你瘦了许多，那么你的皮肤就会出现松弛。当然，我们都知道皮肤是富有弹性的，能像橡胶一样回复原状。一位刚生过孩子的母亲几个月后肚子变得平坦就能证明这一点。所以那些减重很多的人的问题是：为什么我们减肥后，皮肤不能恢复原状？

将你的皮肤想象成一个大的垃圾袋。刚从盒子里取出来时，袋子压得很紧，叠得整齐而漂亮。用它装垃圾时，就会变得伸展、膨胀。垃圾袋既耐用又有弹性，大多数袋子都能装下废易拉罐、废纸和任何你扔的东西。你的皮肤也是同样的原理——它富有弹性，经久耐用。它可以忍受你塞进去的任何"垃圾"。但是当你过度肥胖时会发生什么呢？当你往肚子里塞满比萨饼、烤干酪辣味玉米片和火鸡时，你的皮肤会一直伸展、伸展再伸展。但是到达某一点时，就像垃圾袋一样，皮肤就会撕裂（见图 B.1）。撕裂的地方在真皮层——在你皮肤的深层，而不是在被称为"表皮层"的地方。但是因为增肥而产生的

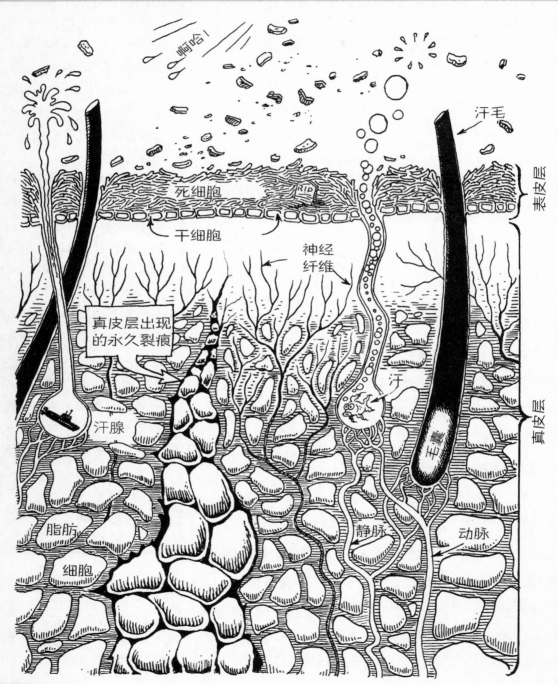

白纹却会出现在表皮层。

就像垃圾袋被拉伸到一定程度也会破裂一样，你的皮肤也是这样——而且一旦这样，就很难让它恢复原状。因此即使你把垃圾袋里的垃圾都拿出来（对你来说，就是减肥），你也不能把垃圾袋变成原来的状态（美丽而紧致的皮肤）。所以你很可能会仍然拥有你80公斤时的皮肤，即使你现在只有50公斤的重量。

有可能的整形选择

不管你是减掉很多还是减掉一点，只要你瘦了，就可以选择小型治疗使你的皮肤更佳。这些方法都是十分平常——只要你正确使用——十分合理地解决特定皮肤问题的方案。

腹部除皱：现在腹部除皱这种手术到处都是。这种手术不适合那种减掉许多的人，而主要针对那些在腹部中、下部凸起一个足球大小的"腹袋"的人群（其中主要是刚生过孩子的妇女）。手术是这样的：首先排除多余的皮肤。在你腹直肌的上方有一个像玻璃纸似的半透明状腹肌筋膜。这是一个较厚的、皮革质地的组织，它包覆着人体体内的器官，有点像肠衣。你增加体重的时候，不仅仅你的皮肤被拉伸了，而且连腹膜也被一起拉伸。在腹部除皱术中，医生除了要除掉并重新缝合你的皮肤外，还要将腹膜拉回到原来紧致而平坦的状态。手术对于经过多次怀孕、腹部肌肉和皮肤已经被拉长、不能回到正常状态的女性尤其有用。这个手术的另一个好处是：拉紧的皮肤会改善你腹部肌肉的整个健康状态——可以减轻后背的疼痛感并且改善体态。

面部和颈部拉皮术： 由于遗传的原因，有的人有许多层下巴，甚至比猫王拥有的白金唱片还要多。如果你的体形犹如美洲豹一样健美，而只在颈部容易堆积脂肪（这得感谢你的父辈），那么你真的应该将这些脂肪去掉。想拉紧你脸上的皮肤，医生会从你前额的发际线开刀，沿着发际线一直划到太阳穴，到耳朵上方，绕到耳朵前面直到耳垂下，再划到耳后的发际线。医生还会在下颚开一刀，拉紧你颈部的皮肤和肌肉。接下来，医生将把你的皮肤与皮下组织和肌肉分离（在大多数手术中，这些组织和肌肉也会被拉紧）。然后，医生就可以用抽脂术（见下文）将你脸上多余的脂肪抽走，再缝合回原来开刀的地方。如果你的头发长得漂亮而浓密，而且还有一位优秀的整形医生主刀，那么很难会看出刀口和疤痕（这与腹部除皱术不同）。

抽脂术： 吸管可以吸杯子里的可乐，吸尘器可以吸地毯纤维里的杂物，而吸脂器图 B.2 **腹部除皱** 在腹部除皱术中，医生不仅会去掉多余的皮肤，而且还会把肌肉（腹肌筋膜）拉紧，还你一个紧致而柔软的小腹。

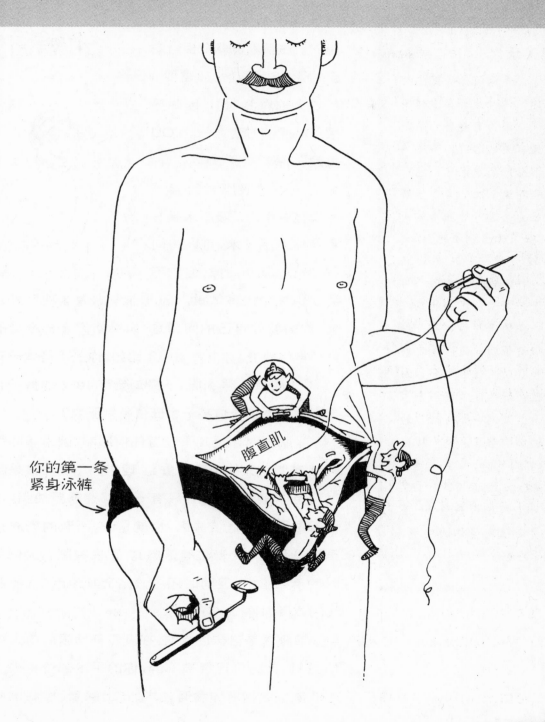

你的第一条
紧身泳裤

腹直肌

则能够吸走你体内多余的脂肪。抽脂术是一个相当安全的治疗过程（一般需要3到5天的康复期），因此是腰部减肥的方法之一。**YOU提醒！** 你要知道：作为一种减肥方法的吸脂术无异于一次截肢手术。吸脂术是一项身体造型技术，可以将问题部位的脂肪抽掉，但它不会使你减少太多体重。因此在考虑做这种手术之前，你需要问自己的问题是：如果使你无法忍受的体形得到改变，你会高兴吗？比如，你是不是体形不匀称（上身穿4号衣服，下身却要穿10号的裤子）？或者你是不是身体某一个部位特别肥胖？

吸脂术对体重几乎没有任何影响，因为脂肪很轻（1升脂肪大约1公斤重）。理想的患者应该是超过理想体重10%，而且只有一个部位需要抽脂（这个部位是因为遗传原因，也就是说，所有的家族成员都只有这一个部位有赘肉）。正在减肥的人也可以使用抽脂术，但同时还应该结合其他治疗，使自己的体形匀称。

抽脂术是这样进行的：在真正开始吸脂前大约15分钟，此时你已经被麻醉，你的手术部位将被注入液体。这种液体含有盐水、肾上腺素（控制出血

量)和利多卡因(局部麻醉)。如果你被全身麻醉进行手术，那么这些药物的含量是不相同的。因为注入太多利多卡因会引起吸脂并发症。液体注入完毕后，你的抽吸区域会肿胀起来，因为你被注入的液体与要被抽吸出来的脂肪量一样多(抽出 1 升脂肪就要注入 1 升液体，这取决于使用的方法)。

　　医生将分两步把体内的液体和脂肪抽出。首先，医生拿一个金属吸管状的管子插入皮下，将管子推入要实施手术的部位。医生会来回移动管子，把要吸走的脂肪打上小洞。第二步，医生会使用看起来像咖啡搅拌器一样的电动工具。这个工具 1 分钟震动 4,000 次，它会将脂肪细胞击碎，然后把它们吸出来。

YOU 建议!

保持现状:在你开始任何有关皮肤的整形手术之前,你的医生应该为你进行一项健康营养检查——这样你在术后可以完全恢复(也就是说,保持食用健康成分的饮食习惯)。如果你能够像训练公路赛一样通过锻炼为手术做好准备,那么你会受益匪浅。术后你需要静养,不宜运动。所以术前保持身体健壮将有助于你术后的康复。你的医生还会想知道你在过去 6 到 12 个月里体重是否稳定。如果你的体重忽上忽下,就不能指望做手术。如果你再次有肥胖的倾向,那么你就应该加强锻炼,打消做手术的念头。如果你一直在减重,手术肯定是浪费金钱,因为你术后有可能皮肤再次出现松弛。

进行实事求是地评估 做完整形手术后的感觉比喝冰镇果汁朗姆酒还幸福。想想看,没有多余的脂肪,没有松弛的皮肤,完全是理想的体形是什么感觉。但是有许多人需要度过一段艰难的时间去适应术后的生活。为什么?这里有心理的原因:体重是一点一点增加的——大多数情况下,如果不是做整形术的话,减肥的过程也是一点一滴的。你需要时间在心理上适应自己新的身体,不管是自己的身体变瘦了还是变胖了。但是当你做了整形手术后(尤其是皮肤除皱后),变化是快速的,戏剧性的。10 年时间堆积起的脂肪使你已经在内心适应这个"自己"了,但是当有人把近十公斤的多余脂肪和皮肤去除时,你要准备接受一个全新的自己。

是的,减肥和减少多余的皮肤一直是你所期望的,但是你必须对术后的疤痕、新的身体做好准备。有的人沉浸在别人对他体形的恭维之中,而有的人却觉得很尴尬或引以为耻,因为这种恭维一直提醒他们曾经是怎样的肥胖。许多患肥胖症的人再也不愿意照镜子,所以你需要时间去适应新的身体。还有一些身体上的原因使你在手术后很沮丧。手术不是像在你的鼻子上打了一拳。有些手术十分消耗身体,疼痛和不适时刻伴随着你。有些患者做完手术后看起来似乎老了 20 岁。那不是真实的。你可以期望的是比你实际年轻 10 岁的、更健康的你。

自己做一番调查 有些换肤治疗看起来好像每个人,就连园丁都能做到。但是所有这些手术

　　当你尝试一种新的食谱时，会先品尝其口味如何。如果你要做整形手术时，你应该先看患者术前—术后的对比照片。电脑可以修改任何东西，因此电脑生成的任何你术后可能达到的体形的照片都不足为信。它们可以方便你与医生的交流，同时你还要看其他患者的照片。每个人都认为，如果一位外科整形医生的家着火了，他首先会去抢救那些患者术前—术后的对比照片。所以任何合格的外科整形医生一定会有足够的与你的手术情况类似的照片供你参考。

都需要一位十分称职的整形医生操作。做吸脂手术的医生一年应该做一百多个这样的手术。对于大面积吸脂手术，医生一个月至少应该做一个。这种称职的医生必须有处理紧急情况的能力(记住，在吸脂术中，脂肪将被穿透。潜在的危险是可能同时刺破了其他重要的东西，或者导致皮下大出血)。

　　你在医院还是在医生诊所的手术室里进行手术都无关紧要。判断实施手术的机构是否符合高标准的要求有一个方法。即，它必须由被称为"联合委员会"的国家健康—保健团体的授权，该组织是患者生命安全的守护者。你可以在 www.jcaho.org 上搜索医疗机构。如果你真想去掉你腹部多余的皮肤的话，这个网站可以为你提供支持和保障。

　　不要听信哪个家伙吹嘘什么"最近的"、"最新的"或"最前沿的"治疗，千万不要轻易尝试。整形行业充满了欺骗，而且你也一定不愿充当别人的试验品。一定要确保手术工具、仪器或治疗过程是科学的。你可以从主刀医生的网站查起，看看他有哪些成果，要一些和你类似的案例看看。有些专门治疗过度减肥的整形医生会给你看他的成功案例的照片。你应该至少要求看一打照片，因为不会有医生愿意把失败的手术结果拿出来炫耀。如果这位整形医生是某个整形协会的获有官方证明的专科医师，这会大有帮助。这种整形协会有"美国整形外科医师协会"(ASPS)、"美国美容整形外科医师协会"、"国际美容整形外科医师协会"(ISAPS)或"美国整形外科医师联合会"(AAPS)。这些机构都

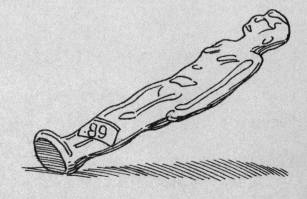

是走在科技前沿的，你可以索取参考资料。毕竟，仅仅因为一个整形医生购买了价值 25 万美元的仪器并不意味着你就可以相信他，并再向他"捐钱"。

该停止了 有的人把美容整形当成按摩一样，他们做的次数越多，感觉就越良好。是的。整形手术会像毒品一样让人上瘾的。你不停追求的是所谓的"完美"，这种信念使你一完成现在的手术就开始计划下次的手术。所以，你要找到你苦恼的地方，想清楚你怎样才能高兴。然后做一个决断，接受现实。照照镜子，告诉自己，你的改变已经使你满意，该停止了。如果你停不下来，如果你总是不停地考虑吸这里、吸那里的话——那么有病的不是你的皮肤，而是你的大脑。总之，在决定进行整形治疗前，你应该接受这样一个现实——你不是在寻找完美，而是在使自己的体形得到改善，使自己更加快乐。

と

最后的手段

如果你的体重失控应该怎么办

瘦身神话

❖ 瘦身是减肥的捷径。

❖ 如果你实施了胃改道手术，那么你永远也不必担心节食的问题啦。

❖ 一旦你完成手术并且康复，那么最难的时刻就过去了。

对篮球运动员来说，绝望意味着在底线投篮时比赛结束的哨声响起；对会计来说，绝望是在 4 月 15 日 23:59 的那一刻（4 月 15 日是美国一年一度的报税截止日，美国人必须赶在 15 日午夜截止日期之前将自己的报税文件邮寄出去）。但是对于为减肥痛苦的人来说，绝望就是当你从过度肥胖到走向无法控制的那一刻。只是这种绝望与其他的绝望仍有不同：一名篮球运动员很难投中这样一个全场球；会计也绝不能在 60 秒内完成 1040S（一种税单），但是极度肥胖的患者则有改变绝望的救生筏：减肥手术。

大多数人对待减肥手术的态度，就像他们对待体育赛事中出现类固醇一样（运动员为提高肌肉力量而使用类固醇是不合法的，属于禁药成分），认为这是欺骗性的，不正常的。但是实际上有许多人患有严重的肥胖症，他们的 BMI 指数达到 35，甚至更高。他们很可能罹患糖尿病和高血压等疾病。对于这部分人群，尤其是那些反复尝试节食和体育运动，但每次都失败的人们，减肥手术或许是一个有效的选择。

有的人不能像其他人一样减肥是因为自己不能坚持，而使减肥失去控制。许多人即使在生活的各个方面都坚持不懈，持之以恒，但效果仍然不理想。最终，这些不能成功减肥的人们可以选择减肥手术。

在生活当中，每当我们遇到身体疾病或出现任何症状，都会先尝试着自己进行治疗。如果不能得到痊愈才会寻求医生的帮助。我们应该将肥胖症看成其他任何能够使你立即看医生的疾病——比如枪伤、乳房长肿块，或需要阻止上升的胆固醇数值。

事实是，许多人都尝试了各种治疗肥胖症的方法，他们有成图书馆的节食图书，有一车库的运动器械，还有充满沮丧的心情。但是不管他们怎样减肥，他们要么从没有开始过，要么没有坚持下来过。对这些人来说，减肥绝不仅仅像三天只喝橙汁或进行一些运动那样简单。超重的身体需要超多的帮助。

如果你——或你所爱的人——属于这一类，那么你必须尽你所能改变这一切。

从技术上讲,对男性而言超过理想体重45公斤,女性超过理想体重36公斤的人(或者男性的腰围超过122厘米,女性的腰围超过103厘米)都属于肥胖人群。

再想一下:如果你患了前列腺癌或乳腺癌,那么你一定会采取行动。(50岁以上患有前列腺癌和乳腺癌的人的死亡率与男性腰围112厘米,女性腰围97厘米患有高血压、睡眠呼吸暂停综合征、糖尿病的机率一样高。)你应该跟医生谈谈,安排手术将肿瘤去掉,并且改变不良的生活习惯,降低再次患病的可能性。

如果你认为选择开刀就意味着你懦弱或很愚蠢的话,那么你错了。病态的肥胖症(病态的!)与扭伤脚踝、心脏病或癌症一样,都属于具体的疾病。实际上,至少有5%的病态肥胖者是由于家族遗传而导致大脑不能获得瘦素信号控制饱足感。所以不管是什么导致你的肥胖,找到现代科学可以治疗的方法并不令人难堪。减肥手术就起作用,它比任何传统的让病态肥胖患者节食的方法更快、更有效。手术可以减少你一半的体重,而减肥药则只能使你减轻5%到7%。如果你能够一直保持良好的生活习惯,你的体重还会再平均降低7%。

减肥手术是否成功取决于减掉多少多余的体重——不是你一共减掉多少公斤,而是你手术后的体重与理想体重相差多少。(身高152厘米的女性的理想体重是48公斤,每增高2.5厘米就增加2.27公斤。身高152厘米的男性的理想体重是49公斤,每增高2.5厘米就增加2.7公斤。)

减肥手术不适合那些只有一点肥胖的人,也不适合那些仅仅想使衣服更合身的人。这种手术适合那些健康受到严重威胁的人,这些人多余的脂肪增加了引发冠心病、高血压、阻塞性睡眠呼吸停止症、不孕不育、慢性背疼、疝气、传染病、胆结石和意志消沉症。

这些减肥手术为以后的治疗打下了基础,手术可以使人们避免过度肥胖。当然,我们仍然想让你改变生活方式,比如进行有规律的散步。一旦你的体重完全失控,这些手术可以挽救你的生命,并且改善你的生活质量。

另辟蹊径：你是否有胆量？

　　如果你正开着车在路上行驶，突然看到一个紧急标志，上面警示你前面几公里处将有长达 20 公里的交通堵塞，你必须在下一个出口处驶离这条马路，你应该做些事情避免在一个地方塞车长达几个小时。你一定不想自己哪儿也去不了。你可能会冒险走一条乡村小路，结果或许会发现这条小路更快捷，总比在高速路上塞车好。

　　好吧，如果你现在腰围很粗，那么就证明你体内堵塞很严重。你的汽车可能陷入泥中，不能开动了。可能汽车没有汽油了。你找不到那神奇的直升机将你的汽车吊离这绝望的境界。但是还有一些不错的道路可以帮助你脱离这种节食的生活，摆脱病态的肥胖症。这就是能够帮助缩小腰围的方法，它甚至能够改变我们生活的方式。

　　最重要的是，你可以选择这些方法，使生活发生改变。请注意以下数据：

1. 一个 25 岁的肥胖患者（腰围至少 102 厘米）寿命至少减少 22%（即，他会少活 12 年）。

2. 减掉 10 公斤相当于把与肥胖病有关的死亡率降低了 53%。大多数减肥手术可以帮助人们减掉至少 45 公斤。

3. 减肥手术会降低 80% 的糖尿病相关的死亡——在超过 90% 的案例中，有些治疗甚至能够治愈糖尿病。

令人惊奇的是，你体内那些诸如高血压、高胆固醇，尤其糖尿病等危险因素会在减肥之前，甚至在手术后前几天就开始发生变化。（我们知道，这听起来像是一个小报的头版头条：《到下午 3 点，减掉你身上一半的胆固醇！》。）你的身体就像一个古怪的精灵。你是否真正瘦下来并不重要，重要的是你的身体是否感觉到自己体重和腰围有所变化。影响你体内危险因素的并不是你的腰围或体重，而是你身体的发展趋势。有许多患者在术后一个月或不到一个月内停止服用胰岛素和降血压的药物，术后身体会像正常身体一样开始运作，调节控制可以调节食欲的激素莱普汀(leptin)和葛瑞林(Ghrelin)。有一位患者告诉她的医生说，她十分肯定医生是给她的大脑而不是胃动了手术。因为那个不断告诉她自己很饿的声音现在已经没有了。减肥手术还可以通过降低血液中的炎症标记物（比如 C 反应蛋白）立即达到减肥的效果。不管减肥手术的机理如何，反正它的效果立竿见影。

所以，如果肥胖症使你不得不一只脚踏进坟墓里，而十个手指还在馅饼里，那么你没有理由再对减肥手术置之不理了。它不是魔术，没有你生活方式的改变，它也不会取得永久性的成功。但是它绝对会给所有做过手术的患者一个质的飞跃。我们对胃的结构和工作原理的认识，使我们能够研究出控制胃的生理系统和消化系统的治疗方法。这种方法可以帮助人们更好的控制体重。减肥手术有许多，大体可以分成两类。它们要么是限制性的——指限制胃的空间的治疗，这样可以限制你摄入的食物量。（这就好比你不能把更多的人塞进一个电话亭，那里只能装一个人。）或者是吸收不良性的——这种手术能够改变你的身体，使你不能吸收所有多余的热量。这些手术基本上都只开一个很小的刀口，或者用腹腔镜完成，根本不必打开肌肉壁。下面，我们就逐一地介绍它们的原理。如果想了解更多有关减肥手术的信息可登陆www.realage.com。

打破误区

但首先有一点要弄清楚：这些都是大手术，就像空中蹦极一样，风险与收益并存。你必须知道想做这种手术，你就必须准备改变你过去的生活方式,坚持适当的饮食和运动。做到这些,减肥手术才能成为有效果的治疗。它不仅仅能改善你的外表还能显著地改善你的健康。

打破误区

你还必须明确什么是成功。成功不是由你到底有多快乐或你到底有多苗条来定义的。它应该意味着将你多余的体重减掉 50%。实行减肥术的第一年能够保持这种成功体重的几率超过 90%,而术后 5 年能够成功保持的在 55%到 70%之间。

你还需要了解有两种治疗是永久性和不可逆转的,你必须遵守一些规定(比如每天吃复合维生素和维生素 B_{12},喝大量的水,不饮用酒、咖啡因、苏打和酸性饮料,不要在用餐时喝饮品)来保持健康。你还要知道每一位患者的反应多有不同:有的患者全不费力气地就可以取得成功,而有的则要进行艰难的适应阶段。

捆扎带胃减容术:限制性的手术

在这个手术中,医生会把一个腰带状的带子捆在胃上——胃的上方。当带子收紧时会把胃收成漏斗状(见图 C.1)——使近端胃侧形成一个狭长的胃小囊,可使进入食道的食物在这里储存。这个带子可以形成一个"单车道",来容纳若干车道上的交通量;它还可以形成一个瓶颈,使食物通过胃肠系统的运动速度变慢。你吃下的食物从被带子捆紧的沙漏进入肠子时,你会感到长时间的饱足感。你可以只吃一点儿食物(这个手术要求你细嚼慢咽)。

这个手术的功效在于,它能够轻易地限制你摄入的食物量,所以使你不能食用(储存)多余的热量。医生可以根据你到底瘦了多少拉紧或松开带子。所以这是一个可以灵活操作的手术。你可以把它想象成当大力水手狠狠掐住布鲁托的脖子时,布鲁托的脑袋就会慢慢变大。当带子收紧时,胃部会出现一个向外鼓胀的部分,胃部中间的收口也会越来越小。另外,这种手术是可以逆转的,是所有手术中风险最低的。这个手术的缺陷是,由于你的胃变小了,你必须把食物切成像小手指指甲盖一样的大小。这意味着你吃的垃圾食品可能多于大块儿的食品,比如菠菜。

十二指肠转位手术:吸收不良型手术

　　开车旅行时,你一定知道路线一与备用路线一的区别。路线一可以带着你穿过市区,因此你可以在商店驻足,看看历史遗迹,在半英里内的 35 个交通指示灯前晃悠。有的时候,这条路线很棒。但是如果你只是想到城市的另一端,那么你就会选择迂回路程———这条道路绕过市区,避免了交通指示灯,直接把你从邮局送到宠物之家。吸收不良型治疗方法就好比迂回路程:它把胃肠的主要道路切掉,这样食物就可以一路上不必因为要储存脂肪而停留。

　　在十二指肠转位手术中(见图 C.2),肠子会被切掉一部分,然后再重新接起来。这样可以使食物在胃肠系统内的时间缩短,从而使许多营养不被身体吸收。(这个手术会切掉食物在肠子中经过的 80% 的路径,从 600 厘米到 100 厘米。)转位使上端十二指肠与下端的小肠相连,达成消化液与食物分流的效果。这样可以帮助你避免吸收所有的热量。继续往肠子下面消化时,在你还没有把所有东西都倒入市政排污系统前,食物和脂肪液就会汇合。在消化液与食物分流的过程中,只有很少的脂肪被血液吸收,最终储存在你的肚子里。在生理学上有一个十分简单的原理就是:如果你不吸收多余的热量,自然也不会储存它们。

　　某种意义上,诸如捆扎带胃减容术这样的限制型手术有点儿像是把汽油箱缩小一点。如果你把汽油箱缩小到原来的十分之一,你的汽车肯定不能装太多汽油。但吸收不良型手术就像是把汽油箱戳漏。汽油箱漏了,你的引擎就不能有足够的供油,不管你往油箱里加多少油。在吸收不良型手术中,你的身体不能将多余的热量储存为脂肪——某种程度上讲,手术将这些热量都"漏出"你的身体了(通过你身体上的"后巷")。

图 C.1　**胃箍带的作用**　捆扎带胃减容术可以限制进入胃里的食物量,胃旁边有一个可充气的内胎。

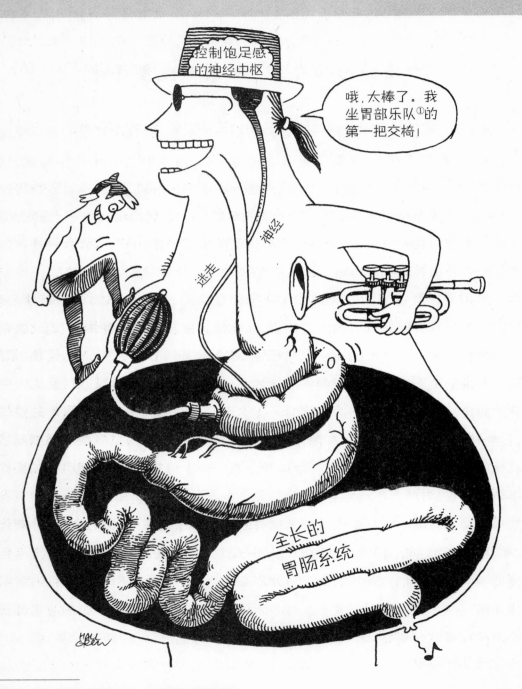

转位术是一个极有效果的治疗方法，做这种手术的人们可以食用正常的饭量。但是你可能需要服用补充维生素（见 www.realage.com），因为你的身体不能消化你食用的营养。另外，这个手术是所有治疗肥胖症患者的手术中后遗症最多的一种。

胃改道手术：限制型和吸收不良型手术

就像一个很棒的双人小组，或者一个美满的婚姻一样，胃改道手术将两者合一。传统的改道手术结合了限制型和吸收不良型治疗的所有优点——而且对那些渴望进行手术的人是一个最佳答案。在胃改道手术中，分出一个小的胃囊（大约鸡蛋的大小）用来容纳你吃的食物（见图 C.3）。这个过程属于限制型原理，这样你就不能吃太多东西。胃的其他部位则与小肠的前一段相连，但是没有食品进入这一部分参加消化，所以这里不会吸收营养。下端的小肠与上端分出的小胃囊直接相连。因此食物会进入小胃囊，然后进入小肠。在进入大肠前，食物要继续在小肠里走 200 厘米。最后，被绕过的小肠大约有三分之一。虽然没有十二指肠转位手术绕过的多，但这个手术过程属于吸收不良型原理。这样可以使你避免吸收大量多余的热量，因为主要的食物成分被排除在整个消化过程之外。这能改变你对产生饱足感的食物的激素反应。

外科医生是怎么想到这么一个疯狂的减肥方法的？当医生给溃疡患者做切胃手术时发现了这个治疗方法。医生们想找到是什么原因引发了溃疡病。而且他们发现当食物绕过胃，直接进入肠道时，患者出现症状且不能进食。这样的话，营养成分进入血液的速度太快，直接进入我们小肠的消化部位。这被叫做倾倒综合征，患者会感到恶心、冷而且出虚汗。医生发现那些无症状的患者饮食量较小——而且都食用健康食物，因为高糖成分会导致倾倒综合征。因此研究者相信他们可以在消化过程中将胃改道，人为地控制食欲。

人为地使食物越过你体内的一些小肠，能够快速修复你的新陈代谢问题。其原

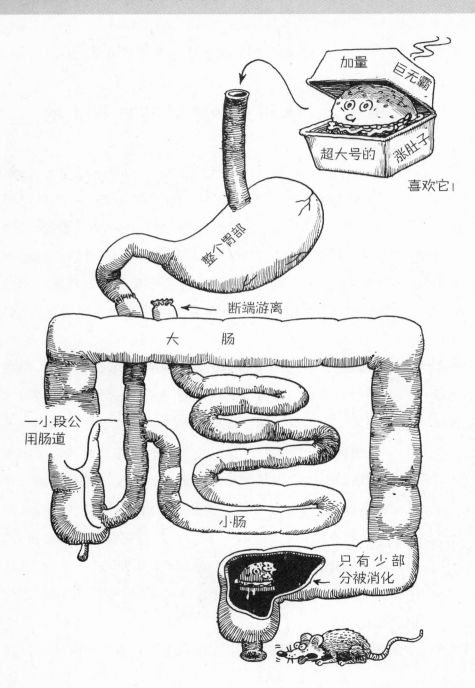

加量　巨无霸

超大号的　涨肚子

喜欢它!

整个胃部

断端游离

大　肠

一小段公用肠道

小肠

只有少部分被消化

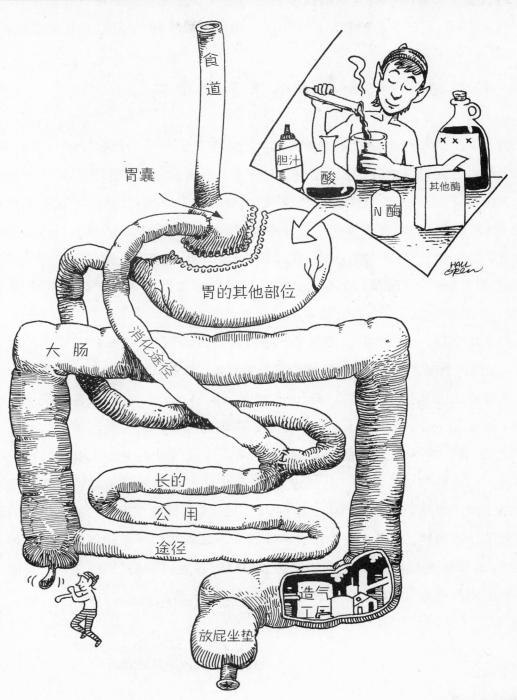

理是通过引发那些能够改变高血糖和高血压的化学变化。虽然减重效果明显（术后第一周大约减 1.8 到 3 公斤），但这个手术与捆扎带胃减容术相比，其并发症更多。

胃起搏术：适合所有人的未来手术？

我们一天到晚总会接收到许多想让自己吃东西的信号：每当我们经过厨房时，里面的各种食品都在向我们发出诱惑。将来有关控制腰部的减肥手术可能会是安装一个发射信号的系统。这个系统会发出信号，使我们一直感到饱足感。这个系统和胃改道手术一样，是在治疗溃疡病的过程中发现的。医生们发现他们切断迷走神经时，大脑就不再刺激胃分泌胃酸，肠道的收缩蠕动也减慢。事实上，扰乱迷走神经就能使其发出让肠道处于休眠状态的信号。医生已知道如果你能够控制这个信号，就能够控制自己的饱足感。

为了做到这一点，科学家发明了一种胃起搏器，它可以被安装在胃上的迷走神经附近。起搏器向大脑发出信号，使你保持饱足感。这意味着你只要吃一点儿南瓜饼就能使你吃饱。你不用吃太多热量，因为起搏器能够发出信号，就好像你刚吃过感恩节的丰盛晚餐一样，虽然实际上你只吃了一块椒盐卷饼。有关胃起搏器的临床试验已经成功，真正令人感到兴奋的是，这个手术可以成为那些中间人群的选择——这些中间人群是指节食失败的肥胖症患者，但他们还没有胖到要做捆扎带胃减容术或胃改道手术的地步。起搏器也可以根据你个人的需要调整信号。它的工作效果到底如何我们还不清楚。但是早先的报告表明它并不像限制型手术一样需要对人体器官做手术。起搏器甚至可以不开刀，通过内镜（胃镜）放置。胃起搏器的将来有可能结合各种先进科技成果，成为各种为体重和腰围烦恼的人群的福音。

YOU 建议！

询问自己 我们没有理由在扭了脚踝、撕裂膝盖韧带时不用拐杖。因此如果你需要做减肥手术时，也没有理由不考虑这个选择。这些手术立竿见影，使你焕然一新。但是它们也有风险和潜在的并发症，并且还需要你改变生活习惯。

减肥手术不仅仅会让你重拾穿无袖上衣的信心，而且还能拯救你的生命。然而，你必须知道这些手术并不是适合任何人的——它是有挑战性的。所以当你做选择时，请注意那些可以降低风险，提高成功机率的方法。你首先应该问自己以下两个问题：

你适合进行减肥手术吗？

如果你符合下面三个条件中的任一个，你就适合进行手术：

※ 如果你比标准体重重 45 公斤或更多。

※ 如果你的 BMI 值超过 40。

※ 如果你的 BMI 值超过 35，且患有高血压、糖尿病、关节炎、阻塞性睡眠呼吸综合征、严重的脂质紊乱。

具有以上特征的你应该使生活发生变化——运动和节食——会使手术更成功。顺利渡过最初的"反弹"期之后，你的饮食应该细嚼慢咽。你还必须对潜在的副作用有清醒的认识，比如，脱发、腹泻、呕吐。

我会相信谁来为我做捆扎带胃减容术、十二指肠转位术或胃改道术？

你不会想让一名牙医为你做肿瘤手术，让整形外科医生为你做心脏移植手术，或是让泌尿科医师为你作鼻整容术。所以同样的道理，你一定要找一名专家。最好你能找一家能够做腹腔镜手术的机构。腹腔镜意味着外科医生只开一个小刀口，通过一个管子做手术(看起来医生像是在用筷子做手术)。腹腔镜手术意味着你将减少病痛，快速康复。但有的时候手术必须使用传统的开刀方式。

你应该找一家一年至少做过150次这种手术的医院——这种医院术后的并发症率比其他医院低。不管你的医生是谁，一定要确保他们是一个既有术前保障(将并发症的可能性降低到最小)又有术后保障(为你提供绝佳的康复机会)的团体。这个团体应该包括营养师和精神病学家。他们将为你提供适合你的新身体的新的饮食习惯。你应该选择一家由美国肥胖治疗手术协会(ASBS)(www.asbs.org)认可的医院就诊。